D0240174

GEESTELIJKE VRIJHEID

GEESTELIJKE VRIJHEID

DOOR

Dr J. H. VAN DER HOOP

PRIVAAT-DOCENT IN DE MEDISCHE PSYCHOLOGIE AAN DE GEM. UNIVERSITEIT VAN AMSTERDAM

EEN PSYCHOLOGISCHE STUDIE
OVER DE CRISIS
VAN DE WESTERSE CULTUUR

IN DRIE DELEN

MCMXLVIII
VAN LOGHUM SLATERUS N.V. - ARNHEM

GEESTELIJKE VRIJHEID

DOOR

Dr J. H. VAN DER HOOP

PRIVAAT-DOCENT IN DE MEDISCHE PSYCHOLOGIE AAN DE GEM. UNIVERSITEIT VAN AMSTERDAM

I

MASSA DEMOCRATIE EN STAAT

MCMXLVIII

VAN LOGHUM SLATERUS N.V. - ARNHEM

Aan allen, die hun leven offerden,
Aan allen, die hun beste krachten willen wijden
In den strijd om ons hoogste goed.

VOORWOORD

In de periode vóór 1914 geloofde de Westerse wereld in den vooruitgang. Onze cultuur was in korten tijd tot een geweldige hoogte gestegen. De Westerse geest, die de gehele wereld veroverde en reorganiseerde, bracht op alle gebieden de verbeteringen van wetenschap en techniek en het leek, dat deze opbloei zich eindeloos zou kunnen voortzetten. Iedereen verwachtte de zegepraal van het vernuft.

Twee vernietigende wereldoorlogen hebben ons geleerd, dat het destructieve element in deze cultuur het overwicht heeft gekregen. Overal liggen steden en fabrieken in puin, overal zijn de maatschappelijke verhoudingen ontwricht, is de bestaanszekerheid verdwenen door economische ontreddering, is het onderling vertrouwen als grondslag voor samenwerking geschokt en blijken morele en geestelijke waarden niet meer in staat het besef van een wezenlijke eenheid te wekken. De strijd om de macht, zowel in de partijpolitiek als tussen de volkeren, woedt heviger dan ooit. Reeds dreigt weer een nieuwe wereldoorlog met nog barbaarser vernietigingsmiddelen. De illusie, dat een betere wereld kon worden opgebouwd als de duivelse macht van Hitler en de arrogantie van het Japanse volk te niet zouden zijn gedaan, is reeds lang voorbij. De overwinning van de Geallieëerden heeft de genezing van onze bedreigde cultuur nog niet gebracht. Men geeft de schuld daarvan aan Rusland, maar daarmee is de crisis in wezen niet verklaard.

Een crisis is een onhoudbare toestand van verstoord evenwicht, waarin de oude aanpassing onvoldoende is gebleken, zodat een ingrijpende verandering nodig is, die de beslissing tussen vernieuwing of ondergang zal moeten brengen. Als een crisis in het individuele leven van den mens ontstaat, wordt hij overvallen door onzekerheid en twijfel, die hem dikwijls radeloos naar hulp doen zoeken. Welwillende vrienden troosten met de opvatting, dat het niet zo erg is en spoedig weer in orde zal komen. De medische psychologie, die ons geleerd heeft dergelijke toestanden grondiger dan vroeger te bestuderen, acht in de meeste gevallen heel wat meer nodig voor het herstel. Zij kan alleen hulp bieden door de moeilijkheden met onverbiddelijke klaarheid onder de ogen te zien. Het blijkt daarbij meestal, dat het niet alleen gaat om tegenwoordige foute houdingen en verkeerde toestanden, maar dat deze veelal zijn ontstaan op de basis van vroegere fouten, soms teruggaande tot in den vroegen kindertijd. Belangrijke levensproblemen blijken dan niet of slechts gedeeltelijk opgelost en deze onbevredigende toestand wordt bedekt door afweer van de gevoelige punten, door een schijn van evenwicht en door idealen, die meer dienen om zich een houding te geven, dan dat zij de kracht van het geloof vertegenwoordigen, dat bergen verzet. Bij enigszins zwaardere gevallen blijkt het dan onmogelijk vanuit de crisis tot een vernieuwing te komen, tenzij de gestoorde mens den moed vindt om het onechte in zijn leven op te geven, de fouten onder de ogen te zien en zijn leven met grote klaarheid op een reëleren grondslag te vestigen. „De waarheid zal U vrij maken".

De crisis, waarin zich de wereld bevindt, lijkt evenmin door welwillend optimisme op te lossen als ernstige individuele stoornissen. Het gaat thans ook niet om een crisis op een enkel speciaal gebied. Wel ziet men, dat de één het probleem meer van de economische, een ander van de sociale of van de geestelijke zijde tracht te benaderen, maar het wordt al spoedig duidelijk, dat deze verschillende inzichten samenhangen en dat het nodig is op al deze gebieden de fouten, eenzijdigheden en verwarringen te bestuderen om een beter inzicht te krijgen in den tragischen toestand, waarin wij ons bevinden. Hier ontstaat het moeilijke probleem, dat geen mens in staat is al deze gebieden, mitsgaders de geschiedenis en de cultuur-geschiedenis volkomen te overzien, zodat iedere poging daartoe een waagstuk blijft. Toch dient deze poging gewaagd en de ervaring zal wel leren hoe uit verschillende samenvattingen de eenheid van inzicht groeit.

Natuurlijk heb ik bij het schrijven van dit boek voor een zeer groot deel moeten steunen op de voorlichting door historici, cultuurhistorici, philosofen, sociologen, theologen en anderen, wat ik met grote dankbaarheid erken, maar dit werk wil daarom toch niet beschouwd zijn als het geliefhebber van een medisch psycholoog op historisch en cultuur-historisch gebied. Het steunt, wat het materiaal betreft, op anderen, maar de methode, die het materiaal tot een levend geheel herschept, is ontleend aan de psychotherapie, die ik sinds meer dan dertig jaren beoefen. Bij alle erkenning van de verschillen, die er bestaan tussen den individuelen mens en grote culturele groepen, meen ik toch, dat men ook een crisis in de cultuur bestuderen kan door zich af te vragen op welke wijze oude fouten en eenzijdigheden tot verstarringen hebben geleid en hoe daaruit in een bepaald stadium van de ontwikkeling conflicten en spanningen ontstaan, die alleen opgelost kunnen worden door inzicht in de zwakke punten van de oude grondslagen. Aan de studie van de tegenwoordige crisis gaat daarom een uitvoerige beschouwing van de voorgeschiedenis op sociaal en geestelijk gebied vooraf, die in de eerste twee delen wordt uitgewerkt.

De vraag, hoe vermeerderd inzicht een toestand van crisis kan doen verdwijnen en een nieuw begin, zowel individueel als collectief, mogelijk kan maken, voert mij naar den titel van dit boek. Voor den buitenstaander lijkt het dikwijls een raadsel, dat de psychoanalyse, die den gestoorden mens zo duidelijk zijn fouten en tekortkomingen laat zien, hem daarbij niet enkel tot wanhoop drijft en volkomen ontmoedigt. Inderdaad ligt hier een paradoxale tegenstelling tussen de gedetermineerdheid van het wetenschappelijk inzicht en de vrijheid, waarmee dit inzicht wordt gebruikt om het leven in eigen geest te scheppen. Deze tegenstelling, die in het algemeen tussen wetenschap en geesteshouding of geloof bestaat, is tekenend voor onzen tijd.

In het tweede deel wordt hierop nader ingegaan. [1]). Het zal aan de meeste mensen ook wel duidelijk zijn, dat vrijheid niet ontstaat door het opheffen van alle gebondenheid, maar door het vinden van de juiste plaats in de vele gebondenheden, zodat de mens de bestemming van zijn wezen kan vervullen. De mens vindt deze bestemming in verschillende sferen, in de verhouding tot de natuur (de economische sfeer), in de verhouding tot de gemeenschap (de sociale sfeer) en in de verhouding tot waarden en doelstellingen (de geestelijke sfeer). Het beleven van vrijheid heeft in deze drie gebieden eigen vormen, die afzonderlijk zullen worden beschreven. Het bewustzijn van vrijheid vindt echter zijn meest directen en zelfstandigen vorm in de geestelijke vrijheid.

Het begrip geestelijke vrijheid houdt in, dat de mens het scheppend en richting gevend beginsel, dat in de natuur en in de gemeenschapsvormen meer indirect en weinig bewust aanwezig is, in zichzelf en in de gemeenschappelijke idealen bewust vorm kan geven om aldus zijn leven in dienst te stellen van een macht, die hij ervaart als hoger dan hijzelf. Zijn leven wordt daardoor tot een zinvol geordend geheel. Deze integratie is in een tijd van crisis verloren gegaan; de wil en de daad moeten dan nieuw gericht worden door een bezinning, die de doelstellingen verdiept tot haar meest wezenlijke gronden. Het geestelijke staat niet los van of tegenover het leven, het is de zin ervan, die zonder den vorm ondenkbaar is. In het menselijk leven is het de plaats, waar de strijd gestreden wordt tussen den gefixeerden vorm en den scheppingsdrang, de plaats waar oude vormen worden afgebroken en het nieuwe gestalte vindt. Bij alle gebondenheid wordt de mens zich hier bewust, dat hij deel heeft aan de vrijheid en dat die vrijheid uitdrukking is van de kracht, die de wereld eeuwig vernieuwt. De geestelijke vrijheid vertegenwoordigt een innerlijke

[1]) Voor de psychologie en de psychotherapie heb ik dit probleem van de tegenstelling tussen determinisme en scheppenden wil behandeld in „Nieuwe richtingen in de zielkunde", waarvan een nieuwe druk ongeveer gelijk met dit boek verschijnt.

kern, vanwaar, zowel voor den individuelen mens als voor de mensheid het herstel en de bezieling voor het nieuwe uitgaat.

De geestelijke vrijheid, die in dezen tijd van crisis meer dan ooit nodig is, wordt juist in onzen tijd door verschillende factoren ernstig belemmerd. Sommige van deze factoren zijn zeer oud, andere dateren van de laatste tachtig jaren. Oud is de Griekse wereldbeschouwing, waarin mens en wereld worden gescheiden, oud is ook de Joodse opvatting van de verhouding tussen een persoonlijk God en een uitverkoren volk, oud is de tegenstelling tussen Christendom en Humanisme, die wel telkens is overbrugd, maar nooit geheel verzoend. Na de Renaissance is het geestelijk leven van de Westerse mensheid gespleten door de tegenstelling van Christelijke en natuurwetenschappelijke levensbeschouwing, welke tegenstelling zich steeds meer heeft toegespitst. Daarnaast is de Christelijke eenheid verscheurd door de splitsing in Rooms-Katholieke en Protestantse Kerken. Een vernieuwing van de geestelijke oriëntering, zoals deze in den tijd van het ontstaan van het Christendom is geschied, kwam in den tijd van Renaissance en Hervorming slechts zeer gedeeltelijk tot stand en de tegenstellingen bleven daarna onopgelost liggen.

Daarnaast zijn in den tijd van minder dan een eeuw, die achter ons ligt, nieuwe verschijnselen ontstaan, die de wereld in dien vorm vroeger nooit heeft vertoond. De ontwikkeling der natuurwetenschappen heeft haar stempel gedrukt op de geestelijke ontwikkeling van den modernen mens en het overheersende determinisme dreef de geestelijke vrijheid in dogmatische verschansingen, waar zij zich in verstarde vormen slechts moeizaam kon handhaven. Deze toestand is kritiek geworden en wanneer de strijd om de wetenschappelijke grondslagen onzer levensbeschouwing niet wordt aanvaard, is de kans groot, dat het begrip der geestelijke vrijheid binnen korten tijd in een museum wordt bijgezet.

Een tweede verandering, die in onzen tijd heeft plaats gevonden, betreft de geweldige toename van de macht van het centraal gezag. Nooit was de mogelijkheid, dat de staat de maatschappij gaat organiseren groter dan thans. De moderne middelen der techniek stellen in staat in het leven en in den geest van alle burgers tot in bijzonderheden in te grijpen; het onderwijs en de publieke opinie worden van staatswege geleid. De moderne staat is op productie en gladde samenwerking ingesteld: de enkeling wordt ingeschakeld in het geheel. Aldus ontstaat een griezelige bedreiging van de geestelijke vrijheid, omdat de zin door de organisatie wordt voorgeschreven en niet meer vanuit het wezen van den mens ontstaat. Het scheppende element lijkt niet meer nodig, behalve misschien bij den staatsman, waar het gemakkelijk door machtswellust kan worden geperverteerd.

Het derde grote gevaar voor de geestelijke vrijheid is ontstaan door de geweldige toename van den massamens. Het industriële tijdvak heeft mensen bij de millioenen als massaproduct afgeleverd om de fabrieken en de kantoren te bemannen. Hele stadswijken zijn er door bevolkt en hun invloed doet zich gelden in de andere volksgroepen, de zelfstandige boeren, de ondernemende middenstand, de tot critiek geoefende intellectuelen, die door de onverantwoordelijke gemakzucht van hun beperkten levensvorm worden besmet. Want dit is het grote gevaar van den massamens, dat hij de verantwoordelijkheid voor zijn levensvorm grotendeels heeft opgegeven en zich door de omstandigheden laat leiden, zonder richting te ontlenen aan enig geestelijk besef. Wat de godsdiensten en de wijsgeren door de eeuwen heen in den mens hebben trachten te wekken als zijn hoogste goed gaat dan verloren in een efficiënt gemechaniseerden vorm van mens-zijn.

Men kan deze drie bedreigingen van de geestelijke vrijheid in onzen tijd samenvatten in het begrip mechanisatie. De werkingen daarvan op allerlei gebied zullen in het derde deel worden nagegaan en tevens worden daar de wegen besproken, waarlangs men de geestelijke vrijheid weer tot groteren invloed kan laten komen. In onzen tijd zijn reeds verschillende reacties tegen deze verstarringen aan te tonen. De belangrijkste daarvan lijkt mij de ontwikkeling van de psychologie en met name van de „dieptepsychologie" te zijn. De Westerse wetenschap leek ten slotte alleen nog maar objecten te kennen. Het subject was grotendeels verloren gegaan en daarmee werden de grondslagen van moraal en geestelijk leven bedreigd door relativerende veruiterlijking. De psychoanalyse en de met haar verwante richtingen zijn bezig een wetenschap van het subject op te bouwen op ervaringsgronden. Daaraan valt nog veel te verbeteren. Oorspronkelijk waren deze richtingen te individualistisch en te natuurwetenschappelijk georiënteerd, waardoor het moeilijk viel morele, sociale, religieuse en andere geestelijke gezichtspunten in haar beschouwingen op te nemen. Een verbreding van deze grondslagen zal de fundamentele betekenis van deze nieuwe wetenschappelijke richting voor een vernieuwing van het geestelijk leven nog duidelijker in het licht stellen. Het inzicht in de betekenis van het subjectieve leidt noodzakelijk naar het probleem van den vrijen wil, van het scheppend en richtinggevend element in ons eigen wezen en daarmee naar de betekenis van de geestelijke vrijheid. In de nieuwere opvoedingsmethoden komt dit element thans ook duidelijker tot zijn recht. In de maatschappelijke en politieke stromingen bepaalt het steeds meer de waardering van gemeenschapsvormen, naarmate het scheppend vermogen van den individuelen mens daarin al of niet tot uitdrukking komt. Het is mijn overtuiging, dat aldus ook de mogelijkheid kan ontstaan voor een practische en theoretische vernieuwing van de grondslagen van het godsdienstig leven.

Dit boek dankt zijn ontstaan aan den bezettingstijd. Het eerste en een stuk van het tweede deel zijn in dien tijd geschreven. Het is voortgekomen uit nood en druk, toen onze oude vrijheden door de Duitse tyrannie te niet waren gedaan en de samenwerking van alle weldenkenden nodig was om deze duistere machten te weerstaan. Dit boek is een poging om ook na den oorlog een grondslag te leggen voor onderling begrip en samenwerking. Uit het machteloze verzet tegen geestelijke verkrachting, maar ook uit de stellige overtuiging, dat het recht en de rede weer zouden zegevieren, is deze poging tot begrip van onzen tijd ontstaan.

Bij het verschijnen van het eerste deel is het mij een behoefte mijn dank uit te spreken aan degenen, die mij hebben bijgestaan door hun meningen en opmerkingen over dit deel van mijn werk te willen geven. Deze dank is in de eerste plaats gericht tot Prof. Dr W. Banning, tot Prof. Dr P. Geijl, tot Prof. en Mevrouw Posthumus-van der Goot en tot Prof. Mr Dr G. M. Verrijn Stuart. Hun voorlichting en instemming gaven mij den moed om voort te gaan met een werk, dat telkens weer de kennis van den psycholoog en de krachten van een enkel mens te boven leek te gaan. Ten slotte kan ik niet nalaten hier mijn hartelijken dank uit te spreken aan Mr H. de la Fontaine Verweij, bibliothecaris der Universiteits-Bibliotheek, die mij gedurende den bezettingstijd in staat stelde een paar door de Duitsers verboden boeken te raadplegen.

Amsterdam, Juni 1947 v. d. H.

HOOFDSTUK I

DE NATUURLIJKE, DE INDIVIDUELE EN DE MATERIËLE VRIJHEID

De mens en de natuur.

Wat betekent eigenlijk „vrijheid"? Het woord wordt heden ten dage in verschillenden zin gebruikt en het zal nodig blijken de grondslagen van deze begrippen te verduidelijken. Deze grondslagen bestaan in menselijke belevingen en in omstandigheden, waaronder die belevingen ontstaan. Belevingen van vrijheid en van onvrijheid hebben een belangrijke plaats ingenomen in de menselijke ervaring van het eerste ogenblik af, dat de mens die ervaring bewust ging verwerken. Wij vinden den neerslag van die eeuwenoude belevingen in onze taal. Het spraakgebruik ziet het beeld van hoogste vrijheid in „een vogeltje in de lucht". Een dergelijk vogeltje maakt den indruk zich uit eigen aandrift in iedere richting te kunnen bewegen en door niets gebonden te zijn, terwijl de mens zwaarwichtig aan de aarde blijft kleven. In deze voorstelling, ongestoord datgene te kunnen doen wat ik zelf wil, vinden wij de eerste benadering van het begrip vrijheid. De mens groeit op temidden van beperkende plichten en verboden, die hem met afgunst doen kijken naar het dier in den natuurstaat. De natuurlijke vrijheid van het dier of van den wilde, die, evenals Adam, de broeder is van de bomen in het bos en van de dieren des velds, schijnt vooral den jeugdigen stedeling een paradijstoestand te zijn.

Wie het leven van het dier of van den wilde wat beter kent dan uit de vrolijke nabootsing door een kampeertocht in de vacantie mogelijk is, bespeurt daarin een uiterste gebondenheid door de natuurkrachten, die het leven in zeer bepaalde vormen dwingen. De onweerstaanbare drang en de onverbiddelijke nood beheersen de vormen, die in de natuurlijke „vrijheid" ontstaan. De meedogenloze strijd om het bestaan, waarin het zwakkere dier en de zwakkere soort ten onder gaan, laat het dier slechts geringe speelruimte voor zijn eigen aandrift. Als de instinctieve uitingen niet nauwkeurig passen in het geheel van de omgeving, waarin het dier leeft, is het ten ondergang gedoemd. Wat ons als natuurlijke vrijheid aandoet, ontstaat uit eerbiedige gehoorzaamheid aan de wetten der natuur. Het dier is net zo vrij als de bergbeek, die, over de stenen huppelend, zijn weg naar beneden zoekt. Die vrijheid ontstaat, doordat er geen vermogen en geen wil aanwezig is, zich buiten dit geheel van natuurlijke wisselwerking te plaatsen.

Waarom spreken wij hier dan van vrijheid? Is dit een vergissing of een zelfbedrog? Zeer zeker ligt hier een reële ervaring ten grondslag, de ervaring namelijk, dat wij ons volkomen bevrijd kunnen voelen, wanneer wij er in slagen in dien natuurtoestand onder te duiken en het leven door ons heen te laten stromen, zoals wij ons kunnen indenken, dat dit geschiedt bij het dier. Wij hebben dan opgehouden ons te stellen tegenover de natuur in ons of tegenover de omstandigheden buiten ons en wij aanvaarden het leven, zoals het komt, wij zeggen volmondig „ja".

Zonder twijfel is dit een bevrijding. Wij beleven die eenheid met het gebeuren om ons en met onszelf als een bevrijding van dwang en innerlijke tegenstrijdigheid. Wij kunnen ons uitleven en het lijkt wel op zulke ogenblikken, dat de diepste menselijke natuur volledige bevrediging vindt. Of deze bevrediging nu den vorm aanneemt van lichaamsbeweging, of van genieten van het buitenleven, of van sexuele uitingen of van een feestroes, telkens is daarbij het element van bevrijding aanwezig. Soortgelijke gevoelens veronderstellen wij bij het dier in den natuurstaat. Wanneer de nood van den winter voorbij is, of de dwang van het vervolgende roofdier is ontlopen, moet het dezelfde soort bevrijding beleven als de stadsmens, die de beklemming van zijn kantoor of het slechte humeur van zijn chef ontvlucht bij een zomers uitstapje.

Het beleven van deze bevrijding leidt niet tot een toestand van blijvende vrijheid, bij den mens evenmin als bij het dier. De dwang der omstandigheden, de spanning van driften en behoeften doen zich spoedig weer gelden en plaatsen mens en dier onder het gezag van nood en gevaar. En dit gezag weegt bij den mens nog oneindig veel zwaarder, omdat het meerdere bewustzijn den nood en het gevaar een min of meer blijvende aanwezigheid geeft, zodat zij steeds door zorg en voorzorg in toom moeten worden gehouden. Het dier kent die zorg voor mogelijke bedreigingen nog niet. De mens wordt in zijn natuurlijke vrijheid telkens weer gestoord, niet alleen door de werkelijke moeilijkheden, maar ook nog door schrikwekkende voorstellingen en herinneringen. De zorg is zijn blijvende metgezel geworden. Hij zoekt zich daarvan telkens weer te bevrijden, zoals het dier zich weert tegen den angst en den nood. Dit geschiedt door voorzorgen, die hem zekerheid moeten verschaffen, maar ook door telkens weer de bevrijding te willen beleven in de ervaring van het vanzelf stromende leven, dat geen hindernis ondervindt en hem, zij het voor een ogenblik, één doet voelen met de machten der natuur.

Bij de primitieve volken vinden wij naast de eerste vormen van voorzorg ook allerlei gebruiken en magische handelingen, die de eenheid met de omgevende natuur in stand houden of herstellen. Zo wordt het noodzakelijk geacht de dieren, die op de jacht zijn gedood, later weer door bepaalde ceremoniën te verzoenen, omdat anders de verbondenheid met deze diersoort, die voor het bestaan van den stam onmisbaar is, verbroken zou worden. Ook vindt men bij primitieve volken feesten, waarbij de eenheid met het natuurleven wordt uitgebeeld en een innerlijke bevrijding wordt gezocht van zorg en nood. Bij deze feesten behoort de uitbundigheid, de overvloed van spijs en drank en de roes. Dergelijke pogingen om ogenblikken van natuurlijke vrijheid te beleven, bestaan vanaf de eerste menselijke gemeenschapsvormen tot in onzen tijd. Ook de neiging om aan deze beleving van bevrijding een soort religieuse betekenis toe te kennen, is zeer oud. Men spreekt in dit verband van natuurgodsdiensten, een woord dat hier weinig past, omdat hier van een god of van dienen geen sprake is.

Maar, al kan men dit zoeken van eenheid niet gelijkstellen met de vormen van eigenlijke godsdiensten, toch valt niet te ontkennen, dat de primitieve mens hierin iets heiligs zoekt te beleven. Deze ceremoniën en feesten wijzen hem den weg bij een eerste tastende oriëntering naar zijn plaats in het grote verband van de schepping. Zowel in den tegenstand der natuurkrachten als in de gunst van de omstandigheden ervaart hij bedoelingen, die zich verdichten tot goedgezinde of vijandige machten in het gebeuren om hem en die hem zijn eigen doelstellingen geleidelijk verduidelijken. Materiële welvaart doet hem op overtuigende wijze zijn vrijheid en zijn verbondenheid met de natuur beleven, honger, ziekte en gebrek wijzen op dwingende machten, welker gunst door offers moet worden gezocht.

Voor den primitieven mens, die in nauw contact met de natuur leeft, is het gevoel van vrijheid in de eerste plaats afhankelijk van de afwezigheid van nood en gevaar. De wisselingen der jaargetijden brengen hierin regelmatige verandering. Het verdwijnen van het licht in den winter schept een bedreiging, zodat het lengen van de dagen als een vreugdefeest wordt gevierd. In het voorjaar wordt het nieuw ontluikende leven als een zegening van de natuur begroet. Niet alleen de primitieve mens leeft aldus in voortdurende wisselwerking met de veranderingen in de natuur, waarvan hij zich volkomen afhankelijk voelt en die hij door een eerbiedige houding en offers gunstig tracht te stemmen. Ook later, bij meer ontwikkelde cultuur, blijven de boer en de zeeman deze afhankelijkheid beseffen en hun vrijheidsbeleven blijft afhankelijk van de gunsten van zon en regen en wind en van de Eeuwige Macht, die ze regeert. Hieraan ligt een inzicht in levensvoorwaarden ten grondslag, dat de stedeling geleidelijk heeft verloren.

Langen tijd heeft de mensheid bijna uitsluitend op het land geleefd. De steden waren klein en vormden uitzonderingen. De steden werden nog in vele opzichten beïnvloed door de levenshouding en de zeden van de landbevolking. De welgestelde stedeling nam nog deel aan de vreugden van het natuurleven. Hij trok in het gunstige seizoen naar buiten en wijdde zich aan jacht en visvangst, aan landbouw en veeteelt, aan paardrijden en lichaamsoefeningen, hij kende dat triomfantelijke gevoel van de natuurlijke vrijheid, dat ontstaat door zorgeloosheid en door het trotseren van moeilijkheden en gevaren. Hij kende nog iets van de verbondenheid met het grote natuurgebeuren, die den mens zijn kleinheid en afhankelijkheid doet beseffen.

Ook als de menselijke ervaring steeds sterker wordt beheerst door de verhouding tot de gemeenschap, blijft men zich bewust van de wisseling der jaargetijden en de noodzaak van eerbied en onderworpenheid aan de goden, die de juiste maat van zon en regen regelen, die hun weldaden kunnen schenken en hun rampen kunnen loslaten tegenover het geslacht der mensen. Men voelt eigen zeden en instellingen als een heilige natuurlijke orde, die het welzijn van de gemeenschap van oudsher verzekert en waarvan men niet zonder groot gevaar kan afwijken. Aldus blijven deze oorspronkelijke levensvormen dikwijls vele eeuwen lang onveranderd bestaan. Zij houden hun invloed ook dan, wanneer de mens ten dele in steden gaat wonen en zijn levenswijze zich aanzienlijk verandert.

Vrijheid als individuele doelstelling

Twee menselijke uitingen doorbreken den evenwichtigen natuurtoestand, waarin de volken leven, die in landbouw en veeteelt den grondslag van hun bestaan vinden, namelijk oorlog en handel. Beiden vinden hun oorzaken in de hebzucht en roofzucht van den mens en de grens tussen de twee gebieden is in den aanvang vaag. Het ontstaan van burchten en steden hangt nauw samen met deze factoren. In de eerste steden overheerst een andere levenshouding, een ander vrijheidsgevoel dan bij de volken, die in het natuurverband leven.

De vrijbuiter, de krijgsman, de handelsman hebben de vaste levensvormen van de gezeten boerenbevolking verlaten en zijn teruggekeerd tot het avontuurlijke leven der vroege jagersvolken. Soms drijft hen daartoe de nood, die ook hun voorouders dreef bij hun onzeker bestaan, maar daarnaast is het de zucht naar buit en naar avontuur, die deze uitingen een nieuwen persoonlijken grondslag geeft in het heroïsche. Veel bewuster en individueler dan bij den jager worden thans oude zekerheden losgelaten en plaatst de mens zich alleen met zijn persoonlijke krachten tegenover de wereld en het lot. Dit vertrouwen op eigen kracht en durf schept een nieuw bewustzijn van vrijheid, maar het veroorzaakt ook het zwaarmoedig gevoel van eenzaamheid en vergankelijkheid, dat wij overal terugvinden, waar dit persoonlijke heldendom wordt vereerd, zowel bij de grote zwervers der oudheid als Gilgamesch en Odysseus, als ook in de sagen der Noormannen.

Roof, oorlog en handel brengen de persoonlijke mogelijkheden van den weinig gedifferentiëerden mens tot ontwikkeling. Het beleven van vrijheid hangt nu ten nauwste samen met het slagen in persoonlijke doelstellingen, terwijl de onvrijheid en beperktheid hier ervaren wordt in tegenslagen en mislukkingen en in den onontkoombaren dood. De dood van den held wekt het tragische gevoel, dat bij deze volken steeds in den achtergrond van het leven aanwezig is, het gevoel van de telkens herhaalde heroïsche krachtsinspanning van het individu, dat zich ten slotte te pletter loopt tegen het noodlot der natuurlijke machten, maar dat den strijd nooit opgeeft en hem als hoogste erfgoed nalaat aan zijn nakomelingen.

De steden der oudheid hebben als regel hun bijzondere helden, die als de eerste stichters worden beschouwd en wier dienst de spanning van het machtige gedurfde leven in ere houdt en bewaart. Iets van die houding straalt af op hun stad en maakt den stedeling losser van het natuurgebeuren, grondt zijn leven meer op eigen innerlijke impulsen, heiligt de gemeenschappelijke gedurfde daad. In de eerste steden groeit geleidelijk de individuele mens met zijn gevoel van vrijheid, dat het eigen leven vorm wil geven naar het eigen wezen. De vorst dankt zijn gezag aan het feit, dat hij dezen drang belichaamt en dien weet te doen eerbiedigen en te leiden bij zijn onderdanen.

De geschiedenis toont ons telkens weer welk een machtige drang tot daden, tot scheppende gedachten, tot kunst, uit kan gaan van een dergelijke groep mensen, die zich in heroïsch individualisme tegenover het leven stellen en hun stempel drukken op hun tijd. Maar zij wijst ons ook telkens weer op de gevaren van dit vrije individualisme, zij toont ons steden, die in hoogmoedige zelfoverschatting den haat en den nijd van hun vijanden wekken en te gronde worden gericht, andere die ontaardden door rijkdom en weelde, zodat van de oorspronkelijke levenskracht alleen maar de schijn en de schoonheid over blijft. Ook in die steden, welke groeien en hun macht uitbreiden over gehele landen en grote streken van de wereld, zoals Babylon of Rome, ontaardt het leven door verschillende oorzaken. De individuele drang tot daden gaat geleidelijk achteruit en in de verbondenheid met de natuur kan hier voor den stedeling geen grondslag meer worden gevonden. Aldus verliest de stadsmens het contact met zijn eigen impulsen en met het algebeuren. Hij draagt het verlangen naar individuele daden over aan vorsten en militaire aanvoerders, die hij uitbundig verheerlijkt, prijst het verleden om zijn goddelijke helden, juicht deze verheerlijkte helden toe op het toneel of huldigt de daadmensen bij de wedstrijden, maar hij stelt zich tevreden met zijn rol als toeschouwer en beoordelaar. Het lijkt hem een recht geworden te teren op den roem en den buit van anderen. Zijn materiële welzijn is niet meer van de vaste plaats in het onderlinge verband afhankelijk of van het aandeel aan machtige daden, waarbij hij zijn persoonlijkheid inzet. Hij parasiteert op de eenmaal bestaande welvaart.

In de grote steden der oudheid, zoals Babylon of Carthago of het latere Rome, ontstaat aldus een geesteshouding, die typerend is voor den grotestadsmens, waarbij de vrijheid van nood en gevaar en het materiële welzijn als een recht worden beschouwd, waarvoor de regerende macht verantwoordelijk is. Het vrijheidsbeleven is hier algemener en constanter dan bij den mens, die in de natuur leeft of dan dat van den krijgsman of handelsman, maar het mist de wisseling en de spanning waaruit de zin van het eigen leven en die van de wereld kan worden gelezen. Deze vaagheid kan licht enerzijds tot irreëlen hoogmoed, anderzijds tot levensangst en paniek leiden. De grondslagen van het vrijheidsgevoel worden onzeker.

De grote steden der oudheid waren uitzonderingsgevallen. Ook de grote steden in Europa waren dit tot aan het midden der 19de eeuw. De kleine steden en het platteland hadden nog den meesten invloed op de levenshouding van den mens, al concentreerde zich de macht in de 18de eeuw steeds meer in de hoofdsteden. In den loop der 19e eeuw veranderde dit beeld. Door de toenemende industrialisatie werden grote opeenhopingen van mensen bevorderd. De fabrieken hadden werkkrachten nodig en zij leverden de bestaansvoorwaarden voor deze massa, al was dit bestaan aanvankelijk zeer armelijk. De bevolking van Europa is sinds het begin der 19e eeuw meer dan drie keer zo groot geworden, terwijl zij tevoren eeuwen lang ongeveer op dezelfde hoogte was gebleven. Die meerdere mensen vonden hun bestaan slechts voor een klein deel op het land of op zee, maar bijna uitsluitend in de grote steden, of in kleinere steden, die uitgroeiden tot fabriekscentra. Het type van den stadsmens, die de verbondenheid met de natuur en het persoonlijk initiatief verloren heeft, was vroeger een uitzondering, die enkel in de grote hoofdsteden van een land voorkwam, maar het wordt thans meer en meer regel. Ongemerkt is in onze cultuur het beeld van dezen van de natuur vervreemden stadsmens dat van den natuurlijken mens en dat van den individuelen mens gaan vervangen en verdringen. Dit type vormt niet alleen in vele gebieden de meerderheid, maar zijn levenshouding wordt ook onwillekeurig door anderen overgenomen als maatstaf van hun beschouwingen.

Wij zagen reeds, dat dit type stadsmens de aanraking met de natuur en de eerbied voor de grote levensmachten evenzeer verloren heeft als het gevoel voor persoonlijke verantwoordelijkheid, zodat de strijd om het bestaan alleen nog maar schijnt samen te hangen met de gemeenschapsorganisatie en de maatschappelijke verhoudingen. Inderdaad zijn deze factoren steeds belangrijker geworden. Ik kom hierop terug bij de bespreking der maatschappelijke vrijheid. Eerst dienen wij de houding van dezen massamens tegenover de natuurlijke en de individuele vrijheid nog wat nader te beschouwen.

De mens die zijn bestaan in zorgen en gevaren moet handhaven weet, dat nood en lijden met het wezen van het leven verbonden zijn. Hij aanvaardt daarom moeilijke omstandigheden als zijn onontkoombaar lot en hij is wel eens geneigd dit al te zeer te doen door zich neer te leggen bij toestanden, die hij met enige inspanning wel zou kunnen veranderen. De boer of de zeeman kant zich van huis uit tegen nieuwigheden op zijn gebied. De eerste fabrieksarbeiders en ook hun vrouwen en kinderen, die den zwaren en langen arbeidstijd dikwijls moesten delen, kwamen veelal uit de armelijke landbevolking die veel had leren verdragen en die daarom ook dit lot aanvankelijk te gemakkelijk aanvaardde. Het beleven van vrijheid leek voor hen van nature een uitzonderingsgeval. Evenzo waren de immigranten in de Verenigde Staten van huis uit geneigd hun moeilijkheden individueel te dragen, omdat zij beseften, dat de persoonlijke vrijheid, die zij in de nieuwe wereld zochten, inspanning en offers eist en uit eigen kracht bevochten wil worden. In de Amerikaanse gemeenschap is dit gevoel van eigen verantwoordelijkheid dan ook in sterke mate belichaamd.

Maar deze algemene houding veranderde in Europa aan het einde der vorige eeuw en zij is ook in de Verenigde Staten niet meer wat zij daar langen tijd was. De arbeiders in Europa gingen beseffen, dat in hun massa een macht was gelegen. Zij veroverden het recht van organisatie en verzet en kregen geleidelijk een rechtvaardiger aandeel in de welvaart, die het industriële tijdvak schiep. De voordelen der industrialisatie hadden allereerst andere klassen bereikt. Oorspronkelijk plukten de bezittende klasse en de middenstand de vruchten van de nieuwe productievormen. De geweldige ontwikkeling van de natuurwetenschappen en van de techniek brachten in de vorige eeuw wonderbaarlijke verbeteringen op ieder gebied. De verkeersmogelijkheden breidden zich geweldig uit, de inrichting der huizen, de verlichting en verwarming verbeterden, een grotere verscheidenheid van voedsel en betere medische hulp stonden ter beschikking en de mogelijkheden van onderwijs en ontwikkeling werden groter dan zij ooit waren geweest. De openbare veiligheid nam zeer toe en de maatschappelijke verhoudingen werden meer dan vroeger georganiseerd. Voor den burger, die maar enigszins in goeden doen was, leken nood en gevaar bedreigingen uit een duister verleden. Alleen de armen beseften nog wat deze woorden kunnen betekenen.

Nooit was de materiële vrijheid zo groot en zo algemeen als aan het eind der 19e en het begin der 20e eeuw het geval was voor allen, die maar enigszins in den welstand deelden. De welgestelde mens uit de grote steden kon vlak bij huis meer en groter verscheidenheid van zaken kopen, meer ontwikkeling opdoen en meer verstrooiïng vinden dan ooit vroeger mogelijk was geweest. Deze materiële vrijheid is evenwel niet langer de uitdrukking van de natuurlijke vrijheid of van het persoonlijke succes, die haar sinds eeuwen en eeuwen met een bijzondere vreugde en trots deden beleven. Wel vinden wij bij deze klassen van mensen soms een zekere liefde voor de natuur of voor sport en lichaamsbeweging, maar dit is zeker geen algemene regel en het drukt geen stempel op hun bestaan.

Het leven is in sterke mate „burgerlijk" geworden en dit begrip burger heeft thans een geheel anderen klank dan in de 17e eeuw. Toen betekende het een vrije man, die een zelfstandig bestaan wist te veroveren en te handhaven en wiens mening gezag had onder zijn medeburgers. Toen was het begrip burger nog verbonden met persoonlijke prestaties. Thans duidt het woord burgerlijk in de eerste plaats een beperkten horizon, een wat angstvallige zelfvoldaanheid en een benepen, formalistische moraliteit aan. Deze verandering van het begrip wijst op vervlakking van den persoonlijken ondernemingsgeest. Naarmate de burger grotestadsmens wordt, vernauwt zich de ruimte van de wereld, waarop zijn energie zich richt en specialiseert zich zijn aanpassing op een klein kringetje met kleine maatstaven en grote vooroordelen, waar de vrijheid niet meer als beloning voor geduld en strijd, maar als resultaat van geldbezit en een goede reputatie geldt. Het is een bewijs van geestelijke gezondheid, dat het woord burgerlijk in die verzwakkende betekenis bijna overal in discrediet is geraakt en dat ook de geest, die ermee verbonden is, van verschillende zijden heftig is bestreden. Het probleem van de beperkte menselijkheid, dat met het woord burgerlijk wordt aangeduid, heeft hiermee echter voor onzen tijd niet afgedaan. Het blijft in een subtieleren vorm voortbestaan in de vraag naar soortgelijke werkingen in den modernen massamens.

De arbeiders, die er in de 20e eeuw meer en meer in slaagden hun maatschappelijke waarde te laten gelden, stonden vanaf den beginne tweeslachtig tegenover hun burgerlijke medemensen. Aan den enen kant benijdden zij hun welstand, hun meerdere gemakken en mogelijkheden en trachtten zij hun zeden en gewoonten enigszins na te bootsen. Aan den anderen kant voelden zij zich vrijer en ongedwongener en ook strijdvaardiger, meer in staat eigen levensvormen te scheppen. Sinds het begin van deze eeuw veroverden zij een aanzienlijke verhoging van hun levenspeil. Het voedsel, de kleding en de woningen van de grote massa der arbeiders verbeterden, hun algemene gezondheidstoestand ging sterk vooruit. Voorzorgen tegen noden en gevaren, tegen ziekte en werkeloosheid, die vroeger alleen de welgestelden zich konden veroorloven, werden nu voor velen toegankelijk. Meerdere vrije tijd schiep levensdrang, levensvreugde en belangstelling voor zaken, waaraan men vroeger niet kon denken. De sport werd steeds meer populair en de prestaties daarbij waren geleidelijk tot ongekende hoogte opgevoerd. Daarnaast hadden velen hun liefhebberijen, zij knutselden, fotografeerden, verbouwden groenten en bloemen, lazen, beoefenden de muziek en hadden belangstelling voor geestelijke ontwikkeling. Reisverenigingen brachten de mogelijkheid om vreemde landen te zien aan arbeiders en middenstanders. Ook het middelbaar en hoger onderwijs werd veel minder dan vroeger een voorrecht van de bezittende klasse. Door deze veranderingen kwamen arbeidersstand en burgerstand nauwer tot elkaar. De „klassestrijd" verminderde in hevigheid en de geschoolde arbeider begon zienderogen te verburgerlijken.

De verhoging van het levenspeil van den arbeidersstand en van de grote klasse van ambtenaren, die voor dit massalere en ingewikkelder maatschappelijk leven van de industriële wereld nodig waren, bracht allereerst een grotere levenskracht van het gehele volk met zich. De stoffige suffigheid van de burgerlijke wereld werd daardoor voor een deel opgeruimd. Maar de uitingen van dezen frissen, overmoedigen geest bedekten het feit, dat ook in deze nieuwe belangrijke groepen van de maatschappij de eigenschappen van den massamens der grote steden bleven overheersen. Ook voor hen bleven de muren van de stad den wijden horizon van de natuur bedekken, zodat zij de aanraking met de grote machten, die het leven beheersen, niet meer kenden. Ook zij hadden geen aandeel aan den persoonlijken inzet van krachten, die de verovering van de wereld en de beheersing van de natuurlijke hulpbronnen in de 19e eeuw mogelijk hebben gemaakt. Zeker, zij hadden hun vakverenigingen en hun partijen, waaraan zij contributies offerden en zij gingen ook wel eens in staking en leden gebrek, als de weerstandskas was uitgeput. Maar het leek hun, dat de politieke prestaties van de georganiseerde arbeiders de wereld hadden veranderd en verder zouden veranderen. Zij beseften niet, dat de heroïsche daden, die wetenschap, techniek, ontdekkingen en kolonisatie als uitingen van den Westersen mens hadden geschapen, de toewijding vragen van energieke mensen, die hun leven aan dit doel offeren en hun geluk vinden in de worsteling van het grote avontuur. Zij hadden aan deze scheppingen evenmin aandeel als de burgers van het latere Romeinse keizerrijk aan de verovering en handhaving van de wereldmacht. En zij zagen op politiek gebied te weinig de betekenis van de begaafde leiders, die al hun krachten in dienst stelden voor de verwezenlijking van hun idealen, teveel hun eigen kleine offers en inspanningen, zodat zij ook hier gingen geloven aan de magische macht van de massa.

Aldus voltrok zich in de massa's van de grote steden en de industrie-centra in korten tijd hetzelfde proces, dat vroeger de burgerij had aangetast. Niettegenstaande hun bewustzijn van kracht en hun streven naar ontwikkeling, niettegenstaande hun ideaal van een betere wereld, werden zij weerloos overgeleverd aan de bedreiging van een zinneloos laag-bij-de-gronds voort-vegeteren, omdat zij de impulsen misten, die de eeuwige strijd met de natuurkrachten geven en omdat geen persoonlijke verantwoordelijkheid van hen wordt gevraagd, die de eigen scheppende vermogens van moed, vernuft, volharding en morele kracht in hen wakker roepen. Aldus ziet onze tijd zich gesteld voor het verschijnsel van den massamens en voor de vraag óf en hoe deze is te leiden en tot de ontplooiïng is te brengen van grotere menselijke mogelijkheden.

De massamens.

De Spaanse schrijver Ortega Y Gasset, die het eerst duidelijk de betekenis van den massamens voor onzen tijd in het licht heeft gesteld [1]), noemt twee kenmerkende eigenschappen: de vrije ontplooiïng van zijn begeerten en driften en de ingeboren ondankbaarheid tegenover alles wat zijn bestaan zo gemakkelijk heeft gemaakt. „De wereld, waarin deze nieuwe mens vanaf zijn geboorte is geplaatst noopt hem in geen enkel opzicht tot beperking, zij legt hem geen enkel verbod op en dwingt hem tot geen enkele onthouding. Integendeel, zij zweept zijn begeerten op, die in beginsel tot in het oneindige kunnen toenemen." [2]) Daardoor heeft de geesteshouding van deze massa's veel overeenkomst met die van het verwende kind. Ook dit leert zijn eigen grenzen niet kennen. „Terwijl eertijds de gemiddelde mens in zijn bestaan belaagd werd door moeilijkheden, gevaren en gebrek en hij van velerlei dingen afhankelijk was, doet zich de nieuwe wereld voor als een sfeer van practisch onbegrensde mogelijkheden, een vast en op zichzelfstaand iets, waarin men van niemand afhankelijk is. Deze gewaarwordingen liggen op den bodem der ziel van iederen mens van onzen tijd, terwijl juist het tegenovergestelde de mensen uit vroegere tijdvakken van de ge-

[1]) Ortega Y Gasset. De opstand der Horden. (1927).
[2]) blz. 52.

boorte af was ingeprent." [1]) „De gemiddelde mens van weleer werd in zijn wereld dagelijks aan deze eenvoudige waarheden herinnerd. Zijn wereld was nog maar gebrekkig ingericht, zodat er herhaaldelijk rampen gebeurden, niets was er stellig of zeker, alles was karig en begrensd."

Men moet hierbij vooral niet vergeten, dat zowel het verwende kind als de massamens van onzen tijd er zich in het geheel niet van bewust zijn, dat zij in een uitzonderingspositie verkeren. De voordelen, die zij genieten, lijken hun toe bij den natuurlijken staat van zaken te behoren, zodat zij hen zonder meer als een recht gaan beschouwen. Indien het in vroegere eeuwen een mens gelukte zijn omstandigheden te verbeteren, zodat hij maatschappelijk hoger steeg, dan wist hij, dat hij dit te danken had aan grote inspanning en geduld, of wel hij schreef het toe aan de gunst en de genade van hogere machten. Het leek hem eerder een uitzondering dan een algemene regel. Hij trachtte zich zorgvuldig aan te passen aan de grote machten, die het leven beheersen en aan de maatschappelijke omstandigheden om aldus het gevoel van een zekere vrijheid in de eigen levensvormen te verwerven. Hij was zich van de beperktheid van zijn mogelijkheden bewust.

De gemiddelde levenshouding van den tegenwoordigen mens is anders. Hij ervaart zijn beperkingen lang niet in die mate en hij schrijft deze beperkingen toe aan maatschappelijke omstandigheden, die men wel zou kunnen wijzigen. Hij heeft geen duidelijke voorstelling van de grenzen van zijn eigen wezen en van de geweldige machten in de natuur en in de maatschappij, tegenover welke de enkeling is gesteld. Met zijn krachtige gezondheid, zijn sterke begeerten, zijn levenslust en zijn kennis acht hij zich volkomen in staat in dit moderne leven te vinden wat hij nodig heeft. Zijn zelfvoldaanheid is anders dan die van den bourgeois, krachtiger en brutaler, minder braaf en benepen. Maar de moderne massamens is toch, evenzeer als de bourgeois, opgesloten in een beperkte eigen levenssfeer, zonder te beseffen hoe de verhoudingen van deze sfeer met andere sferen en met de wereld daarbuiten zijn. De burgerlijke massamens kijkt met ontzag naar de rijken en machtigen en naar de wereld der geleerden en hij beseft met een zekere schichtigheid, dat de arbeidersklasse een zelfbewuste macht vertegenwoordigt. Daardoor zijn de grenzen van de bekrompenheid hier ook weer niet al te scherp. Het nieuwe type massamens mist zowel het ontzag als de angstigheid. Hij is daardoor in veel sterkere mate in zijn eigen levenshouding opgesloten. Het gevolg van een dergelijke opgeslotenheid is een grenzenloze naïeveteit, dat wil zeggen een blindelings aanvaarden van alles wat bij zijn geesteshouding past en een brutale

[1]) blz. 56

onverschilligheid voor alle zaken, die daarmee niet in verband schijnen te staan.

Bij den modernen massamens bestaat een eigenaardige tegenstelling tussen de vrijheid van zijn oordeel en zijn goede verstandelijke ontwikkeling enerzijds en een gemis aan cultureel besef en aan inzicht in de levenswetten anderzijds. Het gevolg is een barbaarse zelfverzekerdheid, die niet aan eigen grondslagen twijfelt en in het bewustzijn van eigen kracht de wereld aan eigen gesteldheid meet, zonder te beseffen hoeveel toevalligs en voorbijgaands daarin gelegen kan zijn. Een algemeen gemis aan eerbied is wel één der meest kenmerkende eigenschappen van den mens van onzen tijd. Oude gewoonten, goede manieren, kunstzinnigheid, belangstelling voor wetenschappelijke, vooral voor philosofische en psychologische problemen, morele en religieuse opvattingen, het wordt alles met achterdocht bekeken en gemakkelijk als een soort aanstellerij betiteld. De gemeenplaatsen, waarin eigen vooroordelen worden uitgedrukt, klinken met de grootste stelligheid, zodra maar de overtuiging bestaat, dat het de mening is van „iedereen". De gemiddelde mens is de maat aller dingen geworden. Het is een plicht te zijn zoals de anderen. Zeker, deze mens heeft ook meningen en opvattingen, maar hij schaft ze aan en verandert ze, met hetzelfde gemak, waarmee hij confectiekleren, cigaretten of auto's koopt. Zij zijn alleen zijn toevallig bezit.

De primitieve mens is vrij goed op de hoogte van zijn plaats in de wereld en de mens van het platteland of van de kleine steden kent zijn plaats in de gemeenschap, beseft de grenzen van zijn persoonlijke mogelijkheden. Daardoor weten zij de voorwaarden en de maat van hun vrijheidsbeleven en kennen zij hun eigen beperkingen. De moderne massamens heeft geen vaste plaats meer in de wereld en geen verantwoordelijkheid, die speciaal aan hem is gebonden. De fabrieksarbeider of de kantoormens kan op een andere plaats en bij enigszins ander werk zijn brood verdienen, zonder dat dit veel verschil maakt in zijn levensomstandigheden. Hij vindt ook ergens anders dezelfde soort mensen met dezelfde genoegens en dezelfde vooroordelen. Hij is overal en nergens thuis. Enerzijds heeft hij het gevoel, dat er wel voor hem gezorgd zal worden, omdat hij als massa overwegend belangrijk is. Anderzijds is hij onzeker over zijn eigen waarde, omdat hij haar niet op persoonlijke wijze heeft veroverd. Hij zoekt zijn steun in de gelijkheid en het ergert hem als een ander zich buiten de algemene maatstaven stelt. Deze gelijkheid is evenwel slechts schijn, want de mensen zijn in aanleg en omstandigheden zeer verschillend, maar die schijn wordt ten koste van alles gehandhaafd. Hierdoor ontstaat een geweldige vraag naar surrogaten.

In de Middeleeuwen vond ieder het heel gewoon, dat iedere maatschappelijke groep een eigen levensvorm had. De adel ging anders gekleed dan de geleerden, de boer anders dan de handwerksman en ieder gilde had zijn eigen stijl en stelde hier een eer in. Als thans de bankier of de dokter een radio en een auto hebben, is dit voor den geschoolden arbeider een reden om ook daarnaar te streven en des Zondags tenminste in een autobus er op uit te trekken. Als de vrouwen van de welgestelden bontmantels en zijden jurken dragen, dan streeft de massamens minstens naar imitatie-bont en kunstzijde. Als de welgestelden de muren van hun kamer behangen met schilderijen en porcelein, dan vindt men bij de grote massa platen en aardewerk. Ik wil hiermee allerminst beweren, dat dit streven naar vooruitgang verkeerd of ongerechtvaardigd zou zijn, maar wel, dat de eigen stijl, die een eigen levenshouding uitdrukt, ontbreekt. Bovendien ontstaat op deze wijze het grote gevaar, dat het echte en de imitatie, het moeizaam verworven bezit en het goedkope surrogaat niet duidelijk meer onderscheiden worden. Voorzover het alleen materiële dingen betreft, is vooral de goede smaak bedreigd, maar het gevaar wordt veel ernstiger als de zedelijke en geestelijke waarden in dit nivelleringsproces worden betrokken.

Als de schijn net even veel waard is als de werkelijkheid, als de namaak evenzeer gewaardeerd wordt als het zeldzame en oorspronkelijke, dan is daarmee een belangrijke prikkel tot strijd en inspanning weggenomen, dan kan men het zich gemakkelijk maken. Als de materiële welvaart zo groot is, dat de gemiddelde mens zich alle imitaties en surrogaten kan aanschaffen, die hij nodig heeft om zijn besef van gelijkheid te handhaven, dan zorgt de reclame er allerwegen wel voor hem te overtuigen, dat alles wat hij bezit tot het beste en voortreffelijkste der wereld behoort. Waarom zou hij zich verder dan nog bijzonder inspannen? Zijn werk wordt zo ingericht, dat hij met de minste inspanning het beste een behoorlijk loon kan verdienen, zijn genoegens geven hem de prikkels der verstrooiïng zonder grote concentratie te vragen. De film spaart hem de moeite van het lezen, de jazzmuziek houdt hem bezig, zonder dat hij veel behoeft op te letten, de grote sportwedstrijden vragen alleen wat inspanning van zijn stembanden voor de aanmoediging, de radio vertelt hem alles wat hij zou willen weten op de meest simplistische en populaire wijze, zodat hij de voorstelling krijgt, dat iedereen zich alles wat er te weten is zonder veel moeite kan eigen maken. Geen wonder, dat de massamens onder deze omstandigheden van oordeel blijkt te zijn, dat al die ingewikkeldheid van kennis en traditie voor een belangrijk deel nodeloze aanstellerij betekent, die de kunstenaars en de geleerden hebben bedacht om zich zelf en de bourgeoisie gewichtig te maken, zodat allerwegen de vraag ontstaat naar vereenvoudiging: vereenvoudigde schrijftaal, vereenvoudigde onderwijsmethoden, korte populaire voorstellingen op ieder gebied. Ook hier wil ik niet beweren, dat de massamens van zijn standpunt uit volkomen ongelijk heeft als hij bij de grote gecompliceerdheid van het leven in de eerste plaats naar de grote lijnen vraagt. Maar om aan deze behoefte te kunnen voldoen, zijn allereerst leiding gevende mensen nodig met een ruim inzicht en een fijn onderscheidingsvermogen voor het echte en wezenlijke. Deze mensen zijn zeldzaam en de ontwikkeling van onze cultuur brengt hen bovendien slechts zelden op den voorgrond. Ik kom op deze vraag nog terug bij de bespreking van de geestelijke vrijheid. Het gevolg is, dat men zich als regel bij de bevrediging der behoeften van den massamens naar den smaak van de massa richt, die het gemakkelijk wil hebben en die zich met den schijn tevreden stelt, als zij maar overtuigd is, dat iedereen dien schijn aanvaardt.

Wie de massa psychologisch bestudeert, moet uiteindelijk tot het inzicht komen, dat deze een vervlakkenden en verzwakkenden invloed heeft op de cultuur. Toch lijkt dat op het eerste gezicht allerminst het geval te zijn. Wat onzen eigen tijd betreft, zien wij aan het einde van de vorige en aan het begin van deze eeuw het culturele bezit zich uitbreiden tot steeds grotere groepen van de volksgemeenschap, die daardoor een rijker geschakeerden levensvorm vertonen. Vooral in kleinere democratische landen als het onze met een hoog welvaartspeil treft ons in de eerste plaats een krachtiger, zelfbewuster leven, een betere verstandelijke ontwikkeling, een ruimere critische kijk op de wereld en de maatschappij. Men is op grond van deze ervaring geneigd te vragen, of al die bezwaren tegen den massamens niet uit de lucht zijn gegrepen, of zij niet voortkomen uit bekrompen conservatisme en gemis aan begrip voor den vooruitgang. Moet de meerdere ontwikkeling en het krachtiger zelfbewustzijn van de massa niet juist een stevigen grondslag vormen voor een cultuur, die zich niet beperkt tot een elite, maar die het gehele volk omvat en die aan alle levensvormen een zin weet te geven?

Inderdaad, zolang de maatschappelijke structuur vast gegrondvest is en de welvaart voortdurend toeneemt, blijkt van een verzwakking van den geest onder invloed van den massamens maar weinig. Niet alle landen leefden echter onder zo gunstige omstandigheden als Nederland na den vorigen wereldoorlog. De massamens in Rusland en in Duitsland, later ook in Frankrijk en in de Verenigde Staten, vertoont andere zijden van zijn wezen, die veel verontrustender vormen aannemen. Daar ontstonden ten gevolge van den oorlog en van de economische crisis toestanden, die het materiële en het geestelijke leven van de grote massa volkomen

desorganiseerden en die de grondslagen van ieder gevoel van zekerheid aantastten. Het „verwende kind" werd plotseling voor de harde werkelijkheid van een meedogenloos onveilige wereld gesteld en bemerkte, dat het geen levenshouding bezat, die het in staat stelde kracht en volharding te putten uit hetzij een stugge instinctieve hardnekkigheid hetzij uit een persoonlijken moed tot het avontuur. De regeringen van deze landen kwamen voor volkomen nieuwe problemen te staan, omdat zij minder aan het individuele initiatief of aan de berustende gelatenheid in den nood konden overlaten dan dat tevoren geschiedde. Ook vroeger heeft de wereld wel tijden van crisis gekend, van oorlog, hongersnood en pestilentie, maar een ieder nam dan aan, dat de hulp van God, de gunst van de natuur, de eigen geestkracht van den enkeling de redding moesten brengen. De regering werd toen slechts ten dele verantwoordelijk gesteld. Niemand achtte welvaart een recht. Het was een gunst van het lot als men haar bezat. Thans eist de massa van haar leiders de vervulling van haar wensen, een zekeren grondslag voor haar bestaan en behoorlijker levensomstandigheden. Deze drang naar bewust geleide verbetering drijft de regeringen aan tot geweldige krachtsinspanning en geeft ze ongekende machten, wanneer het gelukt de impulsieve krachten van het volk samen te bundelen tot een gemeenschappelijk pogen.

Het is gemakkelijker deze massa's tot eenheid van doelstelling te brengen dan dat in de vroegere volksgemeenschap het geval was. Vroeger waren grote groepen door gewoontes en tradities in hun bewegingsvrijheid beperkt of wel de burgergemeenschap werd door allerlei individuele doelstellingen in haar wilsuitingen verdeeld. De moderne massamens heeft weinig eigen lijn en is gewend de algemene leuzen te volgen.

De politieke leider, die de hartstochten van de massa vorm weet te geven, beschikt daardoor over grotere mogelijkheden. Maar het zijn blinde machten, die dan worden losgelaten binnen de historisch gegroeide vormen van den staat, want deze mensengroepen hebben weinig ervaring van de voorwaarden, die vrijheid en onvrijheid bepalen en die den mens bescheidenheid en richting leren. Bovendien zijn zij gevormd in de mechanische sfeer van de industrialisatie, waarin het lijkt, dat alles gemaakt kan worden door den eigen wil en zij staan onder invloed van de harde levensvisie van de kapitalistische maatschappij, die vooral op onderlingen strijd is ingesteld.

Op deze wijze zijn in sommige landen de moderne massa's revolutionair geworden en hebben zij daarbij een geweldige afbrekende kracht getoond, die de gehele Westerse cultuur dreigt te vernietigen. Zij hebben regeringen weten te vinden, die hun belangen en hun eenvoudige idealen tot doel hebben gesteld voor de gehele gemeenschap en die op deze wijze hebben getracht dezen geweldigen stroom van ongebreidelde krachten in een eigen bedding te leiden. Om dit verschijnsel te begrijpen, is het allereerst nodig dieper in te gaan op enkele bijzonderheden van de kapitalistische maatschappij en op de gevolgen van economische crisis en wereldoorlog in de verschillende landen.

Onzekerheden van het kapitalistische stelsel.

Het tegenwoordige tijdvak van steeds toenemende industrialisatie wordt meestal genoemd naar den vorm der economische organisatie, die dezen groei mogelijk heeft gemaakt: het Kapitalisme. De nieuwe uitvindingen, die in het eind der achttiende eeuw werden gedaan en die in de negentiende eeuw steeds verder werden voortgezet, leidden tot vormen van productie van een steeds toenemende samengesteldheid. De kleine fabriek nam de plaats in van de werkplaats en later verdrong de grote fabriek de kleinere ondernemingen. Vroeger kon men om stoffen en voorwerpen te fabriceren met een kleinen voorraad grondstoffen en werktuigen volstaan, maar later werden steeds grotere eisen gesteld aan de productiemiddelen en kostte het grote kapitalen om deze op peil te brengen. Deze kapitalen moesten grotendeels uit het bedrijf zelf worden verkregen. Een belangrijk deel van de winst bleek nodig te zijn om de bedrijven uit te breiden en te moderniseren, zodat zij de concurrentie met andere soortgelijke bedrijven konden doorstaan. Deze jacht naar uitbreiding en verbetering heeft er – misschien meer nog dan de hebzucht der ondernemers – toe geleid, dat de arbeiders in het begin van de industriële ontwikkeling massaler werden uitgebuit dan vroeger, zodat de tegenstelling tussen den rijken kapitalist en den proletarischen fabrieksarbeider tot een maatschappelijk probleem is geworden.

Deze tegenstelling en het probleem der uitbuiting zijn door Marx omstreeks het midden der vorige eeuw in het centrum gesteld bij zijn beschouwing van het kapitalisme. Voor de latere ontwikkelingsvormen van het kapitalisme betekent dit een enigszins eenzijdige voorstelling, die andere belangrijke trekken van dit stelsel over het hoofd doet zien. De positie van arbeiders en kapitalisten beiden heeft ook in het laatst der vorige en het begin van deze eeuw grote veranderingen ondergaan. Wij zagen reeds, dat de arbeiders zich geleidelijk een rechtvaardiger aandeel in de winsten veroverden en dat zij deel kregen aan het sterk verhoogde algemene welvaartspeil. De gemiddelde fabrieksarbeider van thans is geen proletariër meer. Hij kan bezit en kennis verwerven en heeft veel van de levenshouding van de bezittende klasse overgenomen. Ook de kapitalist is veranderd. Hij is als regel niet meer de uitsluitende bezitter der productiemiddelen, die zijn onderneming als zijn persoonlijke zaak beschouwt, die hij op eigen risico drijft, zoals hij dat zelf wil. Bij de geweldige toename van de kapitalen, die in een bepaald bedrijf zijn belegd, werd het meer en meer een uitzondering, dat dit kapitaal in handen van één eigenaar blijft. De zaak wordt dan familiebezit en later naamloze vennootschap met aandeelhouders, die slechts een beperkten invloed kunnen doen gelden en slechts een beperkt risico lopen. In den beginne was het een waagstuk kapitalist te zijn en vereiste dit durf en energie en inzicht. Men zette veel op het spel om grote winsten te behalen en verloor niet zo zelden den inzet. Dit type van kapitalist bestaat ook thans nog wel, maar daarnaast vindt men de overtalrijke kleine kapitalisten, die hun geld op handige wijze zo veilig en winstgevend mogelijk beleggen en de grote kapitalisten, die door de grootte van hun zaak, de verdeling van hun beleggingen en de wetenschappelijke bedrijfsleiding weinig risico meer lopen, in vergelijking met de oprichters der zaak. Het bedrijf wordt meestal niet meer door den kapitaalbezitter zelf geleid en de leiding berust ook dan voor een groot deel bij directeuren, die niet zelfbezitter zijn en bij technische en administratieve ambtenaren. De economische vrijheid van den ondernemer wordt overigens door allerlei wetten en regels, die van regeringswege nodig worden geacht, beperkt. Zijn machtspositie blijft nog aanzienlijk, maar hij moet veel meer rekening houding met de critiek van de arbeiders en van de publieke opinie, die niet meer dat eerbiedige ontzag voor de bezittende klasse tonen, waarop de kapitalist een halve eeuw geleden kon rekenen.

De opkomst van den ontwikkelden arbeider en de verspreiding van het kapitaal over grotere bevolkingsgroepen, gepaard met allerlei ordeningen en regelingen door de overheid, die misstanden en uitbuiting moeten voorkomen, hadden ten gevolge, dat het kapitalisme voor de grote massa der mensheid aannemelijk zou zijn geworden, indien niet andere bezwaren zich steeds meer hadden doen gelden. De voordelen van het algemeen verhoogde welvaartspeil en van een grotere zekerheid tegenover de noden des levens gaven vele mensen tegen het eind der vorige eeuw de overtuiging, dat zij een toppunt van beschaving hadden bereikt, dat geleidelijk nog door nieuwe verbeteringen kon worden verhoogd. Wel veroorzaakten de standsverschillen nog ongelijkheid van levenskansen, maar toch waren de mogelijkheden om zich een plaats in de wereld te veroveren voor een ieder geweldig toegenomen. Energie en kennis openden voor den begaafden mens een weg naar den voorspoed. Die vermeerdering van energie en kennis kwam de gehele mensheid ten goede.

Deze tastbare voordelen werden echter onzeker gemaakt door andere factoren, die de welvaart van de industriële mensheid bedreigen. Deze gevaren deden zich voor als economische en internationale chaos, als toestanden van crisis in de wereldhuishouding en als dreigingen van een algemenen oorlog. Alle voordelen van de grote materiële vrijheid en van een goede maatschappelijke organisatie werden weer te niet gedaan door de werkeloosheid van millioenen arbeiders, door de grote waardeschommelingen van het bezit en door de vernietiging van millioenen gezonde mensen, van bloeiende landstreken en van hoge cultuurwaarden in den wereld-oorlog.

In hoeverre is het kapitalisme voor deze verschijnselen verantwoordelijk te stellen? Om dit te kunnen beoordelen dienen wij wat nader in te gaan op den invloed, dien het op den geest der moderne mensheid heeft uitgeoefend. Bij het begin der industriële ontwikkeling stonden de kapitalistische ondernemers tegenover een maatschappij, die een tegenwicht gaf tegen al te onstuimigen drang naar macht en bezit. Geboorte en stand enerzijds, bepaalde godsdienstige en maatschappelijke waarden anderzijds, verboden vele mensen zich al te zeer in te spannen om bezit te verwerven en hielden hun verlangens binnen de perken. De grote massa der boeren en arbeiders streed tegen den nood en beschouwde rijkdom als een teken van verdienste of van goddelijke gunst. Naarmate de klassenstrijd bewuster gevoerd werd en het succes der ondernemers zich in toenemenden rijkdom openbaarde, veranderde de houding van deze andere maatschappelijke groepen en werden zij steeds meer door kapitalistische opvattingen beïnvloed. Bezit, productie, macht, verovering en beheersing werden de leidende begrippen, die ten grondslag schenen te liggen aan de verhoudingen der mensen en der staten. Geld verdienen, kapitaalvorming, de mensheid organiseren tot verovering van steeds nieuw bezit werd het hoogste menselijke levensdoel, het scheen een plicht tegenover de gemeenschap en het nageslacht. Tevoren was de zorg voor de materiële toekomst voor den gemiddelden mens ook wel van belang geweest, vooral in tijden van nood en gebrek, maar thans werd zij op den voorgrond gesteld als levensdoel, juist in een tijd, waarin de algemene welstand toenam en de zorgen van het bestaan voor velen lichter werden. Het kapitalistische stelsel overheerste niet alleen in de economie, maar ook in de maatschappelijke verhoudingen, in den internationalen toestand, in de beschouwing van den mens en van het leven.

Wat de arbeiders betreft, valt het zeker niet te verwonderen, dat de strijd van hun organisaties in de eerste plaats gericht was op meer macht en bezit, op een rechtvaardig aandeel in de winst en op meer zekerheid van werk en loon. Als zij dit doel grotendeels bereikt hadden, werd in sommige gevallen ook wel eens energie aan geestelijke doelstellingen besteed, maar in hoofdzaak bleef de materialistische levenshouding de grondslag van hun overtuigingen en hun streven. Zowel door de arbeidersorganisaties als door de leiders van handel en industrie werden de problemen van de productie en de verdeling van de winsten ook op politiek terrein op den voorgrond gesteld. Daarbij ging het niet alleen om den klassenstrijd, om de tegenstellingen tussen arbeiders en ondernemers, maar dikwijls nog meer om wedijver tussen bepaalde groepen arbeiders en bepaalde groepen ondernemers, die bevoorrechte posities trachtten te veroveren of te handhaven. De strijd van ieder tegen allen, waarbij de handigsten en energieksten de zwakkeren meedogenloos vernietigen, werd op economisch en politiek terrein steeds meer als het enig juiste gezichtspunt aanvaard. De idealen van solidariteit bij de arbeiders, van morele en religieuse waarden bij arbeiders en bezittende klasse werden nog wel verkondigd, maar raakten gemakkelijk op den achtergrond tegenover het gewicht van financiële belangen. De grotere welvaart deed den dorst naar bezit niet verminderen, integendeel, de eisen van gemak, verstrooiïng en luxe namen steeds toe. De eenvoud der vaderen maakte plaats voor het bewegelijke moderne leven, waaraan iedereen zoveel mogelijk trachtte mee te doen en waarbij dat meedoen telkens nieuwe eisen deed stellen aan de financiën. De materialistische levenshouding van het kapitalisme doordrong aldus geleidelijk de moderne maatschappij.

Het behoeft dan ook niet te verwonderen, dat ook de buitenlandse politiek sinds het midden der vorige eeuw meer dan voordien door economische motieven werd beheerst. De welvaartspolitiek gold als eerste plicht van den staatsman. Handel en industrie waren, nog meer dan de in mercantilistische monarchiën, de troetelkinderen van den kapitalistischen staat. De dynamische veroverende geest van de eerste industriële ondernemers werd thans ook vaardig over de staatslieden, die voor hun land grondstoffen en afzetgebieden zochten en belangrijke industriën trachtten te ontwikkelen. De drang naar koloniaal bezit, de tarievenoorlogen om eigen productie te beschermen en om de concurrentie van vreemde goederen van de eigen markten te weren deden allengs grote spanningen op internationaal gebied ontstaan. Ook hier stond ieder land met zijn belangen tegenover alle anderen en moest het trachten door groepsvormingen zijn positie te versterken. Economische geschillen leidden tot steeds grotere bewapening en de ervaring heeft getoond, dat deze laatste op den duur onherroepelijk den oorlog doet uitbarsten. De techniek had het machtsgevoel en de mogelijkheid tot geweld versterkt. Wat er aan geestelijke banden tussen de verschillende landen was overgebleven en op sommige punten nieuw was ontstaan bleek, als het er op aan kwam, volkomen onvoldoende om den primitieven nijd en haat te verzoenen, die door economische tegenstellingen werd gevoed.

De geest van het kapitalisme heeft overal de oude verbondenheden tussen de mensen verbroken en den enkeling als een eenzame avonturier in een verwarde en roofzuchtige wereld geplaatst. Wij zullen later uitvoeriger onderzoeken, waarom grote geestelijke machten als geloof en wetenschap zo weinig in staat zijn gebleken een tegenwicht te vormen tegen de ontbindende krachten van het materialisme. De kerken en de wetenschappelijke instituten ondergingen zelf veelal den invloed van een op macht en bezit gerichte wereld. De onrust van den modernen mens hangt zeker voor een deel samen met een diepe innerlijke onbevredigdheid, die ontstaat doordat hij bij alle materiële welvaart de natuurlijke verbondenheden mist, die het leven veilig en vertrouwd maken.

Niet alleen de maatschappelijke strijd en de oorlogsbedreiging veroorzaken dat onbehagelijke gevoel van onveiligheid. Daarnaast geeft ook de onbestendigheid der economische regelingen telkens weer aanleiding tot onrust en onzekerheid. Volgens de theorie van de voorstanders van het kapitalisme hebben de vrije concurrentie en de wet van vraag en aanbod tot gevolg, dat het economische leven telkens automatisch zijn evenwicht vindt. Is een artikel erg nodig of erg gevraagd, dan zullen vele ondernemers zich op de vervaardiging daarvan toeleggen en de prijs er van zal dalen, zodat het in ieders bezit kan geraken. Als er een teveel van ontstaat, wordt de productie minder lonend, zodat talrijke fabrikanten zich op de vervaardiging van iets anders gaan toeleggen en aldus wordt het evenwicht tussen vraag en aanbod weer hersteld. Deze theorie blijkt in de practijk maar zeer ten dele op te gaan. De massaproducten worden voor een deel onafhankelijk van de vraag geproduceerd en men vermeerdert de vraag door geweldige reclamecampagnes. In een tijdperk van welvaart gelukt het aldus meestal wel het verbruik te doen toenemen. De grotere winsten bij groteren omzet maken, dat steeds nieuwe kapitalen in deze bedrijven worden belegd. De productie wordt dan kunstmatig opgevoerd, zodat een overspannen toestand in het economisch leven ontstaat, die tot uiting komt, zodra de zaken minder goed gaan, of het vertrouwen van het publiek wordt geschokt, soms door een of ander betrekkelijk onbelangrijke gebeurtenis op binnenlands of buitenlands gebied. Plotseling blijkt er dan overproductie van vele artikelen te bestaan. De prijzen dalen en het in de ondernemingen belegde kapitaal brengt zijn rente niet meer op. De aandelen dalen in waarde, sommige ondernemingen blijken niet langer rendabel en gaan failliet, banken die voorschotten hebben gegeven, lijden grote verliezen en grote aantallen werklieden worden ontslagen en komen zonder werk en loon. De omvang, die een dergelijke economische crisis aan kan nemen, blijkt in den loop van het industriële tijdperk steeds toe te nemen, niettegenstaande verschillende pogingen der regeringen om deze noden te temperen. De laatste grote crisis van 1929 bracht millioenen werkelozen in de grote landen van Europa en in Amerika op straat.

De nadelen van dergelijke vormen van economische crisis op grote schaal en van de wereldoorlogen om grondstoffen en afzetgebieden maken de voordelen van het verhoogde welvaartspeil voor grote groepen van de bevolking dermate onzeker, dat het gevoel van materiële vrijheid weer verloren gaat en plaats maakt voor een twijfel aan de grondslagen van onze maatschappij. Vooral de massamens, die er aan gewend was geraakt de zegeningen van steeds toenemende welvaart zonder bijzondere inspanningen te ontvangen, kan deze tegenslagen moeilijk verwerken. Het kapitalisme wordt verantwoordelijk gesteld. Als men het kapitalisme maar afschaft, dan zal alles wel weer beter gaan.

De vraag, of de nadelen van de industrialisatie door het kapitalisme ontstaan, heeft in de practijk aanleiding gegeven tot pogingen om het kapitalisme door een ander stelsel te vervangen, waarbij de staat het heft in handen neemt om den economischen chaos te ordenen. Deze pogingen houden dan tevens in sommige gevallen een streven in, om niet alleen de materiële vrijheid van den massamens te verzekeren, maar ook om de verloren natuurlijke vrijheid in verbondenheid door leiding van het staatsgezag te vervangen.

De geleide economie en de geleide massa.

Na de Franse Revolutie was de vrijheid voor alle vooruitstrevende geesten in Europa en Amerika tot het beginsel geworden, waarop men een nieuwe wereld trachtte te grondvesten. Het vertrouwen in de natuur van den mens en in de redelijke grondslagen van de menselijke gemeenschap vond uitdrukking in het geloof, dat men slechts de hinderpalen voor de vrije ontwikkeling van de menselijke persoonlijkheid en van de economische verhoudingen uit den weg behoefde te ruimen, om mens en gemeenschap tot steeds groter volmaaktheid te zien groeien. De ontwikkeling van de wereld zou dan aan het persoonlijk initiatief worden overgelaten. De staat heeft bij dit ontwikkelingsproces in hoofdzaak de taak van ordenende politie, of hoogstens een regulerende functie om de vrijkomende krachten tot samenwerking te leiden. Dit vertrouwen in het spontane streven van den enkeling en in een economie, die vanzelf haar evenwicht vindt, is na een eeuw van kapitalisme en liberalisme grotendeels verloren gegaan en in verschillende landen wordt openlijk de mening verkondigd, dat leiding wenselijker is dan vrijheid.

Wij zagen reeds, dat de hedendaagse massamens het vrije contact met de natuurlijke wereld om hem heen en met zijn eigen innerlijke doelstellingen heeft verloren en dat hij de gelijkheid met zijn medemensen tot maatstaf heeft genomen. Voor deze mensen betekent vrijheid geen waarde meer. Zij voelen zich behagelijk in de gebondenheid van een gestandaardiseerde maatschappij, mits hun een zeker levenspeil wordt gewaarborgd. Is dit laatste niet het geval, dan aanvaarden zij iedere leiding, die hun meer materiële zekerheid belooft.

Sinds den eersten wereldoorlog is de critiek op het kapitalistische stelsel vooral in de landen, die zwaar onder den oorlog geleden hebben, nog geweldig toegenomen. Dit heeft een versterking van het socialisme veroorzaakt, dat zich reeds lang te voren als doel had gesteld het kapitalisme ten val te brengen door het bezit der productiemiddelen aan den staat te trekken. De socialistische partijen waren er ook wel in geslaagd den invloed van den staat op het productiestelsel te vergroten en de verhouding tussen arbeiders en ondernemers onder contrôle te brengen, maar door deze verbeteringen was de felheid van den strijd om de socialisatie der bedrijven eerder verminderd, hetgeen aan de radicaalste socialisten reden gaf tot critiek op deze geleidelijke methodes. De revolutie trad weer als ideaal op den voorgrond met de bedoeling, daarbij niet alleen het economische stelsel, maar ook de gehele kapitalistische maatschappij van den grond af te veranderen. De revolutionaire beweging kreeg vasteren vorm door de Russische revolutie, die op de puinhopen van het Czaristische Rusland een communistischen arbeidersstaat had gevestigd en daarbij zeer radicaal alle overblijfselen van de kapitalistische wereld vernietigde. Hier heerste de massamens in een eenvoudigen vorm met de uitgesproken bedoeling iedereen, ook de grote boerenbevolking, aan zich gelijk te maken.

Het bolsjewisme maakte vooral indruk op de weinig ontwikkelde arbeiders, omdat het volkomen gelijkheid van welstand en ontwikkeling aan allen beloofde. De meer ontwikkelde arbeiders in Europa vreesden niet ten onrechte, dat hun levensstandaard door een dergelijk stelsel wel eens evenzeer kon worden verminderd als die van de bezittende klasse. Naast de aantasting van het persoonlijk eigendom is de grote dreiging van het bolsjewisme voor den Europesen mens gelegen in de nivellering van cultuurwaarden op een zeer laag niveau, waardoor de waarde van het leven dermate daalt, dat men aan de mogelijkheid van een menswaardig bestaan gaat twijfelen. Niet alleen de economie wordt in Rusland geleid door den staat, maar het gehele bestaan van den massamens, zijn gedachten en gevoelens, zijn verstrooiïng en zijn idealen worden onder staatstoezicht gesteld. De zwakke zijden van den massamens worden aldus nog kunstmatig vergroot. Zijn gemis aan verantwoordelijkheid neemt nog toe naarmate de staat hem alle initiatief uit handen neemt, zijn beperkte horizon wordt nog ingekort door de oogkleppen, die het angstvallig beperkte onderwijs hem aanbindt, de suggestibiliteit voor gevoelens en hartstochten wordt zorgvuldig door propaganda aangewakkerd en gekanaliseerd. In de Sowjetunie worden persoonlijke uitingen alleen gewaardeerd, als zij in het voorgeschreven kader passen. Daarnaast toont het volk ook daar de typische eigenschappen van den massamens, een grote levensdrang en een behoefte om zich met zijn lichamelijke en psychische energie te uiten en nieuwe doelstellingen te zoeken. Na de ontwrichting door de veelvuldige oorlogen en de roes van de revolutionaire vernietigingen volgde na 1917 de sexuele ongebondenheid en de ontbinding van de gezinnen, waarbij troepen zwervende kinderen aan de grillen van het noodlot werden overgeleverd. De staat zag zich van lieverlede genoodzaakt deze wilde energieën te kanaliseren, allereerst in het leger en in de fabrieken, later ook in vastere gemeenschaps- en huwelijksvormen. De leiders van Rusland aanvaardden niet alleen de geweldige taak de economie van dit uitgebreide rijk te leiden tot welvaart en macht van het volk, maar zij namen tevens het dagelijks leven der bevolking, dat tevoren door gewoonte en traditie werd beheerst, in eigen handen, met de uitgesproken bedoeling een nieuw soort mens te vormen, vrij van vooroordelen en geestelijke gebondenheden.

Niemand zal thans ontkennen, dat de bolsjewistische leiders op het gebied van de organisatie van de economie en de machtsontwikkeling grote dingen tot stand hebben gebracht in een historisch beschouwd zeer korten tijd. Deze resultaten waren alleen te bereiken door geweldadige methodes, die alles ondergeschikt maakten aan de eisen der organisatie. De staat vertoont dan het simplistische uiterlijk van een grote moderne fabriek. De fabrieksarbeider wordt het standaardmodel van den nieuwen mens, ook zelfs voor den landbouw, die zoveel mogelijk naar het ideaal der massaproductie wordt geleid.

Om deze geweldige amorphe mensenmassa's in een dergelijken straffen levensvorm te dwingen, was het nodig het dagelijks leven van den gemiddelden mens zoveel mogelijk te beheersen. De opheffing van het particulier bezit maakte iedereen in Rusland voor zijn bestaan afhankelijk van den staat. Bij ongehoorzaamheid of verzet dreigt onmiddellijk de honger en voor het overige wordt het gezag van den staat levendig gehouden door een strenge politie en een nog strengere geheime politie, die over een uitgebreid apparaat van spionnen, provocateurs, gevangenissen, concentratiekampen en Siberische verbanningsoorden beschikken om de normen van het staatsgezag ingang te doen vinden. Bovendien zorgen het geleide onderwijs en de geleide pers, radio en bioscoop ervoor, dat de propaganda, die den eigen levensvorm voorstelt als een paradijs, in vergelijking met de slavernij en ellende der democratische wereld, nergens door de ervaring of de feiten kan worden tegengesproken. Een hermetische afsluiting van de grenzen maakt iedere vergelijking met andere economische stelsels en gemeenschapsorganisaties onmogelijk en in het eigen land wordt de bevolking er zorgvuldig voor behoed meningen te horen, die van de gewenste gangbare opvattingen afwijken.

Wij zullen later nog terugkomen op de invloeden, die dit overheersen van de economie en van de massapolitiek op de gemeenschap en op den menselijken geest uitoefenen. Het is duidelijk, dat de cultuur – geheel volgens de opvattingen van de theorie van Marx – in Rusland als een bijproduct wordt beschouwd, waarvan de uitingen afhankelijk zijn van den aard der productie. Toen het communisme ook in andere landen van Europa vasten voet begon te krijgen, wekte dit afweerreacties, vooral in de al of niet intellectuele middenklassen van de maatschappij, die de heilige overgeërfde levenwaarden bedreigd achtten door de nieuw leer en door den invloed van een arbeidersklasse, die alleen oog bleek te hebben voor welvaarts- en machtsbelangen. In Italië ontstond het fascisme onder leiding van Mussolini als een tegenbeweging (1922), die de maatschappij onder leiding wilde stellen van een aristocratie van energieke, bekwame intellectuelen. Niet de economie, maar de cultuur werd daarbij op de eerste plaats gesteld, niet de massa, maar de moedige groep van krachtige leiders zou het beeld van de maatschappij beheersen. Om dit beeld te verwezenlijken dient de politiek in handen van deze groep tot een dermate machtig instrument te worden gemaakt, dat de leidende groep het gehele volk achter zich kan krijgen. Daartoe was het natuurlijk in de eerste plaats nodig de economische problemen zodanig op te lossen, dat het volk vertrouwen kreeg in de nieuwe leiding. Het geheim van die oplossing lag in de organisatie door capabele mensen.

Bij de leiding van de economische verhoudingen maakte het fascisme in de eerste plaats front tegen overdreven of onordelijke eisen van de communistisch gezinde arbeiders. Aanvankelijk leek het een gouden tijdperk voor de bezitters: geen vakverenigingen, geen stakingen, lage lonen, lange werktijden. Toen de fascisten de macht georganiseerd hadden, leerden echter al spoedig de kapitalisten, evenzeer als de socialisten, begrijpen, dat zij slechts te gehoorzamen hadden. Het kapitalisme als macht vond geen erkenning en werd als zelfstandige macht evenzeer bestreden als de communisten. De fascisten verspilden echter hun energie niet aan een principiëlen oorlog tegen de kapitalisten. Wanneer deze zich aan de politieke leiding onderwierpen, konden ook zij, evenals de arbeiders, hun plaats vinden in het geheel van den staat en een beloning voor hun diensten ontvangen. Het privaatbezit werd niet afgeschaft, maar het werd steeds meer onderworpen aan het politieke gezag. Sedert 1934 was de buitenlandse handel in Italië staatsmonopolie en in 1936 begon men de belangrijkste industrieën onder staatstoezicht te brengen. Ook de landbouw werd volkomen gereglementeerd. De boer mocht niet meer verbouwen wat hem winstgevend leek, maar hij diende te leveren wat de regering voorschreef; hij mocht zijn hoeve niet verkopen, behalve onder voorwaarden, die de regering aangaf. Het stil leggen van bedrijven was in de industrie, zowel als in den landbouw, verboden. De verandering geschiedde dus geleidelijker dan in Rusland, de oude vormen en de oude personen worden ten dele gehandhaafd, maar de gehele staat bewoog zich met grote snelheid in de richting van een collectieve beheersing van alle economische factoren, die practisch grote overeenkomst vertoonde met het Russische staatskapitalisme. Ook hier kwam de leiding der economie geheel in handen van den staat.

Bij die leiding van de economie behoort ook hier de leiding van de grote massa. Daar de oude sociale gemeenschap in Italië echter evenmin vernietigd was als het oude productiestelsel, moest ook hier een subtieleren weg worden gevolgd dan in Rusland geschiedde. In Rusland gold als motief voor de vernieuwing der maatschappij de voorstelling van Marx, dat de arbeiders zich dienden te verzetten tegen de uitbuiting en gelijkheid van allen als hun recht konden eisen. Deze argumenten hadden voor Mussolini geen grote betekenis, al was ook hij zeker bereid den arbeiders het hun toekomende deel te geven. Het was de grote verdienste van Mussolini, dat hij aan de intellectuelen en de middenklassen en verder aan het gehele Italiaanse volk een bezielend ideaal van culturele en nationale ontwikkeling wist voor te houden. Hij keerde zich daarbij tegen de vervlakking van het menselijk bestaan, die het gevolg zou zijn van het vooropstellen der levenseisen van de proletariërs, maar tevens bestreed hij de liberale en democratische beginselen van het voorafgaande tijdperk. Als motief daarvoor gaf hij aan, dat het parlementaire stelsel geen krachtige leiding mogelijk maakt, omdat niemand persoonlijk de verantwoordelijkheid draagt en omdat het streven het iedereen naar den zin te maken tot halfheden en compromissen leidt, die de maatschappelijke vraagstukken niet oplossen. Mussolini stelde daartegenover een krachtige leiding, die persoonlijk de verantwoordelijkheid aanvaardt voor scheppende daden, die het heil en de ontwikkeling van het eigen volk ten doel hebben. Het eigen volk wordt daarbij als één groot organisme gezien, dat het offer van alle particuliere belangen waard is. De eigen cultuur, het eigen volk en de eigen staat zijn aldus in één visie verenigd en het leven van den enkeling krijgt een heroïsche bezieling door zich ondergeschikt te maken aan dat grote scheppende gebeuren in het gehele volk.

Op grond van deze visie der maatschappelijke ontwikkeling kende de fascistische partij zich het recht toe de leiding van de gehele culturele ontwikkeling van het volk in handen te nemen en het op het rechte pad te dwingen met propagandamiddelen en politiemaatregelen, gelijk aan die, welke Rusland tevoren had ontwikkeld.

Aanvankelijk was echter vooral het enthousiasme voor nieuwe mogelijkheden van politieke en culturele grootheid de drijfkracht, die Mussolini in staat stelde de krachten van zijn volk te mobiliseren en offers te vragen. Het volk bemerkte, dat verbeteringen op verschillend gebied tot stand kwam en dat misstanden werden opgeruimd, het ging vertrouwen stellen in de leiding, die Italië een nieuwe toekomst opende en het nam de dwangmaatregelen op den koop toe. Geestdriftig leven eist echter steeds nieuwe prikkels. De gevaren van deze enthousiaste politiek kwamen tot uiting bij de verovering van Abessinië. Italië had leger en vloot geweldig ontwikkeld en het streefde ernaar een belangrijke koloniale mogendheid te worden, maar het was bij deze gelegenheid bijna in oorlog met Engeland geraakt. Het nieuwe Imperialisme leidde tot zelfoverschatting. In de practijk bleken bovendien economische en politieke factoren zwaarder te wegen dan de culturele. Deze verschuiving van accent kwam nog duidelijker aan den dag toen Italië meer en meer in het zog ging varen van zijn groten noordelijken buurman.

Het nationaalsocialisme, dat onder Hitler in 1933 de regering in Duitsland op zich nam, heeft veel van het fascisme overgenomen, het vertoont als economisch stelsel eveneens overeenkomst met het communisme, dat het zo fel bestrijdt, maar het had daarbij enkele typisch Duitse eigenaardigheden. Duitsland was in den wereldoorlog verslagen, maar, daar het niet bezet was geweest, drong het besef daarvan niet door tot de meerderheid van het volk, die de behandeling door de Geallieërden als een groot onrecht ondervond. De hongersnood en de werkeloosheid, het volkomen verlies van de waarde van het geld waren het gevolg van het feit, dat noch de Geallieërden, noch de Duitse regering de verantwoordelijkheid voor de heersende toestanden op zich namen. De wrok over de vernedering keerde zich zowel tegen de eigen regering, die de vredesvoorwaarden had aanvaard, als tegen de meedogenloze vijanden. Deze wrok en de innerlijke verscheurdheid maakten, dat een politiek van nationale zelfverheerlijking bij een volk, dat van nature toch al tot zelfverheerlijking nijgt, gemakkelijk ingang kon vinden als middel om het verloren prestige te herstellen. Hierdoor wordt het ook verklaarbaar, dat de fascistische idealen in Duitsland een dergelijken geëxalteerden vorm en een zo eenzijdigen inhoud kregen. Volgens deze, zogenaamde „volkse", opvattingen was het Duitse volk het enige volk met een cultuur, die maar enigszins de moeite waard is en ontleent het daaraan het recht de andere volken te overheersen en de wereld te veroveren. Ook hier moest men om de economische macht te krijgen en te behouden de massa met handige propaganda in het gevlei komen. Bij de bolsjewiki geschiedde dit door den arbeider tot den enigen waardevollen mens te proclameren, bij de fascisten werd het Romeinse Imperium aan Italië ten voorbeeld gesteld, in Duitsland werden het bloed van het Germaanse ras en de grond van het Duitse Rijk tot mystieke heilige waarden verklaard. Nog belangrijker als middel om het Duitse volk te imponeren was de straffe militaire orde, die als enig bruikbaar geneesmiddel tegenover het verval van de macht en van de innerlijke organisatie werd gesteld.

Sinds den dertigjarigen oorlog hadden vooral twee Pruisische voorbeelden aan Duitsland weer een innerlijk houvast en zelfvertrouwen gegeven: de militair en de ambtenaar. Het verval van den staat in den vorigen oorlog werd thans daaraan toegeschreven, dat de eenvoudige soldatengeest verloren was gegaan. Evenals in Rusland moest ook hier het ideaal eenvoudig worden gesteld, wilde het de massa meeslepen. In Rusland was dat ideaal de arbeider, voor het nationaalsocialisme was reeds dadelijk de soldaat de maat aller dingen. Men beschreef alle veranderingen in vormen van strijd (de productie werd b.v. een productie „slag") en de militaire hiërarchie was het voorbeeld voor alle maatschappelijke verhoudingen. Alles wordt aldus eenvoudig en overzichtelijk en de menselijke verantwoordelijkheden kunnen net zo precies omschreven worden als dat voor den soldaat in de kazerne het geval is. Het veilige gevoel, dat de gemiddelde Duitser bij een dergelijk „Kazernisme" [1]) ondervindt, maakt hem uiterst geschikt onder straffe omstandigheden te leven, die vele andere volken als een zwaren druk zouden ervaren. De mogelijkheid van de organisatie van de gehele economie en van de gehele massa in Duitsland tot één groot oorlogsapparaat is alleen uit deze simplistische militaire mentaliteit, tezamen met het ressentiment over drukkende vredesvoorwaarden, te begrijpen. Hitler, zowel als Mussolini, wisten aan hun volk een droom, een toekomstverwachting te geven, die het eigen leven weer de moeite waard deed schijnen.

Het is zowel aan Lenin en Stalin als aan Mussolini en Hitler gelukt de economie en de massa in dienst van den staat te stellen en de werkeloosheid op te heffen, maar de prijs, die in Rusland zowel als in Italië en Duitsland voor dit succes betaald moest worden, was het verdwijnen van den stand van onafhankelijke, vrije burgers en

[1]) Deze term is van de Kadt aan wiens boek: „Het fascisme en de nieuwe vrijheid" hier vele gegevens zijn ontleend.

het aanvaarden van een organisatie, die op den totalitairen oorlog was gericht en waarbij de oorlog als één der hoogste uitingen van het volk wordt geprezen. Men heeft herhaaldelijk de vraag gesteld, of deze dwingende organisatie van de massa om bepaalde economische resultaten te bereiken, ook mogelijk geweest zou zijn zonder de voorbereiding van een geweldigen oorlog, die het volk voor de keus stelde van wereldbeheersing of ondergang. Een dergelijke leus wekt sterke instinctieve krachten in de diepte van het menselijk wezen, die het bereid vinden zich te offeren voor de gemeenschap. Ook aanvaardt het volk dan gemakkelijker de economische ingrepen op alle gebieden, die door den noodzaak van den oorlogstoestand worden verklaard. Het is dus nog niet zo zeker, dat de geleide economie ook in vredestijd in landen als Rusland en Duitsland een stabiel economisch stelsel zou hebben kunnen scheppen, dat welvaart en tevredenheid waarborgt.

Maar al zou het mogelijk blijken met dwangmaatregelen een geleide economie en een geleide massa tot een evenwichtigen toestand van welvaart te voeren, dan blijven vele redenen bestaan, waarom een dergelijk stelsel voor de mensheid – in ieder geval voor de Westerse mensheid – onaanvaardbaar geacht moet worden. De redenen daarvoor liggen voor een belangrijk deel buiten het economisch gebied en buiten de sfeer van den massamens. Zij hangen samen met het voortbestaan van de vrije persoonlijkheid. In de totalitaire staten en in de door Duitsland bezette gebieden mochten deze vraagstukken niet openlijk besproken worden, waarmee reeds het zwakste punt van deze stelsels is aangegeven, namelijk het gemis aan geestelijke vrijheid. Voor den massamens moge dit gemis betrekkelijk weinig betekenen, omdat echte geestelijke vrijheid voor hem zinloos is. Voor alle anderen dreigt hier een openlijke of verkapte slavernij. Ook voor den massamens zou deze dwangmatige mechanische organisatie op den duur echter noodlottig kunnen blijken, omdat alles wat de Westerse wereld heeft opgebouwd, zijn bestaan dankt aan het vrije scheppende vermogen van den menselijken geest en de vrije concurrentie op ieder gebied. Ter wille van de meerdere gelijkheid en de bestaanszekerheid voor allen zou de staat dan de gemeenschap vermechaniseren tot een verstard stelsel, dat zijn aanpassingsmogelijkheden spoedig zou verliezen. Het is zeer de vraag of de wetenschap zich onder dergelijke omstandigheden zou kunnen blijven ontwikkelen en of de techniek, die van die wetenschappelijke ontwikkeling afhankelijk is, zich zou kunnen blijven handhaven. Daarmee zou de welvaart van deze geleide massa's van binnen uit worden bedreigd.

Men kan deze vraag naar de mogelijkheid van het voortbestaan van een dergelijken beschavingsvorm thans misschien als voorbarig beschouwen, omdat de ervaring ons hier nog geen gegevens heeft verschaft. Wat de wereld echter op de meest duidelijke en de meest pijnlijke manier heeft ervaren, is een ander overweldigend groot bezwaar tegen deze totalitaire stelsels, namelijk dat zij aan een kleine groep van onverantwoordelijke lieden de macht in handen geeft om hun volk op te hitsen en te dwingen tot den oorlog, om het geestelijk en godsdienstig leven te verkrachten en iederen vrijen levensvorm te verminken en te doden. De contrôle op de machthebbers ontbreekt geheel en wordt door dit stelsel ook systematisch onmogelijk gemaakt. De bedreiging, die aldus ontstaat, noodzaakt ons tot bezinning over het ontstaan en de grondslagen van de democratische gemeenschapsvormen en van de politieke vrijheid.

Conclusie.

Maatschappelijk is één der meest kenmerkende eigenaardigheden van onzen tijd het ontstaan van den massamens en de grote invloed, dien hij in korten tijd heeft gekregen. Van de psychologische zijde bezien, openbaart zich dit verschijnsel door het wegvallen van twee belangrijke vormen van ervaring, die het gevoel van natuurlijke vrijheid van vroegere mensen bepaalden: a. de verbondenheid met het geheel van het natuurgebeuren en b. de durf om de eigen wensen en driften als maatstaf voor het leven te laten gelden, waarbij het eigen individuele wezen met zijn mogelijkheden en beperkingen – de eigen natuur dus – de maat en de grenzen van het vrijheidsbeleven bepaalt. In beide gevallen is het materiële welzijn een toetssteen voor dit vrijheidsbeleven.

De mens, die zich opgenomen gevoelt in het grote verband van de natuur, ervaart dit materiële welzijn als een gunst van het lot, of van de goden, of van God, waarbij eigen verdienste alleen in zover kan gelden, dat hij met eerbied en zorgvuldigheid de heilige wetten en gebruiken in acht heeft genomen. De individuele mens ziet in zijn materiële welzijn en het succes van zijn ondernemingen een teken van een bijzondere lotsbestemming. Hij kan dit ervaren als een bewustzijn van eigen kracht, maar meestal zal hierin de persoonlijke gunst van een hogere macht worden gezien, die zijn individuele streven een bijzonderen achtergrond verleent.

In beide gevallen heeft dit vrijheidsbeleven een bewuster gerichtheid op de natuur ten gevolge, in het ene geval op de natuur om ons, dus op de wereld, waardoor een eerste kennis van de natuurwetten (jaargetijden, dieren, planten, wapens, werktuigen) ontstaat, in het tweede geval op de natuur in den mens zelf, waardoor inzicht tot stand komt in de uitingen van het eigen wezen (kracht, moed, trouw, slimheid, goed en kwaad). Beide vormen van bewuste oriëntering worden door het wisselend beleven van vrijheid en onvrijheid gestimuleerd. Op deze wijze komt het culturele leven tot ontwikkeling. Het streven naar welvaart is daarbij middel. Wordt de materiële vrijheid bereikt, dan houdt de prikkel op. Dan is een zeker evenwicht, een aanpassing tussen de natuur in den mens en de natuur om hem heen bereikt. Het overheersen van een voortdurende natuurlijke vrijheid is evenzeer noodlottig voor verderen vooruitgang als een toestand van voortdurenden nood en dwang. De onzekerheden van het menselijke bestaan en de onrustige drang naar uiting hebben in den loop der geschiedenis telkens wisselingen in vrijheidsbeleven en daarmee voorwaarden tot vooruitgang gebracht.

Het leven in de grote steden doet voor de meeste mensen beide factoren verzwakken en de mechanisatie van de industrialisatie heeft deze werking nog aanzienlijk versterkt. De massamens, die, zoals gezegd, een nieuw, zeer algemeen verschijnsel van den modernen tijd vormt, mist een stuk vrijheidsbeleven en daarmee een middel tot oriëntering voor de ontplooiïng van zijn menselijke natuur. De bescherming tegen nood en gevaar, de strijd om materiëel welzijn blijken voor hem practisch bijna niet meer te bestaan en een persoonlijke inzet van zijn krachten wordt niet van hem verlangd. Als enig ideaal blijft nog over, dat allen gelijk zijn en zich naar het thans geldende model richten.

Waar dit soort massamens vroeger in de geschiedenis ontstond, zien wij telkens weer dezelfde verschijnselen, die met een verlies van innerlijke en uiterlijke maatstaven samenhangen: loslaten van oude zeden en gewoonten, verval van den godsdienst, gemis aan eerbied voor geestelijke waarden, amoraliteit, onmatigheid in het zoeken van zinnelijke prikkels, hoogmoed en cynisme, zinneloze leegheid, die zich tevergeefs tracht te vullen met uitspattingen, bijgeloof en avonturen en een neiging tot massale volksbewegingen onder invloed van de één of andere suggestie. Overmoed en uiterste onzekerheid liggen dan vlak naast elkaar. Noch de kennis der natuur, noch de verzamelde wijsheid over het eigen wezen kunnen den mens dan richting geven, omdat hij de ervaring mist, waaraan dit inzicht levend wordt.

Onze tijd staat tegenover reusachtige problemen, zowel wat het gebruik van de kennis der natuur als wat de toepassing van psychologisch inzicht betreft. De economische crisis, waartoe het kapitalistische stelsel heeft geleid, de internationale chaos, die is uitgelopen op twee vernietigende wereldoorlogen, hebben velen overtuigd, dat er, bij al onze wetenschap en al ons technisch kunnen, iets wezenlijks ontbreekt aan onze cultuur, doordat wij onze kennis niet op de juiste manier toepassen. Wel zijn wij getuigen van geweldige pogingen om de Westerse cultuur omver te werpen of te veranderen ten einde verbetering te brengen, maar die pogingen worden in sterke mate beheerst door het ongeduld, door den overmoed en de domme zelfoverschatting van den massamens. Het ziet er niet naar uit, dat de nivellering van het Russische arbeidersparadijs of de monopolisering van de culturele geestdrift in den Italiaansen staat, of het kazernisme van Hitler de Westerse cultuur hebben kunnen redden, of iets beters daarvoor in de plaats kunnen stellen. Wel wijzen deze verschijnselen ons op een ander nieuw en belangrijk feit, dat voor beter begrip van onzen tijd naast het probleem van den massamens onze aandacht vraagt. Zowel Rusland als Duitsland en Italië tonen ons duidelijk welk een geweldige macht de georganiseerde staat over het maatschappelijk leven en over het economisch en geestelijk leven van iederen enkeling kan uitoefenen. Ook dit is een nieuw verschijnsel. Nooit heeft een absolute heerser een dergelijk ingrijpend gezag kunnen laten gelden als de dictators van deze nieuwe totalitaire staten. Hoe is deze concentratie van macht mogelijk in onzen tijd, die in de Westerse landen maatschappelijk en geestelijk een grote mate van zelfstandigheid heeft geschonken aan de individuele burgers? Om deze vraag te kunnen beantwoorden, is het allereerst nodig ons te verdiepen in de historische ontwikkeling van de vormen van staat en gemeenschap.

HOOFDSTUK II

DE MAATSCHAPPELIJKE EN DE POLITIEKE VRIJHEID IN DE ANTIEKE WERELD

De eerste vormen van maatschappelijke structuur

Onze moderne samenleving is gegrond op vaste rechtsverhoudingen en in de democratische landen is het iederen volwassene veroorloofd een oordeel over die rechtsverhoudingen te hebben en te trachten daarin verandering te brengen. Hierin ligt de grondslag van onze politieke vrijheid. Aan den Westersen mens lijken de politieke rechten te behoren tot de fundamentele rechten van den mens. De bezetting van ons land door een totalitair geregeerden staat heeft ons op harde wijze tot het bewustzijn gebracht dat het ook anders kan en dat dit recht en deze politieke vrijheden door het geweld van een sterkere terzijde kunnen worden gesteld, waar hem dat dienstig schijnt aan zijn streven naar macht. Plotseling werd het duidelijk, dat er ook andere vormen van gemeenschapsorganisatie bestaan, die aan de totaliteit van de georganiseerde gemeenschap het recht toekennen alle belangen ondergeschikt te maken aan de leiding der regerende mannen. Hierdoor komen wij tot nadenken over het wezen van maatschappelijke en van politieke vrijheid. Wij willen ook hier het beleven van deze vrijheid toetsen aan de omstandigheden, waaronder het ontstaat.

Het beleven van maatschappelijke vrijheid omvat veel meer dan het uitoefenen van politieke rechten. Wanneer de totalitaire staten aan hun volken verkondigen, dat zij hun de vrijheid brengen en voor de vrijheid strijden, dan is dit ten dele bedriegelijke propaganda, maar overigens doelen zij op een zekeren vorm van maatschappelijk vrijheidsbeleven, die buiten de politieke rechten van de moderne democratieën omgaat. Om het vraagstuk objectief te kunnen overzien is het nodig de omstandigheden van dit beleven van maatschappelijke vrijheid eerst nader te beschouwen.

Het gevoel van vrijheid ten opzichte van de maatschappelijke groep, waarin ons leven zich afspeelt, is in den regel niet in de eerste plaats afhankelijk van onze politieke rechten. Wij komen niet dagelijks met de politie in aanraking, wij hebben slechts bij uitzondering een rechtzaak uit te vechten en wij worden slechts af en toe door politieke vragen beroerd en dan voor de meesten van ons slechts voorbijgaand en niet al te hevig. Maar wel is vanaf onze vroegste jeugd onze plaats tussen onze medemensen één van de belangrijkste factoren voor ons levensgeluk. Onze wensen op dit punt scheppen machtige drijfkrachten, die ons in beweging brengen om dingen te bereiken en te veranderen. De verhouding tot het gezin, waarin wij leven, tot de ouders, tot den echtgenoot of de echtgenote, tot de kinderen, tot onze medewerkers en chefs, tot de maatschappelijke groepen, waartoe wij behoren, of waarmee wij in aanraking komen, bepalen als regel veel meer ons gevoel van maatschappelijke vrijheid of onvrijheid en ons levensgeluk dan het uitoefenen van politieke rechten. Als een kind zich niet vrij voelt door den druk der ouders, als echtgenoten geen eerbied hebben voor elkaars wezen, als een arbeider of een beambte geen erkenning vindt voor zijn persoonlijkheid, als de maatschappij een groep, of een groep den enkeling onderdrukt, als een klasse geen oog heeft voor de ontplooiïng van begaafde individuen, dan kan bij de betrokkenen een dergelijk gevoel van onvrijheid ontstaan, dat het leven ondragelijk wordt. Het is dus van de grootste betekenis, dat ieder zijn plaats in de gemeenschap vindt en die plaats aanvaardt, om aldus in de verbondenheid met anderen zijn vrijheid te kunnen beleven.

De medische psycholoog, die de stoornissen in het zieleleven van den hedendaagsen mens onder de ogen krijgt, ervaart telkens weer, hoezeer de verhoudingen van een mens tot zijn omgeving afhangen van de omstandigheden, waaronder hij is opgegroeid en vooral van den invloed van het ouderlijk huis. Allerlei latere foute reacties, remmingen en angsten vinden hun eerste ontstaan in gevoelsgewoonten, die in de vroege jeugd zijn gevormd. Latere vrijheid in den omgang met mensen is voor een zeer belangrijk deel een gevolg van goede opvoeding en gunstige omstandigheden in de jeugd. In alle opvoeding vormt de wisselwerking tussen vrije ontplooiïng van de persoonlijkheid en erkenning van de rechten van anderen en van de eisen der gemeenschap een opgave, die in de eerste plaats dient te worden vervuld, wil later maatschappelijke vrijheid worden gevonden. De invloed van eigen vastgelegde gevoelshoudingen op de vorming van menselijke verhoudingen is door de studie van neurotische [1]) verschijnselen en karakterstoornissen wel duidelijk aangetoond. Daarbij blijkt de geweldige invloed van de sfeer van het gezin. Maar dit gezin wordt zelf weer beïnvloed door de maatschappelijke omgeving en door de geestelijke en morele opvattingen

[1]) Neurotische stoornissen geven verschijnselen van de meest uiteenlopende soort, zowel op lichamelijk als psychisch gebied, maar zij hebben een gemeenschappelijken grondslag in fouten in de gevoelsontwikkeling, die meestal reeds op vroegen leeftijd zijn ontstaan.

van den tijd. Het maatschappelijke vrijheidsbeleven van iederen mens is dus van vele factoren afhankelijk. Om onze persoonlijke levenssfeer is de sfeer van onze familie en die wordt weer omsloten door de maatschappelijke groep, waaromheen de invloed van het eigen volk zich doet gelden, dat zelf weer opgenomen is in een groter cultuurgebied.

Bij de historische ontwikkeling van onze gemeenschapsvormen is het accent van deze verschillende factoren, die ons vrijheid en onvrijheid kunnen doen beleven, herhaaldelijk sterk verschoven. Aan het begin der menselijke geschiedenis is het gezin opgenomen in de familie. De patriarchale familie [1]) werd bijna overal de grondslag voor latere sociale vormen. De oudere machtige vader oefent een bijna absoluut gezag uit over de groep, daarin slechts beperkt door bepaalde tradities, die in de gemeenschap zijn vastgelegd en die dan aan een eersten heiligen voorvader worden toegeschreven. De verhouding tot dezen familieheerser is aanvankelijk de machtigste factor voor het beleven van maatschappelijke vrijheid. Maar naarmate het bestaan vastere vormen aanneemt door de ontwikkeling van landbouw en veeteelt, wordt de onderlinge verbondenheid ook op minder persoonlijke wijze uitgedrukt in talrijke overgeleverde heilige geboden en verboden, die het leven van den enkeling tot in bijzonderheden regelen en zijn eigen wensen en impulsen inperken in zeer bepaalde vaste vormen. Weliswaar waakt ook hier het opperhoofd of de priester of de medicijnman – soms verenigd in één persoon – over de handhaving van de heilige vormen, waarvan het welzijn van den stam afhankelijk wordt geacht, maar ieder lid van deze gemeenschap controleert den ander, omdat een inbreuk op de voorgeschreven wijze van handelen een gevaar voor allen zou betekenen. De gemeenschap krijgt aldus een sterk conservatieve gedaante. Alles is eenmaal zo door den heiligen voorvader ingesteld en de doden, die machtiger zijn dan de levenden, waken vanuit een andere wereld over het welzijn van den stam, het gedijen van de kudden, het welslagen van den oogst – mits hun de offers worden gebracht en hun instellingen worden gehouden.

Aan den individualistischen Westerling moet een dergelijke gebondenheid tot in kleinigheden een ondragelijke slavernij lijken, maar de meer collectieve primitievere mens weet zich daarin met blijmoedigheid te bewegen en hij voelt zich opgenomen in het geheel, zoals hij ook meer één is met het natuurgebeuren, dat zijn leven voortdurend omvat. De verbondenheid met de gemeenschap schept

[1]) De eerste gemeenschapsvormen worden onderscheiden in patriarchaat en matriarchaat. In het laatste speelt de vrouw een belangrijke rol. Deze vormen traden minder op den voorgrond en zijn hier buiten beschouwing gelaten.

een gevoel van warmte en veiligheid, dat nog door bijzondere heilige feesten en ceremoniën wordt versterkt. Alle voorstellingen en gevoelens zijn gemeenschappelijk bezit. Twijfel en eigenzinnigheid komen in dit collectieve stadium niet voor. Het saamhorigheidsgevoel beperkt zich hier echter tot de eigen groep. De vreemdeling is een vijand. [1]). Het vrijheidsbeleven hangt nauw samen met het al of niet aangepast zijn aan de collectieve vormen en de dwang daartoe is zó sterk, het buitengesloten zijn uit de gemeenschap zó vernietigend, dat deze aanpassing nauwelijks als dwang wordt gevoeld en de natuurlijkste zaak van de wereld lijkt. Bovendien is deze orde, waarin de primitieve mens leeft, voor hem een heilige orde, die zijn leven zin geeft en hem onder de beschutting van hogere machten stelt.

Het saamhorigheidsgevoel van grotere groepen is aanvankelijk weinig ontwikkeld. Waar het bestaat, is bloedverwantschap de eerste grondslag. Gelijkheid van zeden en van taal kan overigens een gemeenschappelijken oorsprong suggereren. Maar het is vooral de nood van honger of oorlog, die meerdere volksstammen samen doet gaan en daarbij een nieuwen organisatievorm nodig maakt, die gekenmerkt wordt door het kiezen van een gemeenschappelijken aanvoerder. Meestal wordt deze voor een bepaalden tijd gekozen en valt de grotere groep daarna weer uiteen in stammen en families. Soms blijft zij langer bestaan en hiermee doet een nieuw element in de gemeenschapsorganisatie zijn intrede. Weliswaar heeft de patriarchale gemeenschap de geesten erop voorbereid het gezag van een leider te aanvaarden, maar het bindende element wordt thans een ander dan tevoren. Het familieverband raakt op den achtergrond, een persoonlijke band tussen leider en massa komt daarvoor in de plaats. De gekozen militaire leider, die de grotere groep aanvoert bij volksverhuizing en oorlog, moge voor sommigen de vertegenwoordiger zijn van hun stam, voor de anderen is hij de krachtige man, die door zijn persoonlijke hoedanigheden vertrouwen schenkt. In hem treedt voor het eerst duidelijk de vrije persoonlijkheid naar voren, die het beleven van de eigen impulsen tot individuele vrijheid en tot persoonlijke doelstellingen weet te ontwikkelen. Hij is minder aan tradities en taboes gebonden dan het stamhoofd en hij dankt zijn succes aan persoonlijke gaven van moed, voorzichtigheid en bekwaamheid. Hij is daardoor ook kwetsbaarder bij tegenslagen, omdat hij minder de vertegenwoordiger is van de heilige vastgelegde orde, maar een groot succes kan hem een nieuwen heiligen vorm doen scheppen, dien van den heros.

Het is van belang de verhouding tussen den geslaagden militairen en politieken leider en de grotere volksgemeenschap nog wat nader

[1]) Het latijnsche „hostio" betekende eerst vreemdeling, later vijand.

psychologisch te beschouwen. Het gaat hier namelijk niet alleen om de psychologie van den leider, maar ook om die van de menigte. De menigte is een volksmassa, die haar normale organisatie heeft verloren en door een sterke gemeenschappelijke emotie wordt beheerst. Denken wij – om een eenvoudigen vorm te nemen – aan enige stammen, die door hongersnood, of door een inval van een machtig volk in een paniek zijn geraakt. De oude ceremoniën hebben niet gebaat, de aanvoerders zijn hulpeloos gebleken en een geweldige beroering, gemengd uit angst en agressiviteit, maakt zich van een ieder meester. Er moet iets gebeuren. Hier ontstaat een psychische toestand, dien Le Bon op meesterlijke wijze heeft beschreven [1]). De enkeling zoekt steun in het aantal en de gelijke gevoelens van de anderen versterken nog de eigen houding. De gewone maatstaven van gevoel en oordeel – die immers nutteloos zijn gebleken – raken op den achtergrond. Maar er moet iets gebeuren. Alle remmingen vallen weg, als maar een daad uitdrukking kan geven aan de steeds stijgende emotie. Een toevallige gebeurtenis kan die daad ontketenen, die iedereen in wilde spontaneïteit en heroïek enthousiasme meesleept. Het persoonlijke oordeel wordt geheel overheerst door een suggestie en de menigte handelt dan als iemand, die in hypnose is, zonder critiek te laten gelden, zonder oog voor gevaren en offers. Een enkel gevoel, een enkel beeld beheersen de handeling.

Hier ontstaat de mogelijkheid voor den bijzonderen invloed van een leider. De menigte wil niet door argumenten overtuigd worden. Alleen beelden, met sterk gevoel geladen, raken haar. Zij wil beheerst worden, meegesleept door een geweldenaar. Deze moet niet teveel van den man uit het volk verschillen, maar krachtiger en moediger zijn dan hij en bezeten door gedachten, die uitdrukking geven aan de algemene emotie. Met woorden als prestige en suggestie is intussen de werking van den leider niet voldoende beschreven. Terecht verwijt Freud aan Le Bon, dat aan zijn psychologie van de menigte iets ontbreekt en hij trachtte een duidelijker beeld van de verhouding tussen leider en massa te geven [2]). Het is niet mijn bedoeling hier uitvoerig op zijn interessante beschouwingen in te gaan, maar ik wil alleen enkele belangrijke conclusies vermelden. Freud wijst op het verschijnsel der identificatie, dat onder invloed van bijzondere gevoelens een versterking geeft van het eigenaardige vermogen om zich in te leven in anderen. Die bijzondere gevoelens zijn in de menigte van denzelfden aard als bij de hypnose, waarbij de eerbied voor en de gehoorzaamheid aan een innerlijk leidend beginsel (het super-ego) wordt overgedragen op den leider of den hypnotiseur. De mens heeft in den loop van zijn ontwikkeling een

[1]) Le Bon: Psychologie des Foules.

[2]) Sigmund Freud: Massenpsychologie und Ichanalyse, 1921

innerlijke autoriteit gevormd als neerslag van zijn opvoeding en deze vertegenwoordigt als regel de gemeenschap met haar geboden en verboden. In de menigte wordt de volwassene weer een hulpeloos kind, dat het gezag buiten zich zoekt en den leider op de plaats stelt, die de machtige ouders voor het kleine kind innamen. Het feit, dat allen hetzelfde van den leider verwachten, schept een onderlingen band. Op de basis van den gemeenschappelijken nood en de gemeenschappelijke agressie worden oude kudde-instincten wakker, die aan dezen band dat overweldigende en meeslepende geven en de eenheid in de menigte veroorzaken.

Deze geïnspireerde, uit den nood geboren eenheid onder een persoonlijken leider berust op andere psychische processen dan de eenheid van den stam, die uit de instinctieve bindingen van de familie tot vaste gewoontes en vaste onderlinge verhoudingen is gegroeid. Hier was het vrijheidsbeleven te vergelijken met dat in de verhouding tot de natuur. Het hangt af van de onderwerping aan de ongeschreven wetten, die de gemeenschap beheersen, van het zich invoegen in den algemenen vorm, waardoor het eigen streven telkens weer samenvalt met de omstandigheden rondom. Het vrijheidsbeleven, zowel van den leider als van de menigte, is anders. Bij den leider heeft het te maken met een persoonlijk doel, hier ontstaat voor het eerst iets van de individuele vrijheid. Zijn visie moet bezield zijn, gedragen door wil en emotie. Deze visie licht hem uit het gewone verband van de gemeenschap en plaatst hem in zijn bijzondere functie. Zijn vrijheid betekent trouw aan het eigen doel. Hij verliest daaraan, als het ware, zijn gewone gemeenschapswezen. En ook de menigte heeft dit verloren, de gebruikelijke orde is onbetrouwbaar en onzeker gebleken en zij zoekt daarvoor iets anders door overgave aan het emotionele beeld, dat de leider belichaamt. De menigte zoekt de bevrijding van nood en onzekerheid door gezamenlijk meegenomen te worden in een daad. Dit moge een oude instinctieve beleving (b.v. jacht of strijd) ten grondslag hebben, hier wordt iets blijvenders en organiserends geschapen in den persoon van den leider en in de trouw aan zijn doel.

Uit de wisselwerking van deze beide gemeenschapsvormen, het familie- en stamverband en de geleide menigte, ontstaan dan allerlei latere vormen van gemeenschapsorganisatie. Na het tijdperk van de stammen met hun stamhoofden volgt dat van de vorsten, aanvoerders die hun gezag ontlenen aan hun krijgslieden, die persoonlijk met hen zijn verbonden. De volken, die zij regeren, behouden nog ten dele hun organisch gegroeide structuur van sibbe en stam met hun voorouderverering, hun plaatselijke goden en hun heilige tradities, maar daarnaast maken nieuwe groepen het geheel bonter en samengestelder. In dit stadium, vol van oorlogen en veroveringen, waar soms gehele volken tot slavernij worden gebracht, gaan de slaven een belangrijk element vormen. Zij zijn arbeiders in gezinsdienst, in het bouwbedrijf en in de werkplaatsen. Zo wordt verdere differentiëring van het handwerk mogelijk. Geleidelijk ontstaan bepaalde standen: de boeren, de krijgslieden, de handwerkslieden, de kooplieden, de slaven en daarnaast de priesters als geestelijke stand. Deze geestelijke stand vervangt de oude functies van priester en medicijnman ten dele, want de ontwikkeling van het geestelijk leven volgt hier de maatschappelijke veranderingen. De stamgod van den militairen leider krijgt een overwicht over andere goden en zijn priesters hebben dan het hoogste gezag. Maar daarnaast blijven talrijke andere goden en geesten van kracht en blijft de voorouderverering vooral in de familie bestaan. Het beeld van de oude volken is dan ook in dit stadium zeer samengesteld. Meestal overheerst van vroeger her een grote mate van conservatisme bij de overgrote meerderheid van het volk. De maatschappelijke orde blijft een heilige zaak, waaraan niet getornd mag worden. Ieder houdt zoveel mogelijk vast aan zijn eigen vormen en gewoontes, hij aanvaardt de plaats, waar zijn geboorte hem heeft gesteld en de bestaande verschillen tussen de mensen. Hierin is zijn vrijheidsbeleven nauw verbonden met dat van den mens uit primitievere tijden. Van politieke rechten of vrijheden is hier nog geen sprake. De militaire kaste ontleent haar vrijheid aan de persoonlijke willekeur van den vorst.

Uit de wisselwerking van dezen militairen regeringsvorm met het heilige stamverband, die men in de geschiedenis telkens weer op de meest verschillende plaatsen terugvindt, hebben zich andere vormen ontwikkeld, die wij kunnen samenvatten als de monarchie, de totalitaire staat onder een heilig hoofd en de aristocratische democratie. Bij de monarchie overweegt het militaire stelsel, maar het is permanent geworden en heeft daarbij verschillende trekken van het stamverband in zich opgenomen; bij den totalitairen staat heeft de leider de heilige functie van het stamverband overgenomen en algemeen gemaakt, terwijl bij de aristocratische democratie het individualisme van den leider navolging heeft gevonden in grote groepen der gemeenschap. Wij zullen deze vormen in grote lijnen beschouwen, alvorens nader op de historische betekenis ervan in te gaan.

De monarchie is het militaire gezag, dat een zekere vaderlijke zorg voor het volk op zich heeft genomen en de organen heeft ontwikkeld, die daartoe nodig zijn. Een eerste vorm daarvan was het leenstelsel, waarbij de koning militaire aanvoerders als loon voor hun diensten met de heerschappij over een gebied belastte. Deze regering was aanvankelijk de regering van een militaire hiërarchie. Alles hing af van het gezag om te bevelen en de kunst te gehoorzamen. De vaardigheid om te regeren vraagt echter meer. De wijsheid van vele geslachten, die in oude vormen van ordening is neergelegd, blijkt meestal een nuttig hulpmiddel voor den vorst, die orde en welvaart aan zijn onderdanen wil brengen. Zowel voor den monarch als voor zijn bestuurders werd het daarom nodig, iets terug te vinden van de houding van den stamvader na een tijd van oorlog en chaos en contact te zoeken met de van ouds bestaande verbondenheden, die nu weer geleidelijk als rechten werden erkend. Op deze wijze kan een eenheid ontstaan tussen de persoonlijke militaire leiding en de traditionele gegroeide gemeenschapsorganisatie. Dikwijls echter blijft in monarchiën een zekere tegenstelling tussen de leidende militairen en ambtenaren en de rest van het volk. Deze tegenstelling heeft de geschiedenis van Europa langen tijd beheerst. Wij komen hierop nog nader terug.

De totalitaire staat onder een autocraat is een vorm, dien men meer in Azië aantreft, waar de betekenis van het familie- en stamverband veel langer bewaard is gebleven dan in Europa. Al vroeg in de Europese geschiedenis raakt de oude organische vorm, die op familiegezag en voorouderverering is gegrondvest, op den achtergrond [1]) en nergens krijgt hij die algemene betekenis, die hem vooral in Oost-Azië in staat stelt de cultuurontwikkeling te beheersen. Door het heilige gezag van deze zeer oude orde wordt daar ook de militaire veroveraar beïnvloedt, die voor de taak wordt gesteld een groot rijk te regeren. Wil zijn dynastie stevig gevestigd staan, dan dient hij zich aan het hoofd te stellen van die heilige orde en zijn regering aan te passen aan de traditionele gemeenschapsorganisatie. Zoals wij reeds zagen, wordt bij dit overheersen van familie- en stamtraditie het leven van den enkeling tot in bijzonderheden geregeld, zodat het verloopt langs nauwkeurig gebaande paden. Het hoofd van de familie oefent een absoluut gezag uit, maar alleen als vertegenwoordiger van den overgeleverden vorm, waaraan hij zelf ook volkomen is gebonden. Als nu de koning of de keizer van een groot rijk dit gezag over het geheel aanvaardt, betekent dit, dat ook hij zijn bijzondere plaats moet vervullen in het geheel. Zijn priesters en soldaten oefenen toezicht op het handhaven van dit tot in kleinigheden geregelde stelsel, maar hijzelf is in een dwangbuis van ceremoniëel en ritueel gesloten, dat hem – bij al zijn glorie en zijn goddelijk aanzien – maar heel weinig menselijke bewegingsvrijheid laat. Hij is het goddelijk hoofd van zijn rijk, in vele gevallen zelf goddelijk en het rijk, met alles wat erin gebeurt, is het lichaam van dezen gesloten vorm, die alle religie doet opvatten als volksgodsdienst en

[1]) Mogelijk hangt dit samen met den oorlogszuchtigen aard van de volken, die Europa bewoonden, waardoor het familieverband verzwakt werd ten koste van de oorlogsorganisatie.

het gehele volk samenvat als één geheel, waarbij zin en vastgelegde vorm volkomen samenvallen. Het rijk is niet alleen politiek en economisch, maar geestelijk een eenheid, waarin alles zijn plaats krijgt, een volkomen totalitaire staat. Wat aan vrije doelstelling bij veroveraars of revolutionairen aanwezig mag zijn geweest, wordt volkomen opgenomen in dit vaste geheel, dat den eigen vorm met grote hardnekkigheid handhaaft en dat alle vrijheidsbeleven afhankelijk maakt van het zich voegen naar dien vorm.

Een derde soort gemeenschapsorganisatie, die zich ontwikkeld heeft uit de wisselwerking van traditionele familieregering en persoonlijke leiding van de massa is de aristocratische democratie. Dit gemeenschapsverband is, naast de monarchie, voor de ontwikkeling van Europa van overwegend belang geworden. Het vindt zijn oorsprong in een ver verleden in de volksvergadering van vrije mannen, die over belangrijke zaken in den stam beslist. Hier hebben de aanzienlijkste families het meeste gezag en uit deze wordt in tijd van oorlog de aanvoerder gekozen, aanvankelijk dikwijls voor een beperkten duur. Wie deel uitmaakt van deze families, heeft dus potentiëel de mogelijkheid in zich om leider te worden en hij kan eigen opvattingen verdedigen in de bijeenkomsten. De afstand tussen den leider en de vrije mannen is hier betrekkelijk gering en de mogelijkheid bestaat, dat een groep mannen gezamenlijk de leiding neemt en persoonlijke doelstellingen vertegenwoordigt. De individuele vrijheid is hier niet tot den leider en den noodtoestand beperkt, maar behoort bij een aristocratische groep, die onderling zekere democratische vrijheden erkent als gelijkgerechtigdheid, vrije meningsuiting en recht tot wedijveren om invloed. Daarnaast blijven natuurlijk tradities en familieveten van groot gewicht, maar hier is in de kiem de mogelijkheid gegeven voor een vorm van maatschappelijke vrijheid, dien wij tegenwoordig aanduiden met het begrip democratie. De duurzame democratiën blijken bij nadere beschouwing alle een aristocratischen grondslag te hebben. Aristocratie betekent regering door de besten, democratie regering door het volk. Het is ook begrijpelijk, dat het volk als zodanig niet in staat is zichzelf te regeren, zodat het hiervoor altijd weer vertegenwoordigers nodig zal hebben en wie zijn daarvoor meer geschikt dan „de besten"? In de practijk kan dit betekenen, dat een zekere groep, meestal bestaande uit families, die geleidelijk op den voorgrond zijn gekomen, die leiding op zich neemt. Het kan echter ook betekenen, dat het volk deze „besten" niet meer als zodanig erkent en in verwarring naar andere leiding zoekt, waarbij de invloed van de menigte zich doet gelden en een volksleider een kans krijgt. Vandaar, dat hieruit zich dan een monarchie kan ontwikkelen, maar ook is het mogelijk, dat een andere aristocratische groep de oude vervangt. De eigenlijke staatsvorm van een aristocratische democratie is de republiek, al bestaat daarnaast de mogelijkheid, dat formeel een monarchie aanwezig is, die haar gezag grotendeels heeft afgestaan aan heersende families. Wij zullen de betekenis van dezen regeringsvorm historisch nog nader beschouwen, maar hier dient er nog eens uitdrukkelijk op gewezen, dat het maatschappelijke vrijheidsbeleven in deze gemeenschap een anderen vorm krijgt dan in de monarchie of in de autocratie.

Wij kunnen deze verschillen het beste verduidelijken door in het licht te stellen welke practische gevolgen zij hebben voor de opvoeding van den jongeling. Bij de primitievere volken, die in vastgelegden traditionelen gemeenschapsvorm leven, wordt aan het kind in de jeugd een grote mate van vrijheid gelaten. Het wordt zo goed als niet bestraft en mag doen en laten wat het wil. Aan dezen toestand komt een einde in de puberteit. Dan wordt den jongen in een tijd van strenge beproeving, ontberingen en pijnigingen, de zogenaamde puberteitsriten, duidelijk gemaakt, dat het offers vraagt opgenomen te worden in de mannengemeenschap en dat daartoe een grote mate van zelftucht nodig is. De orde van het stamverband strekt zich daarna op velerlei gebied uit en wordt streng gehandhaafd. Binnen de gemeenschap is het leven in bijzonderheden geregeld en het is een heilige plicht van allen, dat ieder zich daaraan onderwerpt.

Deze zelfde opvoeding vinden wij eveneens in de Aziatische totalitaire gemeenschapsvormen. Ook daar weinig gebondenheid in de vroege jeugd, maar daarna een steeds toenemende regeling, die het leven van den enkeling geheel kanaliseert in bepaalde banen en hem weinig persoonlijke zeggingschap laat. Daardoor bestaat ook geen mededinging en wordt de eerzucht niet geprikkeld. Ieder werkt en leeft op de plaats, waar hij is gesteld en het geheel van de samenleving zorgt voor zijn welzijn.

In de militairistische gemeenschap is deze algemeen aanvaarde orde doorbroken, de druk van de traditionele levensvormen is geringer geworden en de behoefte wordt gevoeld hiervoor iets anders, bewuster en gewilder, in de plaats te stellen. Men kan er niet geheel meer op vertrouwen, dat de puberteitsriten den jongeling in zullen leiden in de gemeenschap en dat daarna de publieke opinie wel voor de rest zal zorgen. Vandaar, dat hier de opvoeding tot tucht en gehoorzaamheid al vroeger begint en ook later meer in starre, beheerste vormen wordt gehandhaafd. Tegelijk wordt de agressiviteit minder onderdrukt, maar eerder aangewakkerd, om haar daarna in bepaalde banen te leiden. Wij hebben gezien, dat de identificatie met den leider hier het oudere verband met het geheel heeft vervangen. Wat oorspronkelijk spontaan in een noodtoestand geschiedde, wordt nu tot overheersend principe in de gemeenschapsorganisatie.

De gehoorzaamheid aan den leider, het overnemen van zijn doelstellingen, zonder critiek of eigen mening, maar ook zonder toetsing aan de overgeleverde normen, wordt nu de voornaamste richtlijn voor het gedrag van den enkeling. Vandaar, dat het persoonlijke gezag bij de opvoeding overheerst. In verhouding tot de invoeging van den primitieven jongeling in zijn religieus geordend familie- en stamverband, dat het gehele leven omvat, en ook in verhouding tot latere democratische ontwikkelingen, doet deze militairistische opvoeding aan als beperkt, ja simplistisch van aard. Het leren van strikte gehoorzaamheid zonder te vragen naar het hoe en waarom, de beheersing van het lichaam, de oefening in bepaalde handelingen, die voor landbouw en veeteelt, maar vooral voor den oorlog voorbereiden, het handhaven van een volkomen discipline onder alle omstandigheden, vormt de voornaamste taak. De mens krijgt iets overmatig manlijks en krachtigs, maar ook iets stars en agressiefs onder dezen invloed. Wanneer de agressiviteit niet voortdurend in oorlogen afgeleid kan worden, stoort zij de innerlijke verhoudingen in de gemeenschap, die dan door zeer strenge wetten gehandhaafd moeten worden om onderlingen strijd te voorkomen.

De opvoeding in de aristocratische democratiën vertoont oorspronkelijk ook wel iets van deze militaire tucht, die tot een beperkten vorm van persoonlijkheid voert, maar hier is toch vanaf het begin een ander element aanwezig, dat later steeds meer gaat overheersen, namelijk de waardering van de individuele vrijheid. Binnen deze aristocratische groep moet een ieder opgevoed worden, om zo nodig de leiding te kunnen nemen en dit betekent meer dan alleen te kunnen gehoorzamen of te kunnen bevelen, het betekent ook zelfstandig te kunnen oordelen. Daartoe bereidt noch de militaire, noch de totalitair-traditionele opvoeding den mens anders dan op beperkt gebied voor. Hier moet dus een nieuw element ontwikkeld worden. Wij vinden bij de democratische opvoeding precies het omgekeerde van de primitieve opvoeding. Hier eerst vrijheid, dan grote preciesheid en gestrengheid; bij de aristocratische democratie eerst grote strengheid, dan steeds grotere mate van vrijheid. Bij de militaire opvoeding blijft de strenge orde alles overheersen, maar in een democratische gemeenschap moet de zelftucht leiden tot zelfontwikkeling en tot een eigen persoonlijk oordeel. Dit is alleen mogelijk langs den weg van een grote algemene kennis en van een vrij onderzoek naar gegevens en meningen en deze beide zaken worden in een militairen staat en in een autocratischen staat niet alleen niet gewaardeerd, maar vrijwel altijd met achterdocht beschouwd.

De vrije ontwikkeling van de rede en van de zelfstandig oordelende persoonlijkheid heeft dan ook bijzonder gunstige historische omstandigheden nodig gehad en die ontwikkeling werd ook telkens weer onder minder gunstige omstandigheden bedreigd. Het ontstaan van een gemeenschap, waarin de elite tot zelfstandig oordelen en tot geestelijke vrijheid wordt opgevoed, moet eigenlijk als het grootste wonder in de geschiedenis der mensheid worden beschouwd. Wij zien dit wonder zich voltrekken in het klassieke Hellas, op welks geestelijke scheppingen de Westerse cultuur nog altijd gegrond blijft.

Daar wordt het ook duidelijk, dat dit regeringsstelsel alleen mogelijk is bij een cultuur, die de persoonlijke ontwikkeling en de vrije concurrentie bevordert en die daarmee op ieder gebied tot de hoogste prestaties voert. Daar zien wij tegelijk de gevaren, die een dergelijke gemeenschap bedreigen door een te ver gedreven individualisme en separatisme en een mateloze wedijver en eerzucht. Het individuele vrijheidsbeleven toont hier zijn grootste mogelijkheden, maar ook de overspanning van den hoogmoed. Wij moeten hier de historische ontwikkeling wat nader volgen om de verschillende vormen van de maatschappelijke vrijheid beter te begrijpen.

Vrijheid als rede (Hellas).

De maatschappelijke vormen van Europa en van de van hieruit gekoloniseerde gebieden staan nog heden ten dage onder den invloed van de Klassieke Oudheid, die beheerst werd door twee zeer begaafde volken, de Grieken en de Romeinen. Bij beiden was de volksvergadering van vrije mannen de grondslag van het staatsbestel, maar de ontwikkeling daarvan was in beide gevallen verschillend. De Grieken vertonen ons een geweldige scheppingskracht, ook op het gebied van de politieke vormen, en het maatschappelijke leven drukte zich daar op zeer verschillende wijze uit. Het kenmerkende van Hellas is echter, dat men trachtte deze vormen te begrijpen en er invloed op uit te oefenen door bewuste leiding. Hiermee ontstaat voor het eerst een eigenlijke politiek. Deze ontwikkeling wordt verklaarbaarder uit de geschiedenis der Grieken.

De Grieken zijn oorspronkelijk ontstaan uit arische stammen, die zich in den loop van enkele eeuwen (omstreeks 1000 v. Chr.), uit het Noorden komende, over Griekenland en de eilanden van de Aegeische zee hadden verbreid en zich na deze verovering met de vroege, reeds hoog beschaafde bevolking hadden vermengd. Uit de vroegere eeuwen geven de gedichten van Homerus een beeld van deze mensen. Zij waren trots en vrij, zeer ingenomen met zichzelf, de wereld en de Olympische goden, en toonden een grote mate van levensvreugde, van eerbied voor den mens, gepaard met grote weetgierigheid en zucht naar avonturen en een heftig verlangen om zich persoonlijk te onderscheiden. De goden waren hun vrienden en deelgenoten, geen monsterachtige dieren, zoals die van Egypte of Voor-Indië en de koning was geen Oosterse despoot, maar de primus inter pares. Ieder kon zich vrijelijk uiten en deze mogelijkheid leidde tot een rijkdom van de taal als geen ander volk heeft vertoond.

Voor deze bewoners van een prachtig, maar karig bedeeld land waren roof en oorlog middelen om een noodzakelijke aanvulling van landbouw en veeteelt te krijgen. Ook ontwikkelden zich reeds vroeg handel en kolonisatie. Een groot deel der bevolking woonde in kleine steden, welke alle een eigen typische individualiteit vertoonden. „De Griekse burger leefde daar in het openbaar en bracht gedurende de mooie maanden zijn leven grotendeels buitenshuis door: hij praatte met zijn buren, deed als jurylid dienst, zat in de schouwburg of nam zijn ambt waar. Geen samenleving is ooit beter geschikt geweest voor het uitwisselen van gedachten, voor de verspreiding van praatjes, voor de ontwikkeling van politieke vrijheid en burgertrots. Nooit heeft er een gehoor bestaan, dat meer behagen schepte in welsprekendheid, dat feller critiek oefende en toch meer geneigd was zich door redenaars te laten meeslepen. Jalouzie en kwaadsprekerij bloeiden zij aan zij met een graad van politiek idealisme, dat sedert nooit is overtroffen."

„In die kleine staatjes van de Griekse wereld ontwikkelden zich allerlei staatkundige stelsels, die nog altijd voor den modernen mens van betekenis zijn. In deze levendige, veranderlijke samenleving werden regeringsvormen gemakkelijker dan elders nieuw gemaakt, vervormd, afgeschaft. In de wetten en ervaringen van deze verwijderde periode wortelt de staatsphilosofie van onzen tijd. Monarchie, aristocratie, plutocratie en daarop de tyrannie, die weer tot democratie voerde, ziedaar in grote trekken de vijf achtereenvolgende stadia van politieke ontwikkeling in de Griekse stadstaatjes. Eén vorm ontbrak er geheel, namelijk het oud-Aziatische despotisme, dat erfelijk en absoluut en tegelijkertijd theocratisch was." [1])

De democratische staatsvorm, die hier geleidelijk ontstond, was in sterke mate verbonden met een aristocratische geesteshouding. De erfelijke monarchie bleef oorspronkelijk overal bestaan als militaire regeringsvorm van de stadstaatjes uit den tijd der verovering met daarnaast de raad van den adel en de volksvergadering. De laatste had aanvankelijk weinig gezag. Alleen de adel had den tijd zich te oefenen in het hanteren der wapenen en in de welsprekendheid en hij bezette de ambten, die oorspronkelijk geen betaling meebrachten. De ambtenaren, die door en uit den adel werden gekozen, kregen geleidelijk een groter gezag dan de koningen, zodat ook deze laatsten ten slotte door keuze werden aangewezen. De aristocratie beheerste de gemeenschap, trok ten oorlog, beraadslaagde in de vergaderingen.

Hierdoor ontstond een onderdrukking der andere klassen, de

[1]) H. A. L. Fisher: Geschiedenis van Europa, Deel I blz. 33–35.

rechters misbruikten het recht tot hun voordeel en evenzo ook hun bezit via het nieuw ontstane geldwezen door als geldschieters der boeren op te treden en bij wanbetaling deze krachtens het oude schuldrecht van hun vrijheid te beroven. De aristocratie werd tot plutocratie (regering van het geld) en door uitstoting van de minder geslaagde families, verzamelde zich de macht in handen van weinigen (oligarchie). Toen men tot verkrijging van meerdere rechtszekerheid de wetten ging vastleggen, werd bepaald, dat geboorte en bezit beslisten over de vraag of iemand als volledig burger zou worden aangemerkt. Dit burgerschap stond in de meeste staatjes in principe voor een ieder open, maar practisch was er een grote scheiding tussen de bezittende klasse en een onterfde massa, die steeds meer in verzet kwam en die leiders wist te vinden om haar invloed te doen gelden. Als deze leiders door een omwenteling tot macht kwamen, noemden zij zich „tyrannen". Zij namen den koningstitel niet aan, maar bleven militaire leiders van de menigte. Soms werden zij heersers door dwang en hieruit is de slechte betekenis van het woord tyran ontstaan; dikwijls toonden zij zich ook goede demagogen en voortreffelijke regenten, die handel en industrie bevorderden en den weg effenden voor rechtsgelijkheid en democratische vrijheid. De adel zag in hen den vijand en zwoer samen om hen uit den weg te ruimen, zodat hun heerschappij soms van korten duur was.

De ontwikkeling in democratische richting werd bevorderd door het ontstaan van een nieuwen middenstand van kooplieden en fabrikanten, maar nog lang nadat meerdere rechten aan het volk waren toegekend, beheerste de adel de cultuur en had deze de leiding in de gemeenschap. De eerste verandering in democratische richting in Athene (door Kleisthenes omstreeks 600 v. Chr.) hield in, dat niemand meer voor schulden van zijn vrijheid beroofd kon worden en dat de ambtenaren zouden worden gekozen door een volksvergadering. Deze verkreeg (500 v. Chr.) het recht een vertegenwoordiging (raad) uit haar midden te kiezen, die de lopende zaken bestuurde en praeadvies uitbracht over alles wat aan de volksvergadering werd voorgelegd. Later werd het loten voor bepaalde ambten in de plaats gesteld van verkiezing. Het onpersoonlijke van den democratischen regeringsvorm deed daarmee zijn intrede. En onder het democratische bewind van Pericles werden de voorwaarden afgeschaft, die een zeker bezit eisten voor het bezetten van bepaalde ambten en werden deze ambten, zoals het rechterschap, bezoldigd met een lage vergoeding, zodat een ieder thans aan de leiding van den staat kon deelnemen. In dezen tijd kwamen als volksleiders ook mannen naar voren, die van de politiek een beroep maakten en deze demagogen kwamen ten dele voort uit eenvoudiger klassen van de bevolking.

De Griekse vrijheidsoorlogen tegen den koning van Perzië, die het land aan zich trachtte te onderwerpen, brachten vele stadstaatjes in een bond tot meerdere eenheid samen en overal groeide de drang naar vrijheid, zodat de democratische veranderingen in Athene in vele andere plaatsen navolging vonden. Na de overwinning op de Perzen brak een tijd van groten welstand aan, die vooral aan Athene ten goede kwam door handel en nijverheid, zodat deze stad zich tot de leidende maritieme macht ontwikkelde en vele steden en eilanden onder haar heerschappij wist te brengen. Dit is de periode, waarin de prachtige tempels werden gebouwd, waarin de beroemde beeldhouwers hun werken schiepen en de grote dichtwerken ontstonden, die nog heden ten dage maatstaven zijn voor alle schoonheidsbegrip. De geest van Athene gaf de leiding aan in heel Hellas. Pericles, die in Athene het volk in democratischen zin leidde, heeft aan dit democratische zelfbewustzijn uitdrukking gegeven in een rede, die door den geschiedschrijver Thukydides aldus wordt weergegeven: [1])

„Wij hebben," zegt Pericles, „een staatsvorm, die niet een navolging is van anderer instellingen en tradities; veeleer zijn wij zelf een voorbeeld voor menig ander, dan dat anderen ons ten voorbeeld strekken. Zijn naam is democratie, omdat invloed op staatszaken bij ons niet een voorrecht is van weinigen, maar een recht van velen. In particuliere geschillen geldt voor allen gelijkheid voor de wetten en met de maatschappelijke beoordeling staat het zo: heeft iemand bij ons een bijzonder aanzien, dan dankt hij een hoge onderscheiding in het publieke leven minder aan zijn klasse dan aan zijn persoonlijke verdienste. Armoede is geen schande; voor ieder, hoe arm ook, staat de mogelijkheid open, de gemeenschap te dienen... zo hij dat kan. Terwijl wij als particulieren niet in een staat van geprikkeldheid tegen onzen naaste verkeren, houden wij ons in het openbare leven strikt aan de plichten, ons door den staat opgelegd, in gehoorzaamheid aan de opeenvolgende overheden en de wetten, in het bijzonder aan die, welke gesteld zijn tot steun voor de onrecht-lijdenden en aan de, zij het ook ongeschreven, gebruiken, wier overtreding door de publieke opinie met schande wordt gebrandmerkt.

„Wij minnen schoonheid in soberheid, wij minnen geestesontwikkeling zonder verslapping in daadkracht. Welstand gebruiken wij meer als mogelijkheid tot activiteit, dan als reden tot protsig roemen. Onze burgers behartigen hun eigen aangelegenheden, maar ook die van de gemeenschap; hun werkzaamheid op andere terreinen doet aan hun kennis van staatszaken niet te kort. Wij beslissen over de zaken zelf of geven er ons op de juiste manier rekenschap van, omdat wij besprekingen niet een rem vinden van actie, maar die rem eerder zien

[1]) Vertaling door Dr D. Loenen, geciteerd door Dr J. D. Bierens de Haan in „De Geestesbeschaving van Griekenland" in „Europese Geest."

in het derven van inlichtende voorbereidingen tot daden, die worden geëist. Want – en dit is ons bij uitstek eigen – wij paren koenheid aan klare bezinning over wat wij gaan ondernemen. – Samenvattend noem ik dan onze stad een leerschool voor Hellas en naar mijn mening past iedere burger als mens en als goed lid van onze volksgemeenschap zeer vlot en in behoorlijke vormen zich aan bij de meest uiteenlopende omstandigheden en situaties met behoud van eigen persoonlijkheid."

Deze rede werd gehouden aan het graf van Atheense soldaten, gevallen in den eersten Peloponnesischen oorlog, waarin de democratische zeemogendheid Athene en de conservatief-aristocratische militaire landmacht Sparta, elk aan het hoofd van vele verbonden steden, elkaar de leiding in Hellas betwistten. Naarmate van het succes of de tegenslagen van Athene, steeg of daalde ook het gezag der democratie en tenslotte verloor deze regeringsvorm met de nederlagen van Athene aan aanzien.

Wij moeten het Atheense instituut van maatschappelijke vrijheid niet zonder meer gelijk stellen met de moderne democratie, al heeft de laatste zonder twijfel haar hoofdtrekken ontleend aan het Griekse voorbeeld. De moderne vorm berust overal op een volksvertegenwoordiging, terwijl in de Griekse steden de volksvergadering alle lieden met burgerrecht omvatte. De meeste steden waren betrekkelijk klein, hadden soms niet meer dan 10.000 tot 20.000 inwoners, Athene had er echter in zijn bloeitijd ongeveer 300.000 [1]). De volksvergadering omvatte bij de democratie hoogstens 50 % van de volwassen manlijke inwoners. De slaven waren uitgesloten en eveneens de inwoners, die zich van buitenaf in de stad hadden gevestigd. Het burgerrecht was moeilijk te verwerven. Aan vrouwenkiesrecht dacht niemand. De antieke democratie achtte voorrechten ook iets vanzelfsprekends, terwijl de moderne democratie deze tracht teniet te doen. Er bestond geen vaste ambtenarenstand. De burgers namen allen deel aan de administratie en de rechtspraak. Hieruit volgde reeds een duidelijke selectie naar begaafdheden, maar ook naar bezit en familierelaties.

De belastingen waren in hoofdzaak indirect, behalve in geval van oorlog. Dan werden geweldige heffingen op de schouders van de rijke burgers gelegd en de Peloponnesische oorlogen hebben dan ook de aristocratie geruïneerd. De geest van de gemeenschap ging toen ook snel achteruit. Men is bij het beschouwen van het verleden licht geneigd, een volk te veel te beoordelen naar zijn helden, zijn grootste geesten, zijn wijsgeren, kunstenaars en mannen van weten-

[1]) Prof. Bolkestein schat in zijn „Sociale politiek en sociale opstandigheid in de oudheid" de bevolking van Athene in 431 op 315000 en in 323 op 258000.

schap. Op dit gebied heeft Griekenland een scheppingskracht getoond, welke nooit door een klein volk is geëvenaard. Maar het volk zelf bleef ruw en de zedelijke normen waren vrij laag, ook bij de ontwikkelden. „Dat een staatsman gedreven kan worden door andere dan persoonlijke motieven, is voor Thukydides een volkomen onbegrijpelijke gedachte. Niemand vond het erg, zich op kosten van de gemeenschap te verrijken; het was al iets bijzonders als een beambte zich niet direct liet omkopen. En met de menselijkheid zag het er nog veel slechter uit. Het kan er misschien nog mee door, dat in den hartstocht van den strijd der partijen de ergste gruwelen werden begaan, maar zelfs de Atheners hebben koelbloedig hele burgerijen van steden, die zich tegen hun heerschappij hadden verzet, laten ombrengen." [1]) De intellectuele vooruitgang kwam pas langzaam tot stand en had in dezen tijd nog met vele vooroordelen te kampen.

Daar de leidende klassen in verval geraakten en het volk nog weinig ontwikkeling bezat, behoeft het niet te verwonderen, dat de democratie reeds spoedig begon af te zakken. De voorrechten van geboorte en bezit waren vervallen en zo gaf de nummerieke meerderheid van de volksvergadering in alle politieke vragen den doorslag. Die meerderheid werd onvermijdelijk door de laagste klassen gevormd; zo is het te begrijpen, dat deze klassen hun macht tot eigen voordeel gebruikten, net als de hoogste klassen dat hadden gedaan in den tijd van de heerschappij van den adel. Gewetenloze demagogen drongen de massa hierbij steeds verder en kregen gemakkelijk de leiding. „Nog erger werd de toestand bij de rechtspraak. In de Griekse democratie te Athene kon ieder burger, die meer dan 30 jaar oud was, als hij zich daartoe aanmeldde, tot jurylid worden gequalificeerd, hoe arm hij ook was. Om het gevaar van omkoping te voorkomen, werden de gerechtshoven met enige honderden rechters bezet. Deze kregen daarvoor vergoeding. Dit had ten gevolge, dat de armere klassen dongen naar het rechtersambt, waarbij zij zonder moeite een dagloon verdienden, terwijl de welgestelden zich daarvan meer en meer verre hielden. Zo ontstond daar een proletariaat van de jury. Voor gewetenloze aanklagers was het slechts een kleine moeite om dergelijke honderdkoppige rechtscolleges op te hitsen of om hun hebzucht gaande te maken en het kwam vaak genoeg voor, dat rijke beschuldigden werden veroordeeld, om hun vermogen verbeurd te kunnen verklaren om het onder de menigte te verdelen, of het salaris der rechters daaruit te betalen. Rijke lieden waren steeds met chantage bedreigd." [2])

Hieruit wordt een steeds groeiende weerzin tegen de democratie

[1]) Karl Julius Beloch, Geschichte Griechenlands, Propyläen Weltgeschichte Dl. II blz. 106.

[2]) Beloch o.c. blz. 136.

verklaarbaar. De beroemde wijsgeer Aristoteles (384–322 v. Chr.) noemt democratie de ontaarding van den constitutionelen regeringsvorm. Tenslotte werd de democratie ten val gebracht. Griekenland, verzwakt en verarmd door voortdurende onderlinge oorlogen, wordt dan tot eenheid gedwongen door den koning van het militairistische Macedonië. Diens zoon Alexander nam daarna de leiding bij een imperialistische politiek, die den geest van Griekenland ver in Azië verbreidde, maar die de zelfstandige gemeenschapsvormen ondergeschikt maakte aan een meer militairistisch georganiseerde eenheid. Later, in het midden van de 2e eeuw voor Christus, kwam Griekenland onder het gezag van Rome.

Het vrijheidsbeleven, dat in de Griekse steden, voornamelijk ook in Athene, is ontstaan en dat zich uitdrukte in politieke rechten, in gelijkheid voor de wet, in waardering van de persoonlijkheid, in de mogelijkheid, dat een ieder zijn mening openlijk mag verdedigen om anderen te overtuigen, deze geest van maatschappelijke vrijheid, die de rede en de overreding als grondslagen stelt, is niet met de Griekse onafhankelijkheid verdwenen. Het was een geweldige stap vooruit in het staatkundig leven der volkeren, toen politieke besluiten na vreedzame besprekingen met meerderheid van stemmen werden genomen. Dit recht op redelijkheid heeft later groten indruk gemaakt op de Romeinse overheersers en de Griekse geest heeft in vele opzichten de leiding gekregen in het Romeinse Rijk, zodat algemeen van de Grieks-Romeinse cultuur als van een eenheid wordt gesproken. De grondslag van deze cultuur was bij uitstek „redelijk" en deze redelijkheid, ook in politieke zaken, is een Griekse schepping. De rede vooronderstelt in den mens het vermogen zijn leven, zijn gevoelens, zijn overtuigingen als een harmonisch geheel, als een natuurlijk gegeven eenheid te kunnen overzien en te kunnen ordenen in verband met zijn omgeving. De rede berust op de mogelijkheid van vormgeving en discussie, op argumenten en normen, waaraan de meningen kunnen worden getoetst, zodat zij tenslotte tot vast omlijnde begrippen en ideeën worden, die in hun wezen iets dwingends hebben, waardoor men ze als absoluten grondslag voor het oordelen kan gaan beschouwen. De rede vooronderstelt de mogelijkheid van tegenspraak en van methode en normen in het denken. Al pratende en redenerende zijn deze methode en zijn deze normen geleidelijk aan de Grieken bewust geworden en door hun grote wijsgeren geformuleerd.

De toepassing van de rede op de maatschappelijke structuur vormt den grondslag van politiek in eigenlijken zin, van openlijke discussie over maatschappelijke vraagstukken en van democratische vrijheid. Oorspronkelijk is deze eerbied voor de rede in Hellas ontstaan in een aristocratische elite. In edelen wedijver werden de argumenten gezocht, die de toehoorders konden overtuigen. De persoonlijkheden ontwikkelden zich in voortdurende wisselwerking met anderen en de persoonlijkheid, die de kracht van eigen mening paarde aan het vermogen om die mening met goede argumenten te verdedigen en op de juiste wijze in daden om te zetten, had het grootste gezag. Het begrip vrijheid werd aldus innig verbonden met logische innerlijke structuur en geestelijke eenheid. Maatschappelijke vrijheid is dan ondenkbaar zonder de vrijheid van meningsuiting en openlijke discussie, zo mogelijk voor iedereen en in alle zaken van belang.

Dat dit ideaal niet gemakkelijk is te verwezenlijken, hebben reeds de Grieken bewezen. Hun geschiedenis geeft ons den indruk, dat het moeilijk valt deze aristocratische geestesgesteldheid uit te laten groeien tot een gezonde democratie, waarbij het gehele volk in staat is, zich door het redelijke oordeel te laten leiden. Weliswaar heeft in Athene en elders de uitbreiding van deze geesteshouding tot een groot deel van het volk – en ook dan waren de vrouwen en de slaven uitgezonderd – een geweldigen geestelijken bloei opgeleverd, een impuls tot scheppend denken en handelen, zoals nooit elders in die mate is vertoond, maar tevens ontstonden misbruiken en ontaardden de besprekingen in de volksvergadering door het overheersen van belangen en vooral ook van emotionele drijfveren, waardoor de menigte gemakkelijker wordt meegenomen dan de enkeling, die zich heeft geoefend in zelfstandig oordelen. De Grieken hebben ons niet alleen het ideaal van politieke redelijkheid nagelaten, maar ook het probleem, waar de grenzen liggen, waarbinnen deze maatschappelijke vrijheid nog met succes kan worden gehandhaafd.

Vrijheid als recht en plicht (de Romeinen).

Nadat de vrije politieke ontwikkeling van Hellas, vooral door onderlinge oorlogen, teniet was gegaan, namen de Romeinen de leiding van de Antieke wereld over en onder hun invloed wordt het vrijheidsbegrip gewijzigd. De Romeinen waren een geheel ander volk dan de Grieken, minder geniaal, meer boers en burgerlijk van aard, maar met een grote verering voor familie en traditie, voor erf en grond, een taaie volharding, een grote offervaardigheid voor de gemene zaak, een goed verstand en een wijze zelfbeheersing, die hun een vaste houding gaf tegenover de wisselvalligheden van het leven. Zij waren uitnemende burgers en goede soldaten, maar bovenal bezaten zij iets, dat hen in staat heeft gesteld overwonnen volken aan zich te binden, namelijke een vaste rechtsorganisatie, steunend op een scherp begrip voor rechtsverhoudingen.

Sinds het eerste ontstaan van de Republiek (ongeveer 500 v. Chr.), toen de Etrurische vorsten werden verdreven, berustte het gezag hier, evenals in de Griekse steden, op de volksvergadering. Prof.

Wagenvoort geeft van den Romeinsen regeringsvorm het volgende beeld [1]: „Alleen het volk heeft wetgevende macht (schoon niet het recht van initiatief), het beslist over oorlog en vrede en kiest zijn magistraten. De beschikking over leven en dood van den enkelen burger komt eveneens uitsluitend aan het volk toe. Niet alleen de uitvoerende macht, maar ook het recht van initiatief zijn daarentegen in handen der magistraten, die alleen een volksvergadering kunnen bijeenroepen en voorzitten en alleen voorstellen kunnen indienen en in stemming brengen. Hun bevoegdheid is dus zeer groot, maar wordt door verschillende factoren beperkt, o.a. door het beginsel der collegialiteit (er werden b.v. twee consuls telkens voor één jaar benoemd), den beperkten ambtsduur en de voortdurende vermeerdering en splitsing der overheidsambten. Zo werd het volkstribunaat bij wijze van tegemoetkoming door de heersende klasse ingesteld om aan de plebs zijn eigen vertegenwoordigende en beschermende overheidspersonen te geven. Het ambt van dictator was het enige, dat niet gesplitst werd, maar dit was dan ook een buitengewone, steeds tijdelijke functie, die bedoelde, in benarde tijden de macht in één hand te leggen. De vermeerdering en splitsing der overheidsambten is vooral in de hand gewerkt door den langdurigen strijd tussen de patriciërs, de afstammelingen der oude inheemse geslachten en de plebejers, de overige vrije burgers – een strijd, waarin de plebs achtereenvolgens vele concessies wist af te dwingen. Het ambt van volkstribuun werd ingesteld, het recht werd gecodificeerd, het verbod van onderling huwelijk tussen patriciërs en plebejers werd opgeheven, zelfs worden in 287 v. Chr. besluiten van de plebs bindend verklaard voor het gehele volk – en bovendien werden alle ambten, inclusief het consulaat, voor plebejers toegankelijk gesteld.

„Naast het volk en de magistraten was er een derde macht in den staat: de senaat. In den koningstijd slechts een raad der oudsten, die bij gelegenheid den koning van advies moest dienen, heeft de senaat gedurende de republiek zijn aanzien voortdurend zien stijgen. Men zou uit hetgeen over de macht van het volk gezegd is, den indruk kunnen krijgen, dat de republikeinse staatsregeling van Rome in wezen democratisch was. Die indruk zou onjuist zijn. Weliswaar ontbrak een zekere democratische basis niet en de leidende figuren van Rome hebben niet nagelaten, het volk daarmee voortdurend te paaien. Men is zelfs zover gegaan in 312 v. Chr. te bepalen, dat de senaat gekozen moest worden uit oud-magistraten, dus uit mannen, die tevoren door het volk tot hun ambt waren gekozen, zodat in feite de senaatskeuze middellijk bij het volk berustte. Maar de betekenis van dit besluit moet niet overschat worden. Wel was de

[1]) H. Wagenvoort, De Romeinse Cultuur, in „Europese Geest", blz. 78–81 (enigszins verkort weergegeven).

tegenstelling tussen patriciaat en plebs opgeheven, immers daar de plebejers overheidsambten konden bekleden, stond nu ook de toegang tot den senaat voor hen open. Maar reeds was een nieuwe tegenstelling ontstaan, die het staatkundig leven beheerste. Naar gelang van de lasten van den krijgsdienst was het volk in vijf vermogensklassen verdeeld en elke klasse had een aantal stemmen in de volksvergadering. Dit aantal stemmen stond in geen verhouding tot het aantal dergenen, die tot een klasse behoorden, maar was zo geregeld, dat reeds de eerste klasse bij eenstemmigheid de meerderheid had. Zelfs vond men het dan niet nodig, de stemming voort te zetten, zodat de minder gegoeden gewoonlijk aan het stemmen niet eens toe kwamen. Practisch regeerden dus de rijke grondbezitters en zij beschikten ook over de ambten. In plaats van den ouden geboorteadel, het patriciaat, ontstond een nieuwe ambtsadel, de nobiliteit, die identiek werd met de senaatspartij. Doordat de senaat deze partij achter zich had en zelf was samengesteld uit mannen van persoonlijken invloed, die levenslang zitting hadden, werd hij meer en meer de machtigste factor in het staatswezen.

„De republiek Rome was dus, ondanks haar democratischen ondergrond, een aristocratisch geregeerde staat. Daaraan heeft noch de oppositie van een volkspartij, noch Rome's ontwikkeling tot een wereldmacht iets veranderd. Die regeringsvorm strookte het best met de conservatieve geaardheid van den Romeinsen boer, van een type als de oude schrijver en hereboer Cáto, die omstreeks 150 v. Chr. schreef: „Wanneer onze voorouders wilden zeggen: dat is een goed man, zeiden ze: dat is een goede boer! Dat was naar hun mening de hoogste lof, dien men iemand geven kon. Een koopman kan ook wel flink en energiek zijn, maar hij is te veel aan risico en schade blootgesteld. Maar uit boerengeslachten komen de dapperste mannen en flinkste soldaten voort; verder hebben zij de eerlijkste en minst aan risico onderhevige broodwinning, die ook het minst aan anderen aanleiding tot afgunst geeft en eindelijk zijn mensen, die zich met landarbeid bezig houden, het minst kwaaddenkend"."

Deze gemeenschap vertoont dus een beeld, dat sterk verschilt van dat der Grieken: van den aanvang af een meer gesloten eenheid, minder beweeglijk, op conservatieve normen en een stabiel mensentype ingesteld, zekerheid vindend in een vaste gemeenschapsstructuur en het gevoel van vrijheid verbindend met vaste rechten en vaste plichten. In de volksvergadering wordt niet gediscussiëerd. Er is daar ook weinig reden toe. Het gaat immers vooral om de handhaving van vaste normen. Er was geen pers. De mening van het volk kon moeilijk uitdrukking vinden en deze was overgelaten aan volkstribunen, die óf rechtschapen intellectuelen waren, die opkwamen voor het volksbelang, óf wel politieke avonturiers, die in de volksgunst een middel zagen om vooruit te komen. Oorspronkelijk had de senaat voor deze volksgemeenschap de betekenis van een voorbeeldige groep van goede burgers, die hun krachten in bijzondere mate in dienst hadden gesteld van het vaderland. Zij vertegenwoordigden de beste eigenschappen van het volk en ontleenden daaraan het vertrouwen, dat hun werd geschonken.

Zolang de aristocratie deze voorbeeldige functie vervulde, was deze regeringsvorm gezond en kon hij ook vertrouwen wekken bij nieuw aan het rijk toegevoegde gebieden. Geleidelijk ontstonden echter ook hier de vormen van verval, die wij reeds bij de Grieken leerden kennen, plutocratie en oligarchie. De voortdurende oorlogen hadden tot gevolg, dat de boeren, die de grootste offers moesten brengen, verarmden en dat het landbezit zich steeds meer concentreerde in de handen der rijken, die door slavenarbeid in staat werden gesteld het bedrijf in gang te houden. De verarmde boeren trokken naar de stad en vermeerderden de arme bevolking, die ontevreden was met den toestand. De mannen van deze groep der bevolking en van de aan Rome toegevoegde gebieden in Italië, die tevergeefs het burgerrecht verlangden, veroorzaakten bloedige burgeroorlogen, naast de talrijke buitenlandse oorlogen, die Rome had te voeren en die zijn gebied steeds verder uitbreidden. De tegenstelling tussen plebs en rijke aristocratiën werd nog vergroot door den toenemenden rijkdom der aanzienlijke families, steunend op grootgrondbezit, slavenarbeid en handel; beide partijen ondervonden hiervan schade. De armere burgers verloren hun zelfstandigheid en hun waardigheid. Zij verkochten dikwijls hun stem en stemden op de candidaten, die hun uitdelingen van graan tegen lagen prijs beloofden, een soort bedeling dus. De rijken degenereerden door weelde en luxe, door trotse exclusiviteit en rivaliteit, door groeiend scepticisme. Zij buitten de veroverde provincies uit en regeerden met grote willekeur. Allerwegen ontstond ontevredenheid en de grondslagen van Rome's macht werden zwaar bedreigd.

Dit is een soortgelijke toestand als in Griekenland het aanzien gaf aan tyrannen, die zich als volksleiders van de macht wisten meester te maken. Ook Rome had dergelijke leiders, die hier echter, meer dan in Griekenland, getemperd werden door den algemenen eerbied voor de bestaande orde en de vrees voor tyrannie. De nobele Gracchen slaagden maar ten dele en vonden bij hun pogingen den dood. Noch de volksleider Marius, noch de man van de senaatspartij, Sulla, wisten het staatsgezag nieuw te herstellen. Pas de grote veldheer Julius Caesar slaagde hierin en bereidde daarmee den weg tot een nieuwen regeringsvorm: het keizerrijk. De geschiedkundigen zijn het er niet over eens hoever de eerzuchtige plannen van Caesar gingen, die hij door zijn vermoording (44 v. Chr.) niet heeft kunnen verwezenlijken. Caesar was zeer geliefd bij het volk, dat in hem den redder zag, maar tegelijk worden hem plannen toegeschreven, een Oosters despotisme in Rome te vestigen. Dawson schrijft hierover: [1]) „Het is moeilijk te zeggen wat Caesar als het einddoel van zijn levenswerk beschouwde. Wilde hij, zoals Mommsen geloofde, de burgertradities van den Romeinsen staat handhaven? Of streefde hij, zoals vele moderne schrijvers aannemen, naar de stichting van een nieuwen monarchalen staat volgens Hellenistisch schema? Het is waarschijnlijk, dat in de beide opvattingen een deel der waarheid schuilt en dat én Marcus Antonius' Alexandrijnse monarchie én het principaat van Augustus elk een aspect van Caesar's denkbeeld vertegenwoordigen.

„Hoe het ook zij, er kan geen twijfel bestaan omtrent de doeleinden en denkbeelden van den man, aan wien de voltooiïng van Caesar's werk ten deel viel: zijn aangenomen zoon en erfgenaam, den groten Augustus. In zijn strijd tegen de Alexandrijnse monarchie van Antonius en Cleopatra trad Augustus naar voren als de bewuste kampioen, niet alleen van het Romeinse patriotisme, maar ook van de specifiek Westerse idealen. In de ogen zijner medestanders was Actium evenals Marathon en Salamis, [2]) een worsteling tussen Oost en West, de uiteindelijke overwinning van Europese orde- en vrijheidsidealen op Oosters despotisme."

In ongeveer twee eeuwen had de kleine staat Rome zijn macht uitgebreid over de gebieden om de Middellandse Zee en in West-Europa. Augustus en zijn bevelhebbers voltooiden Caesar's werk en zetten de grenzen van het rijk uit tot den Donau, van zijn bronnen tot de Zwarte Zee. De plannen om Germanië tot de Elbe te veroveren faalden, maar de Rijnlanden werden een deel der Romeinse wereld. Augustus was niet uit op wereldverovering, maar hij wilde het rijk zoveel mogelijk beschermd zien door natuurlijke grenzen, den Donau, den Rijn, den oceaan, de Zwarte zee, het hooggebergte van Armenië, den Euphraat, de woestijnen van Arabië en de Sahara. Zijn regering was in hoofdzaak een tijd van vrede en van innerlijke ordening van het rijk. Een nieuwe regeringsvorm was bij de geweldige uitbreiding van het Romeinse gebied nodig geworden. Na zijn overwinningen verklaarde Octavianus zich bereid zijn macht weer in handen te geven van senaat en volk, maar de senaat gaf hem het gezag voor een belangrijk deel terug en vereerde hem met den naam „Augustus" (27 v. Chr.), dien hij daarna heeft gedragen tot zijn dood (14 n. Chr.).

[1]) Christopher Dawson, De Schepping van Europa, blz. 31.

[2]) Bij Actium (31 v. Chr.) werd Antonius door Octavianus (den lateren Augustus) definitief verslagen. Bij Marathon (490 v. Chr.) en Salamis (480 v. Chr.) behaalden de Grieken de bevrijdende overwinningen op de Perzen, die hun land binnen waren gevallen.

Augustus noemde zich niet koning maar „princeps", de eerste man in den staat, de leider, die zijn gezag ontleent aan het vertrouwen, dat men hem schenkt en aan de ambten, die men hem heeft opgedragen. Augustus heeft telkens weer het consulaat bekleed, hij oefende het veto-recht uit, dat hij ontleende aan de hem opgedragen tribunische macht, hij was opperbevelhebber over het leger (imperator), wat hem een overwegende positie in de provinciën verschafte en hoofd van de Romeinse staatskerk (pontifex maximus). Ook later bleven deze waardigheden verbonden aan het principaat. Onder handhaving van de oude vormen werd het gezag in één hand geconcentreerd, maar zó, dat het scheen, of de oude rechten van volk en senaat uit den tijd der Republiek geheel gehandhaafd bleven. Rome had geen geschreven staatswet en het staatsrecht, op traditie gegrond, was in bepaalde regeringsvormen neergelegd, waarvan de betekenis geleidelijk kon worden verschoven. Het Oosterse ideaal van den vergoddelijkten heerser werd door Rome in het Oosten – en ten dele ook in het Westen – gebruikt als middel om het gezag te versterken en daar werd de god-keizer dan steeds verbonden geacht met de godin Roma, de abstractie van het gezag. Maar in Rome en in Italië was de keizer de eerste dienaar van den staat. Augustus respecteerde den senaat, al heeft hij twijfelachtige elementen hieruit verwijderd. Aanvankelijk hield de volksvergadering het recht de magistraten te kiezen, maar Augustus' opvolger bracht dit recht over naar den senaat. Ook onder de eerste keizers bleef Rome het stempel behouden van een aristocratische democratie. Van lieverlede echter boetten de Senaat en de onbezoldigde ambtenaren aan betekenis in, vooral sinds keizer Hadrianus (117-138) het instituut van beroepsambtenaren schiep, rechtstreeks door den Keizer uit den ridderstand benoemd.

In den bloeitijd van het keizerrijk, toen de pax romana overal orde en welvaart bracht, werd de Romeinse beschaving over Zuid- en West-Europa, West-Azië en Noord-Afrika verbreid. „Het was Rome's voornaamste taak in continentaal Europa de *stad* te grondvesten; met die stad kwam het begrip van burgerschap en burgerrecht en stedelijke traditie, waarin de grootste schepping der mediterrane cultuur gegeven is. De Romeinse soldaten en genisten waren de agenten dier ontwikkeling; het leger zelf was door Augustus dan ook georganiseerd als een soort leerschool voor het burgerschap en als een instrument voor de verbreiding van de Romeinse cultuur en instellingen in de nieuwe provincies." [1]) Daarmee werd het leger, dat veel te veel een zelfstandige macht was geworden, weer ingeschakeld in het geheel van den staat.

In de provincies was Rome het model, waarnaar zowel de kolonies

[1]) Dawson o.c. blz. 33.

van Romeinse soldaten en burgers als de nieuw gestichte centra werden gevormd. Elke stad was het politieke en godsdienstige middelpunt van een landelijk territorium; de grondbezittende klasse schiep het bestuurslichaam der burgerij. Wie land bezat, werd daardoor verkiesbaar voor stedelijke ambten en de rijke grondbezitters konden het Romeinse burgerrecht verkrijgen en zelfs overeenkomstig hun financiële positie tot den rang van ridder en ook van senator stijgen. Deze gegoede burgers bewoonden zowel het land als de stad. Behalve hun huis in de stad bezaten zij een landelijk domein met een staf van pachtboeren en slaven. In deze levenswijze werd ook het Romeinse voorbeeld gevolgd.

Deze cultuur heeft met kortere en langere onderbrekingen bijna vier eeuwen lang gebloeid en Rome is daardoor tot den machtigsten cultuurfactor geworden in de latere geschiedenis. Abbott schreef hierover [1]: „Misschien hebben de Romeinen ons geen grotere erfenis nagelaten dan hun opvatting van het burgerschap." Rome had zich tot taak gesteld zijn burgers tot in de uiterste hoeken van het rijk te beschermen en rechtszekerheid te verschaffen. Voor het Romeinse bewustzijn is dan ook het recht van den burger op bescherming van staatswege vergroeid met het begrip van de vrijheid, de „libertas" [2]. Vrijheid is hier allereerst een aristocratisch begrip, dat gericht wordt tegen willekeur, tegen een ieder, die de bestaande toestanden wil omverwerpen, of dit nu een tyran is dan wel de volkspartij. Vrijheid berust hier op het handhaven van een kader van rechten en plichten, op een stabiele ordening, die aan iederen burger bepaalde eisen stelt, maar hem dan ook machtigt voor de handhaving van die ordening op te komen. Het gezag is daarbij in handen gelegd van de bezittende klasse, maar de wet waakt tegen willekeur en uitbuiting. Deze orde bleek vrij stabiel, omdat de bezittende klasse zelf groot belang had bij het handhaven van vast geregelde verhoudingen.

Het is begrijpelijk, dat dit vrijheidsbegrip, steunend op goeden burgerzin, op vrijwillige medewerking in een vast geordende gemeenschap, niet door het keizerschap van Augustus werd aangetast geacht, toen deze het Romeinse volk had overtuigd, dat hij zichzelf als eerste burger onder het gezag van wet en traditie stelde en zijn plichten trouw wilde vervullen. Want vrijheid is voor den Romein in de eerste plaats bescherming tegen willekeur. Augustus wordt hierdoor de voorloper van de constitutionele monarchie. Al bezat Rome geen geschreven constitutie, toch scheen het, dat de oude rechten van volk en senaat bij dit eenhoofdig bestuur werden gehandhaafd. Het volk van Rome was zelf ook niet meer in staat het oude ideaal van burgerschap te belichamen. Het werd steeds meer tot een mengsel

[1]) Abbott, Roman Politics.
[3]) Wagenvoort o.c. blz. 100.

van de meest verschillende menselijke geaardheden. Rome was overstroomd door vreemdelingen. Vrijgelaten slaven van iedere afkomst kregen het Romeinse burgerrecht. Een vaste eigen stijl was hier niet meer te vinden. De senaat, door Augustus met respect behandeld, bezat nog in zijn burgerlijke en militaire leiders het gezag en de traditie van vroeger, al was de degeneratie der oude families ook hier merkbaar. Een keizer, die als vertegenwoordiger der oude idealen optrad en die orde en welvaart wist te doen heersen, kreeg dus een grote kans om voor het volk de belichaming te worden van het Romeinse vrijheidsbegrip.

De grenzen werden van nu af aan door staande legers verdedigd, de administratie was opgedragen aan daartoe opgeleide ambtenaren, de provincies liepen niet langer gevaar te worden bestuurd door onwetende amateurs, die de hun toevertrouwde macht maar al te graag misbruikten om zichzelf te verrijken. In hun plaats kwamen de legati Augusti, experts, die, als zij geschikt bleken te zijn, werden gecontinueerd. Zij werden bijgestaan door goed bezoldigde belastingambtenaren en allen waren alleen aan den keizer verantwoording verschuldigd. Het zwakke punt in dezen regeringsvorm bleek de keuze der keizers te zijn. De regel was, dat de meest geschikte opvolger reeds bij het leven van den thans heersenden keizer door dezen als zoon werd aangenomen in overleg met den senaat, die ook later de opvolging bekrachtigde. Als gevolg hiervan ontstonden intrigues in de keizerlijke familie, in den senaat en later vooral ook in het leger, dat herhaaldelijk, in de 3e eeuw n. Chr. zelfs geregeld, zich bij de keuze van een nieuwen keizer liet gelden, of zelf een candidaat proclameerde. Een zwakke keizer of een gedegenereerde senaat brachten de leiding van den staat in gevaar en beide factoren gecombineerd betekenden een ernstige bedreiging voor den staat.

Toen dit gevaar door de burgeroorlogen na Nero's regering voor ieder duidelijk was geworden, kwam Vespasianus (69–79 n. Chr) tegemoet aan het algemene verlangen naar verbetering door een verjongingsproces van den senaat te bewerken. De oude geest van de aristocratie was in Rome langzamerhand verloren gegaan, maar in de provinciën was deze herboren in nieuwe aristocratieën, die daar uit de overwonnen volken waren voortgekomen. Deze namen de Romeinse tradities over, hun zonen kregen een latijnse opvoeding naar het klassieke Romeinse voorbeeld en zij zagen het Romeinse burgerschap met de ogen van Cicero, Horatius en Titus Livius. Zij waren meer bezielde Romeinen dan de aristocratie van Rome en toen Vespasianus (79 n. Chr.) 1000 van dergelijke families naar Rome liet komen om ze in den adelstand op te nemen, betekende dit een vernieuwing van den ouden geest en een versterking van de aristocratie. De eeuw, die hierop volgde, was er een van rust en welvaart.

De ambten konden weer behoorlijk worden bezet, het gezag van den senaat was versterkt en keizer en senaat regeerden in onderlinge overeenstemming.

Dit streven naar vernieuwing van de oude waarden ging gepaard met een neiging tot bezinning op de eigen grondslagen. Het waren vooral de Grieken, die dit meerdere bewustzijn hebben ingeleid door aan de ontwikkelde Romeinen vragen te stellen. Reeds vóór de verovering van Griekenland (146 v. Chr.) hadden de Grieken invloed uitgeoefend op de Romeinse cultuur door hun kolonies in Zuid-Italië, maar daarna kregen zij op sommige punten nog meer de geestelijke leiding in handen, vooral op het gebied der kunsten en der philosofie. Deze zelfbezinning van de Grieks-Romeinse cultuur is vooral bekend onder den naam van Stoa.

De Stoa is de naam van een school, die door den Grieksen wijsgeer Zeno omstreeks 300 v. Chr. te Athene werd gesticht als reactie tegenover de leer van Epicurus, die het genot als belangrijkste drijfveer van den mens had voorgesteld. Zeno en zijn volgelingen verheerlijkten daartegenover de rede en de deugd als uitingen van den in den menselijken aanleg liggende harmonie. Volgelingen dezer school kwamen in de 2e eeuw v. Chr. naar Rome en kregen aldaar steeds meer invloed. [1]) Deze leer sluit op verschillende punten aan bij het klassieke Romeinse karakter. Wat daar als traditie was vastgelegd, kreeg door de Grieken een bewusten redelijken grondslag. De Stoa had in Rome vooral den vorm van een populaire ethica, al namen de Romeinen ook vele begrippen over logica en physica van de Grieken over. Ons interesseren hier vooral de opvattingen over recht en plicht, die het Romeinse vrijheidsbegrip zozeer beheersen. „De deugdgedachte, de „virtus" der oude Romeinen, was nauw verbonden aan de heiliging van den plicht. Het Latijnse woord voor plicht betekent eigenlijk „het werk dat iemand doet" (officium voor opi-ficium). Doch reeds in een oude fase der Latijnse taal kreeg het woord normatieven zin: het werk, dat iemand doet, is het werk, dat hij doen moet, het is zijn taak, zijn plicht. De norm, die hier werkt, is een religieuze: de plicht wordt opgelegd door een bovenmenselijke autoriteit. Religieus is ook het woord, dat „recht" betekent (ius): eigenlijk is het de band, die den mens niet vrij laat in zijn bewegingen, maar hem verplichtingen oplegt en „rechtvaardig" (iustus) is hij, die deze verplichtingen nakomt. Dit is geen Griekse gedachte; de Griekse ethiek gaat uit van het natuurlijke kunnen en willen van den mens, het gebod is hem in de wereldorde en de rede gegeven en de mens is voor hem principieel autark." [2])

[1]) De meest bekende vertegenwoordigers der latere Stoa zijn: Seneca (opvoeder van Nero), Epictetus (vrijgelaten slaaf) en Marcus Aurelius (Rom. keizer). [2]) Wagenvoort o.c. blz. 107.

Voor den Stoïcijn nu is vrijheid allereerst de zelfstandige houding van den wijze tegenover de wisselingen der fortuin, waardoor hij zich niet van het pad der deugd laat afbrengen. Het verband met de Romeinse opvatting van het recht bestaat dan hierin, dat de rechtvaardige houding en de plicht uitingen zijn van eenzelfde beginsel als de innerlijke vrijheid, namelijk van een goddelijke orde in mens en gemeenschap, waaraan de wijze mens zich onderwerpt. Het recht wordt door de Stoïcijnen dan ook in wezen opgevat als „natuurrecht"; het is niet door menselijke willekeur ontstaan, maar uiting van een algemene heilige orde, die de mens in redelijke vormen kan vatten. Recht en moraal worden aldus in een nauw verband gezien. Verder vat men aldus rede, recht en moraal als uitingen van een algemene menselijke structuur, die voor een ieder geldt, onafhankelijk van ras, natie stand of sekse, welk begrip dan wordt belichaamd in het woord „humaniteit". Het juiste inzicht in deze maatstaven geldt als eerste deugd. Dan volgen: de dapperheid, de zelfbeheersing en de gerechtigheid. [1]) Men begrijpt, dat deze levenshouding bij de Romeinen ingang kon vinden, omdat zij geheel aansloot bij hun tradities.

Het Romeinse keizerrijk heeft gedurende twee en een halve eeuw aan de wereld van Europa, Noord-Afrika en West-Azië vrede, orde en welvaart gebracht. Maar in de 3e eeuw n. Chr. werd dit evenwicht definitief verbroken. Ferrero, de grote kenner van de Romeinse geschiedenis, legt er den nadruk op, dat het verval van het Rijk en van de cultuur niet geleidelijk is geschied, maar dat de ineenstorting in een kort tijdvak van 50 jaren haar beslag heeft gekregen. [2]) Weliswaar hadden verschillende factoren dit verval geleidelijk voorbereid, maar in 235 bij de vermoording van keizer Alexander Severus was het oude evenwicht in Europa, Afrika en Azië nog vrijwel intact. De cultus van Rome en den Augustus (den regerenden keizer), reeds onder Keizer Augustus ontstaan, vormde samen met het oude polytheïsme het symbool van de eenheid. De aristocratieën van Rome en van de provincie regeerden met Grieks-Romeinse wijsheid het land. De kunsten, de philosofie, de literatuur en vooral de rechtswetenschap bloeiden, al hadden zij hun oorspronkelijke frisheid van impuls verloren. Landbouw, handel en nijverheid hadden zich krachtig ontwikkeld en het leger bleek nog sterk genoeg om telkens de invallen der barbaren te weerstaan. Vijftig jaar later lagen de tempels vervallen, waren de oude aristocratieën verarmd of verdwenen, handel, landbouw en industrie toonden overal een sterken achteruitgang en het Centrum en het Westen van het Rijk bleken geheel geruïneerd. De oude cultuur is dan te gronde gegaan en een zwak en geweldadig

[1]) Dr K. H. E. de Jong, De Stoa, blz. 117.
[2]) Guglielmo Ferrero, La ruïne de la civilisation antique.

despotisme heeft de plaats ingenomen van de oude samenwerking tussen keizer en senaat.

Wat is de oorzaak van deze snelle inzinking van een cultuur, die de beste elementen van twee geniale volken tot een hoge mate van eenheid en vastheid had weten te organiseren? Ferrero ziet de grondoorzaak in de vernietiging van het gezag van den senaat en in den ondergang van de oude aristocratie. Het principe der wettigheid was daarmee aangetast. In de 2e eeuw had Septimius Severus (193–211) reeds getracht zijn keizerlijk gezag uitsluitend op militaire macht te gronden en had hij de oude aristocratie vervolgd, maar na het vermoorden van enkele opvolgers zocht Alexander Severus weer den steun van den senaat. Na zijn vermoording in 235 begint de chaos van het militaire gezag pas goed. De militairen maken steeds willekeuriger hun aanvoerders tot keizer en vermoorden ze weer als iets hun niet bevalt, splitsing van de regering, burgeroorlog, invallen van de barbaren, hongersnood en pest zijn aan de orde van den dag. Overal heerst onzekerheid, de bevolking neemt af, het proletariaat in de grote steden groeit onrustbarend, er is geldnood, er wordt met het geld geknoeid, de belastingen en de prijzen stijgen geweldig, de aristocratie en de middelklasse gaan te gronde, alleen enkele nieuwe rijken weten zich reusachtige vermogens toe te eigenen. Barbaarse luxe, massale losbandige feesten, neiging tot kolossale bouwwerken komen in de plaats van de oude cultuur.

Dit verval is voorbereid door een geleidelijke verandering. „Sinds een halve eeuw", schrijft Ferrero, „was de Westerse beschaving verzwakt door een groeiende verwarring van leerstellingen, zeden, klassen, rassen en volken, door een soort intellectuele en morele anarchie, die min of meer alle milieux had aangetast, door een uitputtende inspanning van voortdurend werken in snel en rusteloos tempo, door de algemeen geworden beweeglijkheid van alle elementen van het sociale leven, door een soort algemene koorts, die den wil en de intelligentie tot het uiterste aandreef en ze daardoor tot grote krachtsinspanningen in staat stelde, die echter kort duurden en weinig diep gingen, door de vervlakking van alle geesteswerkzaamheid en van alle genot van aardse goederen." [1])

„Gedurende tien eeuwen had de antieke beschaving gewerkt zonder ophouden om een volmaakten staat op te bouwen, die wijs, menselijk, edelmoedig, vrij en rechtvaardig zou zijn en op aarde de schoonheid, de waarheid en de deugd zou doen heersen. – En deze wonderbaarlijke poging van zoveel eeuwen en zoveel genie liep in de 3e eeuw van ons tijdperk uit op de verschrikkelijkste crisis van anarchie en wanorde, die ooit was ontstaan, op het gewelddadig en verdorven despotisme van de brutale kracht, gespeend van ieder moreel

[1]) Ferrero o.c. blz. 53.

gezag, op de vernietiging van de meest geraffineerde beschaving, op de noodzakelijkheid te knielen voor een Aziatisch vorst als voor een levenden god, ten einde van de oude wereld te redden wat er nog te redden viel. [1])

Reeds vanaf het begin van het keizerrijk was de aristocratisch-democratische geest van het oude Rome bedreigd geweest door Oosterse opvattingen over regering en cultuur, die een felle tegenstelling vormden met den eigen levensstijl. Wij zagen reeds, hoe Augustus den ouden geest herstelde door Antonius te verslaan, die een staatsvorm naar Egyptisch model nastreefde. Egypte was het enige deel van het rijk, dat later een particulier domein van den keizer bleef en waar, binnen het rijk, een soort totalitaire staatsvorm bestond. „In directe tegenstelling met de structuur van het economisch leven in Griekenland en Italië," schrijft Prof. Rostovtzeff, [2]) „was de gehele economische organisatie van Egypte gebouwd op het principe van centralisatie, staatsalmacht en nationalisatie der agrarische en industriële productie. Alles geschiedde voor den staat en door den staat, niets voor het individu... Nergens in de gehele evolutie der mensheid kan men een zo vergaande en systematische beperking van den particulieren eigendom vinden als in het Egypte der Ptolemaeën." Niet de vrije samenwerking, maar de dwingende organisatie bepaalde daar den gemeenschapsvorm. In het gehele Oosten was dit gezag van den staat geheiligd, doordat de keizer daar tegelijk als een god werd beschouwd, zodat zijn soldaten en ambtenaren als vertegenwoordigers der goddelijke orde golden.

Deze staatsvorm met zijn straffe organisatie kreeg iets aantrekkelijks voor keizers, die zelf in een waan van goddelijke almacht leefden, maar ook wel voor machthebbers, die meer eenheid in het staatsbestel noodzakelijk achtten. Het zwakke punt van het Romeinse rijk bestond vooral in de vervanging van den aristocratisch-democratischen boerenstaat door een aristocratischen gemeenschapsvorm, die op landbezit en slavenarbeid was gegrond. De steden waren centra van beschaving, maar ook centra voor parasieten. Want deze cultuur was voor een belangrijk deel alleen mogelijk door uitbuiting en goedkopen slavenarbeid, welke laatste door oorlogen werd verkregen. „Toen het rijk door de invallen der barbaren in een defensieve positie werd gedrongen, begonnen de inkomsten te slinken en de uitgaven groeiden steeds aan. Het keizerlijk bewind zag zich genoodzaakt de belastingen en andere verplichtingen der steden te verzwaren en de rijke stedelijke aristocratie, wier leden onbezoldigd de functies van stadsmagistraat en administrateur vervulden, werd – daar zij verantwoordelijk was voor de betaling – geleidelijk geruïneerd." [3])

[1]) Ferrero o.c. blz. 99. [2]) Rostovtzeff, Journal of Egyptian Archeology VI, aangehaald door Dawson o.c. blz. 41. [3]) Dawson o.c. blz. 63.

Oorspronkelijk bestond een nauw contact tussen leger en burgerij. In iedere Italiaanse stad en later ook in de provinciale steden werden de zonen der burgers voor den militairen dienst getraind in jeugdverenigingen en de veteranen genoten er aanzien en hadden invloed. Maar later werden de legioenen uit de grensprovincies gerecruteerd, tenslotte gaf men aan barbaren land, als zij zich met de verdediging van een gebied belastten. Het leger werd een macht op zichzelf en toen het zich van zijn macht bewust werd, begon het op zijn beurt het land uit te buiten. Het Keizerrijk verloor langzamerhand zijn constitutioneel karakter van een stedenverbond, bestuurd door een tweeledig gezag van den Romeinsen senaat en den Princeps, om een zuiver militair despotisme te worden.

Deze tijd van chaos eindigde met de poging van keizer Diocletianus, een Dalmatischen soldaat, om het rijk te reorganiseren naar Oosters model. Reeds tevoren had Aurelianus den Mithrasdienst tot staatsgodsdienst geproclameerd en zichzelf tot godsdienstig hoofd van den staat verheven. Diocletianus paste het Egyptisch-Hellenistische systeem in het gehele rijk toe; dit werd thans een bureaucratische eenheidsstaat, gegrond op het principe van den algemenen staatsdienst met een ambtelijke en militaire hiërarchie, standsfixering in erfelijk gildeverband, gebondenheid van den landbouwer aan zijn hoeve, van handwerksman en koopman aan hun beroep, allen met vaste verplichtingen aan den staat, betaling in natura en corveediensten. Iedereen werd dus in een bepaalden vorm in het staatsverband ingeschakeld. Maar daarom was iedereen dan ook gelijk voor den staat, aristocratische voorrechten, die in het oude Rome zo'n groten invloed hadden, werden afgeschaft. De senaat had afgedaan en werd vervangen door een keizerlijken raad. Nieuwe belastingen, steunend op een nieuw kadaster, werden ingevoerd en het leven werd in bijzonderheden door wetten geregeld. Deze orde kreeg haar gezag door een „goddelijke familie" van 4 keizers – want één kon deze taak voor het gehele rijk niet aan – die met goddelijke macht bekleed werden geacht en die met Oosters ceremoniëel werden geëerd.

Deze poging om aan Europa een Aziatischen eenheidsvorm te geven is mislukt. Zij mislukte in de eerste plaats, omdat de gemeenschapsstructuur, die in Azië een grondslag vormde voor dezen staatsvorm, in Europa niet aanwezig was. Daar werd de staat – en wordt hij ten dele nog – als een heilige orde beleefd, die een directe voortzetting is van het oorspronkelijke heilige familie- en stamverband. Wij komen hier later nog op terug. In Europa was deze gemeenschapsorganisatie reeds lang op den achtergrond geraakt en de staat werd hier gevormd geacht door samenwerking der vrije mannen. In Rome waren dit de Romeinse burgers. Dit burgerschap met de eigen verantwoordelijkheid, uitgedrukt in rechten en plichten, paste slecht bij de van boven opgelegde ordening, die aan ieder zijn vaste plaats in het geheel aanwijst.

Deze tegenstelling werd nog op een zeer bijzondere wijze verscherpt door het Christendom, dat geleidelijk een groten invloed in het Romeinse rijk had gekregen. Rome was tolerant tegenover alle godsdiensten, maar het heeft de Christenen vanaf het eerste begin vervolgd. De Christenen vormden kleine secten, die zich buiten de gemeenschap stelden en die de komst van een andere wereld verwachtten, als deze wereld teniet zou zijn gegaan. Zij stelden zich niet tegenover den staat, maar zij achtten alles wat hem betrof van weinig belang in vergelijking tot de innerlijke onderwerping aan de leer van Christus en tot het Koninkrijk Gods en zij weigerden hardnekkig goddelijke verering en offers aan den keizer te brengen. Dit werd telkens weer de aanleiding tot vervolgingen. Bovendien verachtte de gemiddelde Romein het Christendom, omdat het anti-cultureel was, zich niet inliet met discussies en met de gemeenschap, maar een eigen innerlijke overtuiging zonder meer als absoluut liet gelden.

De Christenen bleven bij hun innerlijke zekerheid, alle vervolgingen ten spijt en zij vormden in een wereld van twijfel, scepticisme en relatieve waarden steeds meer de enige geestelijke macht, die gezag kon doen gelden. Het beroep op de innerlijke overtuiging van het geloof betekende een solide grondslag voor individuele geestelijke vrijheid [1]) en in de steeds groeiende Christengemeenten heerste een democratische broederschap onder de aristocratische leiding van de besten. Deze sfeer der eerste Christengemeenschappen had echter geen invloed op de overige maatschappij, wier streven door de Christenen als ijdelheid werd beschouwd tegenover het eigen zoeken naar het eeuwig heil. Nog betrekkelijk kort voor de Christelijke Kerk deze afzijdige houding opgaf en tot staatskerk werd, leidden de tegenstellingen met het staatsgezag tot hevige botsingen, toen Diocletianus het gezag van den staat op religieuze voorstellingen trachtte te vestigen en ook hij weer op de weigering der Christenen stiet. In het begin van de 4e eeuw werden daarom hun gemeenschappen op vele plaatsen ontbonden en hun bedehuizen vernietigd. Onder de opvolgers van Diocletianus ontstond echter een strijd om de macht en Constantijn, die den Christenen gunstig gezind was, behaalde daarbij de overwinning. Deze schonk het Christendom volkomen geloofsvrijheid, terwijl hij tevens den totalitairen regeringsvorm trachtte te behouden.

Dank zij de leidende positie, die zij langzamerhand kreeg, verhinderde de Christelijke Kerk, dat Europa onder het gezag van een Aziatisch despotisme geraakte, ten eerste omdat de aanbidding van

[1]) In het tweede deel kom ik hierop nader terug.

een mens daarmee onverenigbaar werd geacht en ten tweede omdat in de kerken een vrijheidsbegrip gold, dat – hoewel geestelijk in wezen – veel van de redelijke vrijheid der Grieken en van de sfeer van Romeinse vrijheid als burgerschap had overgenomen. Dawson schrijft hierover [1]: „Tijdens het latere Keizerrijk nam de Kerk steeds meer de plaats in der oude burgerlijke organisatie als orgaan van het volksbewustzijn. Zij was niet de oorzaak van den ondergang der stadsorganisatie, die aan eigen zwakte bezweek, maar zij was een soort plaatsvervangster, waardoor het leven van het volk zich in nieuwe vormen kon uiten. De burgerlijke instellingen, die de basis der oude maatschappij waren geweest, bleken tot vormen zonder inhoud verworden; feitelijk waren politieke rechten veranderd in fiscale verplichtingen. Het burgerschap der toekomst lag in het lidmaatschap der Kerk. In de Kerk vond de gewone man materiëlen en economischen bijstand en geestelijke vrijheid. De mogelijkheid tot vrijwillige sociale activiteit en vrije samenwerking, die door het bureaucratisch staatsdespotisme werd verstikt, bleef bestaan in de geestelijke gemeenschap der Kerk: aan haar dienst wijdde zich dan ook het beste wat in die dagen gedacht en gedaan werd."

De nieuwe staatskerk kon een geestelijke regeneratie voorbereiden, die de oude waarden door eeuwen van duisternis en verwarring levend wist te houden, zij vermocht niet het maatschappelijke verval te keren. De Kerk had ook geen eigen principes ontwikkeld voor de ordening der maatschappij en de keizers beproefden verder met allerlei organisatorische maatregelen, die geen innerlijke vernieuwing betekenden, een eenheid te maken. Vooral het Westen van het Romeinse Rijk was verzwakt en ontvolkt en het centrum verplaatste zich naar het Oosten, waar Constantijn de nieuwe hoofdstad Constantinopel had gesticht. Daar heersten nu erfelijke keizers met een Oosters hofceremoniëel, maar met de Christelijke Kerk als geestelijke macht naast zich en met een ingewikkelde bureaucratie, die het land bestuurde volgens de lijnen van vast georganiseerde verplichte werkzaamheden, waarbij landbouw, scheepvaart, industrie tot staatsdiensten waren verplicht. De dure ambtenarij verhoogde de kosten van het leven, de prijzen stegen, de waarde van het geld was onzeker geworden en oorlogen en anarchie noodzaakten tot steeds tyranniekere requisities. Het keizerrijk viel al spoedig uiteen in een Oost- en West-Romeins rijk, waarvan het laatste aan het einde der 5e eeuw door de barbaren werd overwonnen. Het Oost-Romeinse rijk heeft de stormen gedurende eeuwen doorstaan tot de rest ervan in 1453 door de verovering van Byzantium door de Turken uiteindelijk ophield te bestaan.

Het feit, dat het Byzantijnse rijk een zoveel grotere weerstands-

[1]) Dawson o.c. blz. 58.

kracht getoond heeft dan de oorspronkelijke Romeinse gebieden, kan tot vele bespiegelingen aanleiding geven. In dezen meer Oostersen staatsvorm zijn, naar het schijnt, elementen aanwezig, die het leven voor de burgers van een dergelijken staat aannemelijk maken, ook al bezitten zij niet de vrijheden van Hellas of van Rome. Dit punt is niet enkel van historisch belang. De opkomst van totalitaire staten in onzen tijd noopt ons de vraag onder de ogen te zien, of ook de Westerse mens zijn geluk in een dergelijken staatsvorm zou kunnen vinden. Voor ons oordeel is het Byzantijnse rijk vooral verbonden met „byzantinisme", met een algemene verstarring van vormen en slaafse onderwerping aan gezag, die geen oorspronkelijke schepping toelaat en het menselijk leven bindt in een ceremoniëel van uiterlijke kleinzieligheden. Maar hoe komt het dan, dat de Aziatische mens onder soortgelijke omstandigheden hoogstaande culturen heeft kunnen ontwikkelen, die hem waardevoller toeschijnen dan de meer dynamische Europese maatschappij? Het lijkt gewenst nader op deze vraag in te gaan. Alvorens dat te doen, willen wij het wezenlijke van het Romeinse vrijheidsbeleven nog eens samenvatten.

De Romeinse burger voelde zich vrij in een gemeenschap, die in onderling overleg geordend was door vaste rechten en vaste plichten, die weliswaar ook weer door onderling overleg konden worden gewijzigd, maar waaraan geen mens of geen groep willekeurig iets mocht veranderen. De afspraak, het contract, de norm, het recht gelden hier als heilige grondslag van de samenleving. Het Romeinse burgerschap houdt den trots in zich te mogen wijden aan een gemeenschappelijk ideaal, het schept een samenbindend gevoel van eigenwaarde door het aanvaarden van bepaalde normen. Hierin is de aristocratische grondslag van het vrijheidsbeleven gegeven, dat men zich uiterlijk en innerlijk bevrijdt van willekeur en toeval. Door bepaalde gebondenheden vrijwillig te aanvaarden, kan men dan in den eigen levensstijl een waarborg vinden tegen overrompeling van buiten en van binnen.

In deze levenshouding ligt een grote kracht om de eigen gemeenschapsvormen te verwezenlijken. Zij is exclusief, ziet alleen het eigene, staat daardoor weinig open voor problemen en voor vernieuwing. De Romeinen hadden bij voorbeeld een voortreffelijke infanterie, maar ze hebben nooit een behoorlijke cavalerie geschapen, die zij vooral in het Oosten nodig hadden, om de bereden legers der tegenstanders te kunnen verslaan. Zij hebben uitnemende wegen aangelegd door het gehele rijk, maar de vervoermiddelen werden niet veranderd en zij hadden weinig oog voor natuurkunde en voor mechanische en economische verbeteringen. Alle geestdrift en energie ging op in het handhaven en verbreiden van de eigen rechts- en gemeenschapsvormen. De uitbreiding van het Romeinse burgerschap tot andere volken geschiedde uiterst langzaam en onder groten tegenstand. Pas in 212 n. Chr. onder Caracalla werd het burgerschap voor alle vrijgeborenen in het rijk opengesteld. [1]) Een dergelijke formele regeling kon echter pas het begin van een verbetering betekenen, want het ging er toch in de eerste plaats om den *geest* van het Romeinse burgerschap ingang te doen vinden. Dit was, zoals wij zagen, geschied bij de aristocratieën der nieuwgestichte of georganiseerde steden in de provinciën en daarmee was de grondslag van de Romeinse vrijheid ook inderdaad versterkt. Maar deze aristocratieën werden tot dit ideaal opgevoed en leefden in een milieu, dat bepaalde eisen stelde. Toen deze eigen stijl verzwakte, waren zij niet langer in staat anderen tot voorbeeld te zijn en het moet een lapmiddel geacht worden het burgerrecht uit te breiden zonder een daarbij behorende opvoeding, die in staat stelt de plichten te aanvaarden en een juist gebruik te maken van de rechten. Evenals de Grieken hebben de Romeinen ons een probleem nagelaten, namelijk hoe de opvoeding tot het burgerschap zo goed en zo algemeen mogelijk gemaakt kan worden, en wel zó, dat een groot aantal inwoners van een stad of een land kan deelnemen aan de regering van deze in wezen aristocratisch gerichte gemeenschap en degeneratie door geldbezit, weelde, gemakzucht en hoogmoed wordt voorkomen.

Vrijheid als verbondenheid (de Oosterse totalitaire staat).

De eigenlijke totalitaire staat is een schepping van het Oosten en hij is in wezen veel ouder dan de aristocratische democratie. Zowel de afstand in tijd als in ruimte maken het voor ons Westerlingen moeilijk, het wezenlijke in dezen gemeenschapsvorm te begrijpen. Wij kunnen lezen van dynastieën en veroveringen. Wij kunnen de architectuur en de kunstvoorwerpen van deze verre volken bewonderen, maar wanneer onze fantasie hun wijze van beleven tracht na te vormen, dan is er alle kans, dat wij daarin volkomen tekort schieten, omdat de grondslagen van hun leven zo geheel anders zijn dan de onze. Daarom is het nuttig, als uitgangspunt geen historische feiten uit een ver verleden te nemen, maar het getuigenis van iemand, die nog ongeveer tot onze tijdgenoten gerekend kan worden, die dus een wijze van beleven heeft, gelijk aan de onze en die vrij lang en intensief in zichzelf de tegenstelling heeft beleefd met een dergelijken Oostersen gemeenschapsvorm.

De Engelse schrijver Lafcadio Hearn heeft in 1904, nadat hij 14 jaar in Japan had geleefd, een uitvoerige studie over dit land in het

[1]) In het begin der 1e eeuw v. Chr. was het burgerrecht aan alle Italische landen gegeven en in de 1e eeuw n. Chr. was het ook daarbuiten in verschillende landen verbreid.

licht gegeven [1]), waarin hij tracht het wezen van land en volk voor ons te verduidelijken. Daarin beschrijft hij zijn ontmoeting met een volk, dat pas ongeveer een kwarteeuw zijn besloten Oostersen levensvorm had opgegeven en dat nog grotendeels in dien ouden geest voortleefde. De eerste indruk bij een dergelijke ontmoeting is die van een vreemde, bekoorlijke droom, waarin alles anders gaat dan wij het gewend zijn, maar waarin een grote mate van eenheid en harmonie heerst. In deze wereld van bekoorlijke omgangsvormen, van verzorgden stijl in alle levensuitingen, waar alle vormen en kleuren een aangeboren schoonheidszin verraden, voelt de vreemdeling zich aanvankelijk opgenomen in een ideale atmospheer, die het gejaag, den wedijver en de lelijke voorlopigheid van de Westerse wereld niet kent. Pas geleidelijk leert die vreemdeling inzien hoe deze stijlvolle eenheid is ontstaan en wat de prijs is, dien een dergelijk volk in zijn geestelijk leven betalen moet om deze harmonie te scheppen.

Deze geconsolideerde gemeenschapsvorm, waarin een ieder zijn plaats vindt en zijn rol in het leven nauwkeurig kent, is door eeuwen en eeuwen heen tot deze vastheid en preciesheid gegroeid. Het leven van het volk drukt er zich in uit en hij laat geen plaats voor individuele vormgeving. Het Japanse volk is trots op zijn eeuwenoude geschiedenis en het wordt geregeerd door de oudst bekende dynastie, die van goddelijken oorsprong wordt geacht. Hiermee valt reeds dadelijk een eigenschap op, die den Westerling vreemd voorkomt, namelijk dat de gemeenschap en de regerende machten een religieuze autoriteit bezitten. Zeker, wij kennen ook het koningschap bij de gratie Gods, maar dit is in wezen toch geheel anders: het is meer een persoonlijke relatie tussen God en den heerser. In het Oosten is de gehele volksgemeenschap iets heiligs en omdat de keizer de eerste plaats in die gemeenschap inneemt, is hij vanzelf ook bijzonder heilig. Niet de enkeling heeft daar zijn persoonlijke verhouding tot de goddelijke macht, maar de gemeenschap in haar vaste gegroeide vormen wordt als de manifestatie van goddelijke machten beschouwd. Deze goddelijke machten worden daar dan ook als identiek beschouwd met het voorgeslacht, niet alleen met de voorvaderen van den keizer, maar met het verband van voorvaderen van alle tegenwoordig levenden, die tezamen deze heilige orde, waarin het volk leeft, hebben geschapen.

Voor deze zienswijze, die haar wortels vindt in de vooroudersverering, zijn geesten en goden oorspronkelijk één en al de doden worden goden en krijgen bovenmenselijke macht. De macht van deze wereld der doden wordt geweldig geacht. Al naar de positie, die zij in het leven hadden, controleren en beïnvloeden zij nog de familie, den stam, de provincie en het rijk. Het aantal godheden en

[1]) Lafcadio Hearn, Japan, An attempt at Interpretation.

geesten was aldus natuurlijk overstelpend groot, maar hun verering kon samengevat worden in een kort gebed en men moet ze ook niet te individualistisch zien naar onze Westerse begrippen, omdat ook zij deel uitmaken van het geheel van het volksbestaan. De levensvormen, en de gemeenschapsvormen, die in het volk zijn gegroeid, staan aldus onder het heilig en onverbiddelijk gezag van het voorgeslacht, ze zijn de manifestatie van onzichtbare machten, die ieder met ontzag en eerbied vervullen. De gemeenschap wordt door een ieder beleefd als een heilige orde, die hulp en steun en verbondenheid biedt aan allen, die daarin zijn opgenomen. Wie zich daaruit los zou maken vervalt in de uiterste eenzaamheid, want een zelfstandig bestaan is onmogelijk voor den mens, die geheel op de collectieve gemeenschapsvormen is ingesteld. Verbanning is dan ook in het oude Japan erger dan de dood.

De individualistische Westerling kan zich onmogelijk de gebondenheid voorstellen, waarin het Japanse volk leefde vóór de openstelling voor het Westen en de reorganisatie der regering in 1867. Ongeveer 250 jaar lang was Japan een volkomen afgesloten eenheid geweest onder het gezag der Tokoegawa Shogoens, een dynastie van militaire heersers, die het wereldlijk gezag aan zich hadden getrokken, terwijl de dynastie der Mikado's als geestelijke heersers een volkomen afgesloten bestaan leidde. Voordien was Japan veel minder een eenheid en streden de verschillende clans om de macht, waarbij ook toen de Mikado dikwijls meer een religieus symbool dan de werkelijke heerser was. Deze strijd tussen de adelijke families, geleek op den chaotischen toestand in onze Middeleeuwen, maar hij speelde zich af tegen een anderen achtergrond, omdat het familie- en het stamverband in Japan nog een onaangetast gezag bezat. De overgeleverde tradities waren aan een ieder heilig – ook al waren zij op verschillende plaatsen zeer verschillend – omdat de eerbiedwaardige macht van de doden daarin was uitgedrukt. Ook de komst van het Boeddhisme, dat vanaf ongeveer 600 vele nieuwe ideeën en Chinese levensvormen naar Japan overbracht, heeft den Shinto-godsdienst, waarin het Japanse volk zichzelf, zoals het zich historisch ontwikkeld had, aanbad, niet kunnen verdringen. De eigen levensvormen bleven één groot religieus geheel, dat aan het leven van iederen enkeling zijn zin bleef geven, ook toen het meer persoonlijke zoeken van de verlossing door het Boeddhisme als mogelijkheid werd verkondigd.

De Shinto-godsdienst is als echte volksgodsdienst een directe voortzetting van de voorouders-verering van den primitieven mens, die het zich voortzettende leven der geslachten met het telkens herscheppen van dezelfde levensvormen als een heilig principe ervaart. Door het algemeen gezag van deze heilige ordening kon ook een tijd van chaos de traditionele verbondenheden, waarin de enkeling leefde, niet verbreken en de Tokoegawa Shogoens vonden dus bij het centraliseren van het gezag een vasten grondslag om de bestaande gemeenschapsvormen nader te preciseren en door wetten vast te leggen. Reeds vanaf het begin van deze beschaving wordt in deze gemeenschapsorganisatie het gehele leven van den staatsburger van tevoren voor hem geregeld: zijn beroep, zijn huwelijk, zijn rechten op vaderschap, zijn rechten om eigendommen te bezitten of er over te beschikken, dit alles is in religieuse regels vastgelegd. Niet alleen oefenen bepaalde autoriteiten het toezicht daarover uit, maar de gehele gemeenschap controleert iederen enkeling nauwkeurig op het naleven der wetten en gebruiken, omdat bij een ernstigen inbreuk niet alleen de betrokken persoon, maar zijn gehele groep met vernietiging wordt bedreigd, als hij de heilige waarden in gevaar heeft gebracht. Dit toezicht van allen op ieder wordt in de hand gewerkt, doordat geen mogelijkheid bestaat zich af te zonderen. Ieder huis moet voor bezoekers open zijn en ieder moet bij zijn daden rekening houden met de mening der gemeenschap.

Deze eeuwenoude tyrannie van de gemeenschap over alle levensuitingen van den enkeling werd in de Tokoegawa-periode in wetten vastgelegd. De regeerders dicteerden hoe de individuele mens – man, vrouw of kind – moest gekleed gaan, moest lopen, zitten, spreken, eten, drinken en werken. Het vermaak was niet minder streng geregeld dan het werk. Bij voorbeeld was iedere bijzonderheid in het leven van den boer door de wet bepaald. Bij een zekere rijstopbrengst van zijn land behoorde een huis van voorgeschreven afmetingen, dat naar gelang van den bepaalden stand van den inwoner al of niet met pannen gedekt mocht zijn, al of niet kamers met alkoof en met een zeker aantal ramen mocht hebben. De familie van den boer mocht geen zijde dragen en de versierselen, het materiaal van de kleding, zelfs de kleur en de patronen ervan waren bij de wet vastgesteld. Bij het huwelijk van een zoon of dochter waren de gerechten van het feestmaal, de kosten van de cadeaux, de kwaliteit van de ene waaier, die de bruid mocht ontvangen, bij de wet geregeld. De mate van luxe was nauwkeurig voorgeschreven, tot aan het goedkoopste speelgoed toe, dat een kind met zijn verjaardag mocht ontvangen.

Dezelfde dwang gold ook voor het spreken. Een ieder had vanaf zijn vroege jeugd te leren, dat men alleen bepaalde werkwoorden en voornaamwoorden mocht gebruiken, wanneer men tot meerderen sprak, terwijl andere woorden weer speciaal voor gelijken of voor minderen waren bestemd. Voor de hogere standen was deze etiquette van het spreken dusdanig ontwikkeld, dat alleen jarenlange oefening iemand in staat stelde hierin het meesterschap te bereiken. Verschillende klassen van de gemeenschap gebruikten verschillende taalvormen en ook de geschreven taal was door de conventie nauwkeurig geregeld. De verschillende graden van buigingen en plichtplegingen, de gezichtsuitdrukking, die daarbij noodzakelijk was, de wijze van glimlachen, van ademen, van zitten en opstaan was voor bepaalde situaties nauwkeurig vastgesteld. Iedere uiting van pijn of boosheid moest niet alleen worden onderdrukt, maar het gelaat van den betrokkene diende het omgekeerde uit te drukken. Mokkende onderwerping werd als een belediging beschouwd. In al deze zaken werd de grootste beheersing en de meeste preciesheid van de samoerei, den adel en hun families, geëist. Deze klasse had dan ook het recht toezicht te oefenen op de goede manieren bij anderen en deze zo nodig af te dwingen. Een samoerei had het recht een gewonen man neer te houwen, als deze zich anders gedroeg dan van hem verwacht mocht worden. In het algemeen stond het volk onder den dwang van strenge en wrede straffen.

Wij moeten er ons over verwonderen, dat een volk onder zulk een overmatigen dwang kan leven, maar, zegt Lafcadio Hearn, „hoe vreemd dit feit moge schijnen, het volk werd er niet ongelukkig door en zij vonden de wereld schoon, niettegenstaande al hun lasten. De verklaring daarvan is niet moeilijk te geven. De dwang werd niet alleen van buiten uitgeoefend: hij werd vóór alles van binnenuit gehandhaafd. Het ras had zichzelf deze discipline opgelegd en alleen de godsdienst kan een volk in staat stellen een dergelijke discipline te verdragen zonder te degenereren tot sufferds en lafaards.” [1]) Door deze eisen te verinnerlijken zijn bepaalde eigenschappen den gemiddelden Japanner tot een tweede natuur geworden en vond men daar geduld, onzelfzuchtigheid, vriendelijkheid, onderdanigheid en groten moed algemeen verbreid in den tijd, waarin Lafcadio Hearn schreef. Maar tegelijk werd alle geestelijke en morele differentiatie onderdrukt, kwam de ontwikkeling van de persoonlijkheid niet tot haar recht en ontstond één gelijkvormig en onveranderlijk karaktertype. Vandaar, dat de atmosfeer van deze gemeenschap, die den Europeaan op het eerste gezicht harmonisch en bekoorlijk aandeed, op den duur iets beklemmends kon krijgen door het gemis aan spontaneïteit en individualisme.

Deze gemeenschapsdwang, waarbij persoonlijkheid, ondernemingsgeest en wedijver min of meer als een aantasting van de goede zeden worden beschouwd, is allerminst tot Japan beperkt, maar het is een verschijnsel, dat wij in het gehele Oosten en ook in de vroegste tijden in Europa en in andere werelddelen vinden. Heden ten dage kan men dezen gemeenschapsvorm nog bestuderen in de kleinere gemeenschappen van Indië en China en wij vinden hem zowel bij de oude

[1]) O.c. blz. 199.

Egyptenaren en bij de Inka's in Peru als in de vroegste geschiedenis der Grieken en Romeinen. Wanneer een moderne Europeaan zich zou kunnen verplaatsen naar het oude Egypte, dan zou de gemeenschap daar hem waarschijnlijk op een soortgelijke wijze versteld hebben doen staan als Lafcadio Hearn verbijsterd werd door zijn tegenstrijdige indrukken in Japan. Hierin ligt wel de grote tegenstelling tussen het Oosten en het Westen, dat daar de collectieve geest alles doordringt, terwijl hier het onafhankelijke individu zijn stempel zet op alle dingen.

Wij staan hier voor een zeer belangrijke tegenstelling met haar uitersten van collectivisme en individualisme. De Westerse wereld was tot voor kort in hoge mate individualistisch, maar deze gemeenschapsvorm wordt thans van verschillende zijden aangetast en het heeft er den schijn van, dat hij in zijn tegendeel dreigt om te slaan. De tegenstelling met het Oosten wordt daardoor minder scherp. Wij zagen reeds, dat het individualisme in Japan als een kwaad werd beschouwd. Daar gaat het belang van de familie en van het eigen land voor alles. De Oosterse denkers hebben in het individualisme den wortel van alle kwaad gezien. Het Boeddhisme ontkent de zelfstandige eenheid van de persoonlijkheid en Oosterse godsdiensten streven ernaar, het persoonlijk bewustzijn op te heffen. Niet de zelfhandhaving of zelfontwikkeling, maar het opgaan in het Al wordt daar als bevrijding gevoeld. Dit brengt ons tot de vraag naar het vrijheidsbeleven in een dergelijke gemeenschap.

Zoals Lafcadio Hearn aangaf, gevoelt de gemiddelde Japanner zich niet ongelukkig of onvrij in een dergelijke bindende collectiviteit. Deze zelfde ervaring kunnen wij verwachten in het oude Mesopotamië of in het oude Egypte. Er bestaat daar en er bestond in alle oudere gemeenschapsvormen niet de minste behoefte aan een individuelen levensvorm als uitdrukking van individueel vrijheidsbeleven. Men zou zich voor een dergelijke apartheid daar geweldig hebben geschaamd. De maatschappelijke vrijheid wordt hier beleefd als verbondenheid. Dit beleven is verwant aan het gevoel van vrijheid tegenover de natuur, maar de verbondenheid wordt hier minder beleefd als afhankelijk van het lot en meer als een zich eerbiedig en gehoorzaam voegen onder een machtige, beschermende autoriteit. Dit gemeenschapsgezag neemt vooral vaderlijke allures aan, maar voor Westerse opvattingen wordt dit vaderlijke te gemakkelijk als een persoonlijke verhouding gezien. Behalve de kinderlijke eerbied voor het ouderlijk gezag en de daarmee verbonden trouw aan den meester of den chef, is hier in den achtergrond nog een ander machtig element aanwezig: de eerbied en de verbondenheid tegenover de gemeenschap. In zijn beschrijving van de grondslagen van godsdienst, ethica en staat in China heeft De Groot hiervoor het woord „universisme" gebezigd. [1]) Ook de wetenschap wordt daar in dit systeem opgenomen, dat het gehele leven in al zijn verschijningen als een magisch, religieus geheel beschouwt. De zin van de maatschappelijke vormen, zowel als van de opvoeding, bestaat daarin, dat de mens er toe gebracht wordt, in overeenstemming te leven met den geest van het Al, het Tao, dat zowel aan de natuur als aan de gemeenschap ten grondslag ligt. Daar alle levensverschijnselen één geheel vormen, is het begrijpelijk, dat men trachtte den zin van het gebeuren uit kleinigheden af te lezen, wat het geloof aan orakels en waarzeggerij in de hand werkte. Ook is vanuit deze levensbeschouwing de invloed van ceremoniën en rituele handelingen verklaarbaar, omdat iedere handeling, die op de juiste wijze geschiedt, er toe bijdraagt, dat de zin van het leven zich in alles kan openbaren. Vandaar dan ook, dat het bij deze religieuze volkseenheid van het grootste belang wordt geacht, dat de keizer of de koning bepaalde rituele handelingen in den voorgeschreven vorm verricht. In het oude China heerste de opvatting, dat alles goed ging in het rijk, als maar de keizer met de juiste innerlijke gesteldheid rustig op zijn troon zat.

Deze oude, heilige, vaste gemeenschapsvormen hebben zich soms duizenden jaren kunnen handhaven in een overtuigd conservatisme. Ons vallen daarbij in de eerste plaats de bezwaren op, die het leven in een dergelijke maatschappij ondragelijk eentonig en gebonden doen schijnen. Alles ging er rustig zijn gang volgens eeuwige wetten; ieder droeg zijn beperkte verantwoordelijkheid en streefde niet buiten de beperkingen, waarin zijn leven was gesteld. Wedijver en naijver werden daar als zeer onbehoorlijk beschouwd en wie iets zou willen veranderen, ging daarmee lijnrecht in tegen de goddelijke orde. Alleen op kunstgebied kwam de scheppingsdrang van den mens tot uiting en daardoor ontwikkelde het leven zich tot stijlvolle schoonheid.

Nu de eenzijdigheden van onze industriële beschaving steeds meer aan den dag komen en bij velen een onbehaaglijk gevoel ontstaat tegenover een culturele ontwikkeling, die alle menselijke verbondenheid dreigt af te breken, komen de gunstige zijden van de collectivistische gemeenschap veel meer naar voren. Onze tijd is zo „dynamisch" geworden, dat de gemeenschapsstructuur den enkeling geen veiligheid meer biedt, daar hij op niets meer vast kan rekenen en de dwang van bepaalde verbondenheden lijkt het enige geneesmiddel tegen vereenzaming en chaos. Wij beseffen weer, dat het beleven van vrijheid iets anders is dan ongebondenheid en wij kunnen, bij alle critiek, in den Oostersen totalitairen staat culturele waarden erkennen,

[1]) J. J. M. de Groot, Universismus, Die Grundlage der Religion und Ethik des Staatswesens und der Wissenschaften Chinas. 1918.

die wij missen. In landen als Duitsland, Italië en Rusland is de totalitaire staat tot universeel geneesmiddel verklaard tegen het democratische en liberale individualisme. Wij zullen den strijd om den juisten gemeenschapsvorm, die thans de wereld verscheurt, later meer in bijzonderheden beschouwen, maar het kan zijn nut hebben hier nog enige bijzonderheden van den Oostersen totalitairen staat in het licht te stellen.

Een volk, dat in een dergelijken gemeenschapsvorm leeft, heeft in het familieverband en in het dorpsverband een grondslag van intensieve verbondenheid, die vrijwel alle levensuitingen betreft en die deze als heilige eenheid doet beleven. Ook daar, waar, zoals in Indië of in China, reeds lang niet meer de heilige eenheid van het gehele volk bestaat, die zich in Japan zo duidelijk openbaart, vindt men toch overal in Azië, veel meer dan in het Westen, het besef van de oorspronkelijke biologische verbondenheid in het familie- en het stamverband. De staat wordt dan gezien als een overkoepeling van het leven in die kleine gemeenschappen, óf wel hij wordt zelf beleefd als een groot familieverband. Want voor deze opvatting is alle echte gemeenschap organisch en alleen in dien vorm heilig. De verbondenheid der mensen is gegroeid, ze wordt niet willekeurig gemaakt, zoals in de Westerse cultuur.

Zeker vindt men hier in het Westen ook nog wel dezen zelfden grondslag, vooral op het platteland. Dorpen, die zich door een bijzondere klederdracht onderscheiden en waar de gebruiken en de godsdienstige gemeenschap iets afgescheidens hebben, alleen aan die streek eigen, doen denken aan de volksverbondenheid van het Oosten en leggen den enkeling ook hier in grote mate een gemeenschapsdwang op. Maar bij ons zijn dit opvallende uitzonderingen. Het mag waar zijn, dat ook wij in de diepte van ons zieleleven veel meer gebonden zijn aan collectieve vormen dan wij in ons individuele bewustzijn meestal beseffen. Vooral de Zwitserse psycholoog C. G. Jung heeft daarop gewezen en deze opvatting in het begrip van het collectieve onbewuste vastgelegd. Maar dit neemt niet weg, dat de Westerse wereld in het algemeen door het individualisme wordt beheerst, ook in haar gemeenschapsvormen. De gemeenschap wordt hier in de eerste plaats ervaren als een vrije samenwerking van enkelingen, terwijl zij in het Oosten als de eerste maatschappelijke werkelijkheid geldt, waartegen de individuele verschijnselen als iets onbelangrijks wegvallen.

Lin Yutang wijst er in zijn beschouwingen over de Chinese cultuur [1]) op, dat de Chinese taal alleen de familie kent en den staat, maar dat een woord voor maatschappij daarin niet voorkomt. De vrije associatie van individuele mensen ontbreekt in het Oosten en

[1]) Lin Yutang, My Country and my People, 1936.

begrippen als gemeenschapszin, burgerplichten, dienst aan de gemeenschap komen daar niet voor. Godsdienstige erediensten, politiek en sport, die in het Westen alle berusten op vrijwillige samenwerking, zijn in China niet te vinden. Er zijn geen kerken en geen geloofsgemeenschappen. Wie zich met sociaal werk wil bemoeien, wordt met achterdocht bekeken, maar ieder heeft deel aan familiebelangen en familieïntrigues. Het aanzien en de belangen van de familie gaan in alle zaken vóór de wensen en de behoeften van den enkeling en de familie is het uitgangspunt voor elk moreel gezag. De Chinees verwacht, dat de maatschappelijke orde vanzelf tot stand komt als ieder zijn plaats weet en deze plaats betekent vooral de juiste verhouding tot de familie. Het Confucianisme, dat deze verhoudingen zorgvuldig heeft vastgelegd, zag over het hoofd, dat ook een menselijke verhouding tot den vreemde bestaat. Het is duidelijk, dat de staat bij een dergelijke maatschappelijke structuur alleen óf een groot sacraal volksverband zal zijn, even heilig en oorspronkelijk als de familie, óf wel hij valt ten prooi aan intrigues van machtige families, die in hem een instrument zien om de gemeenschap uit te buiten.

Wij willen de verklaring van deze belangrijke tegenstelling in den maatschappelijken grondslag van Oost en West verder aan meer bevoegden over laten. Voor ons begrip van de tegenwoordige problemen is het voldoende, op deze fundamentele verschillen te hebben gewezen. Wij moeten thans terugkeren naar den lateren Romeinsen Keizertijd, toen reeds eerder in de geschiedenis van Europa de oplossing voor regeringsproblemen gezocht werd in een totalitairen staatsvorm, dien Aurelianus en Diocletianus in dien tijd aan de Egyptische gemeenschapsvormen ontleenden. Deze poging om de eenheid van het Romeinse Rijk te handhaven door het vestigen van een heilig, alles omvattend staatsgezag is in het Westelijk deel van het Rijk volkomen mislukt, maar hij heeft zich in het Oostelijk deel tot een stabielen vorm ontwikkeld, waaraan wij thans nog wat meer aandacht moeten wijden.

Van een psychologisch gezichtspunt beschouwd, is het begrijpelijk, dat de poging om het Romeinse Rijk tot een totalitairen staat te vervormen op een mislukking moest uitlopen. Wat men overnam van den Oostersen staat, was de uiterlijke organisatie, de hiërarchie van ambtenaren en militairen, het invoegen van iederen boer en burger in het geheel van den staat en het heilig verklaren van het centrale gezag, dat dit geheel tot iets onaantastbaars moest maken. Maar de grondslag voor deze eenheid ontbrak. Wat er tevoren aan eenheid bestond, was een eenheid van geestelijke en sociale houding van een elite, die aristocratisch-individualistisch was georiënteerd. De gegroeide eenheid, wortelend in het familie- en het stamverband, had reeds lang in deze aanvankelijk militairistische wereld haar invloed verloren. De troebele tijden van de volksverhuizing sloegen de volken nog verder uit hun oorspronkelijk verband. De verstandelijke ontwikkeling had tevoren reeds alle waarden gerelativeerd en den ontwikkelden Romein steeds individualistischer gemaakt. Hij kon geen bijzonder respect hebben voor de nieuwe totalitaire organisatie en trachtte daarvan te halen wat er van te halen viel. Dientengevolge was een steeds toenemende contrôle nodig, die geheel door ambtenaren moest geschieden (niet zoals in Japan door de burgers zelf) en een dwingend stelsel van regels en wetten, dat telkens weer te kort schoot.

In het Westen van het Romeinse Rijk heeft deze kunstmatige totaliteit zich ook niet lang kunnen handhaven. Des te opvallender is het feit, dat het lot van het Oost-Romeinse Rijk zo geheel anders is geweest en dat hier het nieuwe stelsel ondanks zijn fouten en ondanks vele dreigende gevaren van buiten, ongeveer duizend jaren heeft voortbestaan. De Engelse historicus Dawson verwijt aan de meeste geschiedschrijvers, dat zij te weinig aandacht hebben geschonken aan dit feit en dat zij de Byzantijnse beschaving teveel hebben gezien als een aanhangsel der Romeinse geschiedenis, te weinig als een nieuwe schepping. „Wanneer wij de Byzantijnse cultuur willen begrijpen," zo schrijft hij, „en op haar juiste waarde schatten, is het onbegonnen werk haar te beoordelen naar den maatstaf van modern Europa, of zelfs van klassiek Griekenland en Rome. Veeleer moeten wij haar beschouwen in verband met de Oosterse wereld, haar plaatsen in haar eigen milieu naast de grote gelijktijdige beschavingen van het Oosten, zoals die van het Perzië der Sassaniden en het chalifaat van Damascus of Bagdad. – De nieuwe Perzische monarchie was, evenals die van het oude Egypte en het oude Babylonië, een sacrale monarchie, gebaseerd op religieuse opvattingen."

„Ook in Byzantium zetelt een sacrale monarchie, gebaseerd op den nieuwen wereldgodsdienst van het Christendom. Het heilige Roomse Rijk was dan ook de schepping, niet van Charlemagne, maar van Constantijn en Theodosius. In de vijfde eeuw was het een ware Kerkstaat geworden en de Keizer was een soort priester-koning, wiens gezag beschouwd werd als het aardse equivalent en de aardse vertegenwoordiging van de souvereiniteit van het Goddelijk Woord. Dientengevolge werd de macht des keizers niet langer vermomd onder de constitutionele vormen der republikeinse magistratuur, zoals in de eerste periode van het Keizerrijk gebeurd was; thans zien wij hem omringd van alle godsdienstig prestige en ceremoniële pronk, die het Oosters despotisme kenmerken. Heerser is de „orthodoxe en apostolische keizer". Zijn hof is het „Heilig Paleis", zijn bezittingen vormen de „Goddelijke Huishouding", zijn edicten heten „bevelen des Hemels" en zelfs de jaarlijkse belastingaanslagen zijn bekend als de „Goddelijke Omslag".

„Alle gezag berustte bij den Keizer of ging van hem uit. Hij was de top ener uitgebreide ambtelijke hiërarchie, die heel het leven van het Rijk in haar vangarmen omklemd hield. Iedere sociale en economische activiteit was onderworpen aan het meest nauwgezette onderzoek en de strengste reglementering; iedere burger, iedere slaaf, elk stuk vee en elk stuk grond stond in twee- of drievoud vermeld in de officiële registers.

„Behalve het leger en de Kerk opende alleen de burgerlijke staatsdienst de mogelijkheid om hoger te stijgen op den maatschappelijken ladder. De hogere ambtenaren vormden de nieuwe aristocratie en de Senaat zelf was niet meer dan een raad van oud-ambtenaren. Dit bureaucratisch stelsel is de kenmerkende trek van het latere keizerrijk. Het heeft zijn wortels in de bestuurstradities van de grote Oosterse monarchieën, Perzië en Egypte, maar het was gerationaliseerd en gesystematiseerd geworden door den Westersen geest." [1])

„In tegenstelling met het Westen werd het Byzantijnse Rijk, althans in de zesde eeuw, niet door geestelijken en ook niet door onontwikkelde soldaten bestuurd, maar gelijk China, door een ambtelijke klasse van litterati, die groot ging op haar kennis en haar wetenschap." [2])

De vaste structuur van het Byzantijnse rijk berustte op het ambtenarencorps, de welvaart op industrie en handel, maar de eenheid van geest was een religieuse en hierin bestaat vooral de overeenstemming met het Oosten. Wel was de godsdienst hier geen volksgodsdienst in den zin van den Japansen Shintodienst, maar het Christendom verving hier de oude vormen van religieuse volksgemeenschap en het schiep ook hier een gevoel van saamhorigheid en de tucht om zich te voegen in de heilige vormen van den staat. Het kon dit doen, omdat het vele van de vroegere religieuse vormen had overgenomen en omdat het hier dieper in het volk was doorgedrongen dan in het Westen, waar het gewone volk pas veel later door het intensieve zendingswerk der monniken werd bekeerd. Ook was de totalitaire staatsvorm hier veel meer van vroeger her ingeburgerd, wat vooral gold voor Egypte. Daar was Alexandrië ook reeds sinds geruimen tijd een geestelijk middelpunt.

Het volk van deze gewesten leefde niet mee met de politieke problemen, het had geen politieke rechten en het miste deze ook niet, maar voor den Byzantijn stond de godsdienstige gemeenschap op het eerste plan, terwijl economische en sociale zaken van minder belang

[1]) Dawson o.c. blz. 126–128.
[2]) O.c. blz. 138.

werden geacht. Het beleven van maatschappelijke vrijheid hing hier dan ook ten nauwste samen met het al of niet bestaan van de geestelijke verbondenheid, die van den godsdienst op het maatschappelijk leven uitstraalde. Vandaar, dat eenheid in godsdienstige zaken in deze wereld van een zo overweldigend groot belang werd geacht en dat het gehele volk heftig meeleefde in godsdienstige geschillen, die den modernen Europeaan onbelangrijk moeten schijnen. Vandaar ook de grote eerbied voor asceten, voor kluizenaars en monniken die wij eveneens in Oosterse landen vinden, waar sterke religieuse gevoelens de gemeenschap dragen en waar de mens de geestelijke wereld belangrijker acht dan de stoffelijke.

Een dergelijke maatschappij is van nature statisch en conservatief en zij kan eeuwenlang voortbestaan, indien zij niet door omstandigheden van buiten wordt vernietigd. Dit leert ook het voorbeeld van vele Oosterse culturen en van het oude Egypte. In deze gemeenschappen worden overgeleverde cultuurwaarden zorgvuldig bewaard, maar het leven verdwijnt geleidelijk uit deze vormen en de geest is hier meestal niet bij machte vernieuwingen of andere vormen van sociaal leven en nieuwe idealen te scheppen. Uiteindelijk zijn dan ook de nieuwe cultuurvormen uit het primitievere, meer chaotische, maar dynamische Westen van Europa voortgekomen, echter niet dan nadat dit ook allerlei van Byzantium had geleerd. Dit laatste vond een directe voortzetting in het latere Rusland, dat omstreeks 1000 n. Chr. den Grieks-Katholieken godsdienst aannam en in zijn cultuur in sterke mate door den Byzantijnsen geest werd beïnvloed. Het wist deze grondslagen te bewaren door alle rampen van zijn geschiedenis heen tot op het ogenblik, dat het bolsjewisme den godsdienst officiëel heeft afgeschaft. (Om haar in 1943 toch weer, zij het met beperkingen, toe te laten).

Conclusie.

De geschiedenis tot aan den ondergang der antieke beschaving stelt ons in staat sommige grote lijnen van de maatschappelijke ontwikkeling duidelijker te zien dan dit mogelijk is voor den eigen tijd, die ons oordeel bemoeilijkt, omdat wij in zijn woelingen en strevingen zijn bevangen.

Op maatschappelijk gebied is de huidige tegenstelling tussen de democratische en de totalitaire gemeenschapsstructuur zeker het belangrijkste verschijnsel. Het is daarom van belang, deze tegenstelling terug te vinden in den Romeinsen keizertijd, willen wij het wezen van die beide vormen beter in hun ontstaan begrijpen. Wij zien dan, dat de totalitaire gemeenschapsvorm verreweg de oudste rechten heeft. De grote rijken der oudheid in Azië, in Egypte, in Peru waren naar dezen grondslag gevormd en de democratieën van Hellas en Rome blijken in vergelijking daarmee een nieuw en betrekkelijk snel voorbijgaand verschijnsel. Wij kennen deze soort gemeenschap te weinig en beoordelen haar te gemakkelijk naar maatstaven, ontleend aan onze eigen individualistische samenleving. Wij zien haar strenge gebondenheid als tyraniek en dwang, ook al bewonderen wij deze zelfde gebondenheid in den schonen stijl van kunst- en levensvormen. Wij kunnen nauwelijks begrijpen, dat in deze algehele verbondenheid met de gemeenschap ook een bevrijdend element ligt, het vrij zijn van individuele verantwoordelijkheid en van individuele eerzuchtige doelstellingen.

Een tweede punt, dat voor den gemiddelden Westersen mens moeilijk is in te zien, wordt gevormd door de grote betekenis van een aristocratische klasse voor het ontstaan van een democratische gemeenschap. Zonder individualisme is een dergelijke gemeenschap ondenkbaar, maar dit individualisme ontstaat pas dan, wanneer de oude collectieve gemeenschapsstructuur uiteen is gevallen en de mensheid door den militairistischen gemeenschapsvorm van geleide menigte is heen gegaan. Het ontstaat ook niet vanzelf uit dien militairistischen vorm, integendeel, de meeste volken blijven in dien vorm steken. Het ontstaat alleen bij begaafde volken, die een sterke, zelfstandige aristocratie bezitten. Wel vinden wij hier de volksvergadering als oudere uiting van de collectieve verbondenheid van den stam, maar deze wordt pas tot democratisch instrument via een stadium van aristocratie, waarin die aristocratische klasse wetten en regels vastlegt en deze door welsprekende argumenten weet te verdedigen. Wij zagen hoe de ontwikkeling van stadstaatjes dezen gang van zaken heeft bevorderd.

De wisselwerking tussen het volk en deze aristocratische klasse, het juiste evenwicht tussen den invloed van beide machten blijkt een levensvoorwaarde voor de oude democratische staten. Overheersing van een kleine groep der rijken wordt even noodlottig voor deze gemeenschap als de door volksmenners geleide menigte, die het gezag aan een militairen tyran overgeeft. Deze beide uitingen zijn ontaardingen, die de gemeenschap terug doen glijden naar een vroegeren, primitieveren levensvorm. In vergelijking met den monarchalen staat of met den totalitairen staat is de aristocratische democratie een vrij labiele schepping, die gunstige voorwaarden behoeft voor haar ontstaan en voor haar bloei. Worden deze voorwaarden gevonden, dan komen de belangrijke voordelen van deze gemeenschap tot haar recht, die gelegen zijn in grotere menselijke verscheidenheid en oorspronkelijkheid, in de ontplooiïng van krachten en talenten door den wedijver en in de mogelijkheid van vernieuwing en verbetering op ieder gebied. Wij teren thans nog op den rijkdom aan ideeën en aan schoonheid van het oude Griekenland, lang nadat dit volk is heengegaan.

Het verval van de Grieks-Romeinse cultuur hangt nauw samen met de degeneratie en den ondergang van de aristocratische klassen, die het volk ten voorbeeld wisten te zijn en die uit dit volk kracht en steun ontvingen. De bevoorrechte positie van een aristocratische klasse wordt door een volk aanvaard, wanneer daaraan ook bijzondere plichten zijn verbonden, die in den oorlog en bij het aanvaarden van onbezoldigde ambten en vrijwillige leiding zware offers aan tijd, goed en bloed vragen en lastige verantwoordelijkheid doen dragen. Vallen deze verplichtingen weg, dan verliest de aristocratische klasse haar reden van bestaan, haar functie in de gemeenschap. Dan gaan niet langer tucht en stijl van haar uit, maar haar trots en aanmatiging, haar hebzucht en pronkzucht, haar machtsmisbruik en losbandigheid wekken dan de haat van het volk en het verbreken van de oude verbondenheid heeft des te noodlottiger uitwerking wanneer geen nieuwe groepen de leidende functie overnemen. De gemene maat, de „commun mesure," verdwijnt, waarin de eenheid van geest werd gevonden, de eerbied voor heilige normen gaat verloren en de dwang van militair geweld lijkt dan de enige reële basis voor het staatsgezag. Het volk wordt weer menigte en vraagt naar de sterke hand van een tyran.

Geen formele organisatorische maatregelen kunnen een dergelijke ontaarding van de gemeenschap tegenhouden. De toekenning van het Romeinse burgerschap aan alle vrijgelatenen schiep evenmin een verantwoordelijke burgerij als de toekenning van algemeen kiesrecht een democratische gemeenschap vormt. Als laatste geneesmiddel zien wij dan Aurelianus en Diocletianus den totalitairen staat uit Egypte in het Romeinse rijk importeren. Niet meer in de samenwerking van zelfstandige burgers, maar in het ambtenaarsschap voor iedereen wordt dan de grondslag gezocht voor een stabiele gemeenschap. De volkomen georganiseerde staat wijst aan ieder zijn plaats aan en schrijft hem zijn taak voor. Alles werkt nu als één groot methodisch georganiseerd geheel en het lijkt, dat de hiërarchie van ambtenaren onder het heilig gezag van den keizer nu eindelijk de volmaakte orde heeft gevestigd. Maar deze vernieuwing blijkt slechts ten dele te werken; zij gelukt vooral in de Oostelijke landen en in Egypte, waar de totalitaire staat zijn oude wortels nog niet heeft verloren. In het overige deel van het Romeinse rijk gaat het verval spoedig weer verder. Hier vindt deze orde niet den levenden grondslag van de oude Aziatische rijken, zij blijft een mechanische constructie, die de eerbied voor het gezag niet kan herstellen.

De bevolking van Zuid- en West-Europa had sinds vele geslachten den heiligen band van de familie, van den stam en het volk verloren. De mens stond hier individueel tegenover den staat, door vaste rechten en plichten verbonden, maar verre verwijderd van het collectieve conservatisme van den totalitairen staat. De individuele burger zal dan trachten de nieuwe regelingen zo goed mogelijk ten eigen voordele te gebruiken en hij zal zich laten dwingen als dat niet anders kan, maar hij schakelt zich niet in de totaliteit in, hij kan dat niet, omdat deze staat niet het gevoel van eerbiedige verbondenheid wekt, dat mystieke deel hebben aan het geheel, dat de grondslag vormt van den Oostersen totalitairen staat, of van de primitieve gemeenschap. De landen en volken, waarin het West-Romeinse rijk uiteen viel, waren weer militairistisch georganiseerd. Deze soort gemeenschappen, veredeld door resten van de Romeinse cultuur, worden gedurende de Volksverhuizing en in de vroege Middeleeuwen algemeen. De aristocratische democratie is dan verdwenen met de hoge beschaving, die zij had voortgebracht.

Ook in onzen tijd wordt de democratische cultuur bedreigd en er bestaan zeker punten van overeenkomst met den tijd, waarin de Antieke wereld is ondergegaan. Daarnaast zijn er ook duidelijke punten van verschil en geheel nieuwe factoren, die het nodig maken de verdere maatschappelijke ontwikkeling nader te bestuderen.

HOOFDSTUK III

VRIJHEID DOOR MIDDEL VAN BURGERRECHTEN

Opkomst der steden.

De Middeleeuwen tonen ons een beeld van algemenen maatschappelijken strijd en van primitieve en chaotische toestanden op ieder gebied. Alleen de Kerk wist oude godsdienstige en culturele waarden ten dele te behouden en zij heeft daarmee Europa behoed voor een volkomen verwildering. Maatschappelijke vrijheid was in dien tijd onmogelijk, daar iedere grondslag daarvoor ontbrak. De oude gemeenschapsstructuur van de Romeinse steden was vervallen, de aristocratieën, waarop zij berustte, waren verarmd en verdwenen, de steden zelf waren geplunderd of verwoest en hadden aan betekenis verloren. Ook de barbaarse volken, die Europa overstroomden, bezaten niet meer hun oorspronkelijke volksstructuur. De volksvergadering, die de mening van de vrije mannen tot uitdrukking bracht, raakte op den achtergrond tegenover het eenhoofdig militair gezag. Overal overheerste door den voortdurenden strijd de militaire gemeenschapsvorm, waarbij een krachtige heerser zijn wil oplegt aan een grotere of kleinere massa en waarbij trouw aan den leider, naast moed en naast volharding bij tegenspoed als de voornaamste menselijke deugden gelden. Geen volk kon zelf over zijn lot beschikken. Volken en landen werden veroverd, geërfd, getrouwd, verkwanseld, uitgeplunderd of verwoest door heersers. Geweld en willekeur van grote en kleine vorsten en ook van de kerkelijke machthebbers, waren aan de orde van den dag. Deze toestand, die vele eeuwen heeft geduurd, was tenslotte dermate gewoon geworden, dat het als een soort heilig recht van de machthebbers werd beschouwd te handelen naar eigen goeddunken. Deze opvatting heeft nog lang in het volksbewustzijn nageleefd.

De eerbied, vooral voor den gekroonden vorst, werd in de hand gewerkt door de herinnering aan de Romeinse keizers en door het Romeinse recht, dat naast het canonieke recht door de priesters werd geleerd. Niet de oude Republiek gold daarbij als maatstaf, maar de latere Keizertijd. De wetten daarvan waren door den Byzantijnsen Keizer Justinianus verzameld en zij spiegelden de Oost-Romeinse opvattingen van het heilig keizerlijk gezag. Zij vertegenwoordigden een ideaal beeld van orde, welvaart en vrede onder het absolute gezag van Keizer en Kerk. Het verre Byzantium belichaamde dit ideaal ook nog gedurende de Middeleeuwen en door de Kruistochten werd het weer een meer directe ervaring van de Westerlingen. Toen was echter ook reeds een Romeins Rijk naar Westers model ontstaan, eerst door Karel den Groten (in 800 tot Keizer gekroond), later belichaamd door de Duitse Keizers (sinds de kroning van Otto I in 962) en door de stichting van het Heilige Roomse Rijk. In het toenmalige West-Europa ontbrak echter de maatschappelijke structuur om een dergelijk rijk te doen slagen. In deze militairistische wereld kwam alles aan op de leidende persoonlijkheid en daar de Keizer door de Keurvorsten werd gekozen, hadden deze een speciaal belang erbij hem niet al te machtig te maken. Bovendien ontbrak hier de geestelijke achtergrond van den Byzantijnsen Keizer en wat hiervan aanwezig was, werd ernstig geschaad door den eindelozen strijd tussen Keizer en Paus om het hoogste gezag. De maatschappelijke verwarring bleef dan ook verder bestaan, tot het vestigen van nationale staten aan het einde der Middeleeuwen een vastere maatschappelijke structuur schiep. Deze verandering kreeg pas in het laatst der Middeleeuwen haar beslag. In het begin van de 10e eeuw was er nog geen sprake van nationale of staatkundige eenheden, alleen van volken en stammen met wisselende en niet al te scherpe grenzen. In de daarop volgende eeuwen ontstaat, vooral in Engeland, Frankrijk en Spanje het streven van bepaalde dynastieën om de afzonderlijke landen en gewesten samen te brengen onder de eenheid van een koningschap.

Gedurende en na de Kruistochten veranderde het leven in Europa zeer sterk. Voordien speelde het zich grotendeels af binnen de beslotenheid van hoeve, klooster en kasteel, die zelf grotendeels in de eigen behoeften voorzagen. De weinige steden waren klein en de plundertochten der Noormannen, der Saracenen en der Magyaren hadden overal in Europa hun bestaan bedreigd en vele ervan verwoest, zodat de weinige handel, die toen bestond, nog sterk was ingekrompen. In de 12e en 13e eeuw zijn deze gevaren geweken, neemt de handel – vooral de zeehandel – zeer sterk toe en raken de steden tot bloei, waarbij overal nieuwe steden ontstaan. Sommige ontstonden uit dorpen, die van muren en wallen werden voorzien, andere uit wijken van kooplieden en ambachtslieden, die zich om een kasteel of burcht hadden geschaard. „Stadsrecht wilde zeggen: exemptie (uitneming) uit het gemene landrecht, waarmee de steden een eigen bestuur kregen, dat hun economische positie regelen kon. Wel stelde in den beginne de landsheer dit bestuur, schout en schepenen, aan, maar in den loop der ontwikkeling kreeg de stad niet alleen de nominatie van deze functies in handen, maar werden de functionarissen ook tot de rechtspraak beperkt en kwamen naast hen de „raden", de voorvaderen van onze burgemeesters, maar niet als deze vertegenwoordigend het centraal, doch juist het locaal gezag. Hier eerder, daar later, maar tenslotte overal, ontwikkelden zich naast de raden de vroedschappen, het prototype van onzen gemeenteraad, soms ook de „ricdom en wysheit" geheten, eerst een los betrekken in de stadszaken van de rijkste en voornaamste ingezetenen, later een vast college, dat zich in het overgrote deel der gevallen door coöptatie aanvulde en waarover de landsregering alleen in tijden van beroering zeggingschap had, wanneer zij, zoals het heette „de wet verzette" d.w.z. op de nominatie geen acht sloeg." [1])

„De voornaamste privileges, die in eindeloze variatie in de stedelijke charters van de 12e eeuw voorkomen, zijn: het recht van de burgers om zelf belastingen te heffen, zelf hun stedelijke wetten te maken, hun regering te benoemen, om bevrijd te worden van herendiensten en alleen voor hun eigen rechtbank binnen de muren der stad te verschijnen; tenslotte werd gevraagd of lijfeigenen, die jaar en dag binnen de stadsmuren hadden verblijf gehouden, vrij zouden zijn. Deze privileges waren op verschillende wijze verkregen, hetzij met geweld, hetzij door geldelijke transacties, hetzij door het vreedzame proces van gestadigen groei; in elk geval tegen het einde van de 12e eeuw (in Nederland meer in de 13e eeuw) waren al de grote en de meest kleinere steden van Europa in het bezit van privileges, die een zekere mate van vrijheid en zelfstandigheid waarborgden, variërende tussen de positie van volkomen vrije, machtige republieken, zoals Venetië en Marseille en die van kleine provinciesteden met geen ander privilege dan het recht om zelf belasting te heffen.

„Daar de steden nog klein waren – zelfs Londen, de Leviathan onder de Engelse steden, telde in die dagen niet meer dan 20.000 inwoners – konden zij aan alle zijden geducht worden versterkt. Pirenne vertelt, dat in de Nederlanden tegen het einde der Middeleeuwen ongeveer vijfachtste van het stedelijk budget voor verdedigings- en oorlogsdoeleinden werd gebruikt. En dit is te begrijpen. In Italië, het land, dat in die dagen vooraan stond op het gebied van industrie en wereldhandel, voerden de steden voortdurend strijd met elkaar. Zij vochten om de vaststelling van grenzen, over feudale rechten, over tollen en markten, over den omvang van hun rechtsgebied, of hun oorlogen waren slechts een voortzetting van de eeuwenoude veten van de edelen, die in de steden woonden.

„Ondanks dit alles gingen handel en industrie gestadig vooruit. De kooplieden en ambachtslieden organiseerden zich in gilden en streefden naar zodanige omstandigheden als nodig waren om veilig hun bedrijf te kunnen uitoefenen. Engelse wol, Vlaams laken, Augsburgs bombazijn en Lyonse zijde begonnen al internationale ver-

[1]) J. Romein, De lage Landen bij de Zee, blz. 126.

maardheid te krijgen. Gent en Brugge, Hamburg en Keulen traden op den voorgrond. Donau en Rijn, Rhône en Seine brachten de beschaafde wereld in steeds nauwere handelsbetrekkingen. In grote trekken was het Europese economische systeem, zoals het tot de ontdekking van Amerika is blijven bestaan, reeds in de 12e eeuw aanwezig.

„De steden van Europa hebben zich daarna langs zeer verschillende lijnen ontwikkeld. Die van Engeland waren bestemd deel uit te maken van een internationaal parlementair stelsel, dat weliswaar paal en perk stelde aan hun onafhankelijkheid, maar juist daardoor hen van des te meer nut voor de gemeenschap heeft gemaakt. In Frankrijk eindigden de steden, die op gewelddadige wijze hun vrijheden hadden verkregen, met volkomen onderwerping aan den koning. Maar in Duitsland en Italië, waar een sterk centraal bestuur ontbrak, konden de steden zich onbeperkt ontplooien. Zij groeiden aan tot zelfstandige stadstaatjes, die onderling verbonden sloten, zowel voor handels- als voor oorlogsdoeleinden en zelfs in staat waren den Keizer te verslaan. Wanneer men het schitterende leven van de Italiaanse steden in al zijn verscheidenheid beschouwt en bedenkt wat de Hanze voor Noord-Duitsland op gebied van handel en architectuur is geweest, dan kan men niet aannemen, dat de ineenstorting van het centrale bestuur in deze landen een ongeluk voor het mensdom is geweest." [1])

Van de steden van Nederland, die vooral in de 13e eeuw werden gesticht, sloten die, welke in het Oosten van ons land waren gelegen, zich meestal aan bij het Hanzeverbond; met de Duitse kooplieden werden ook de Nederlanders in de 14e en 15e eeuw de vrachtvaarders van Noord- en West-Europa. De welvaart en het zelfbewustzijn van deze steden namen gestadig toe en toen het Hanzeverbond in de 15e eeuw in macht en aanzien daalde, maakten de Nederlandse steden zich daarvan los – mede onder den invloed van de Bourgondische vorsten, die het land toen regeerden – maar de betekenis van handel en zeevaart werden daar niet minder om.

De diepgrijpende verandering, die omstreeks 1500 in Europa plaats vond en die wij kennen als den overgang van de Middeleeuwen naar de Renaissance, werd door vele factoren veroorzaakt. In de eerste plaats is daar de opkomst der steden en de overgang van den feodalen staat naar het centrale gezag van het koningschap, dat zich thans vooral door staande legers – met behulp van het pas uitgevonden buskruit – wist te handhaven. Verder is er de steeds grotere verruiming van den menselijken geest door de uitvinding der boekdrukkunst, door de herontdekking der klassieke oudheid, door nieuwe wereldperspectieven: de ontdekking van Amerika en van

[1]) H. A. L. Fisher, Geschiedenis van Europa, Deel II, blz. 209–212.

den zeeweg naar Indië. Tenslotte ontstaat overal een moedige belangstelling om de wereld en de natuur te onderzoeken, los van de overgeleverde leerstellingen. De mens trad nu buiten de beslotenheid, waarin de Middeleeuwen hem maatschappelijk en geestelijk hadden gehouden en hij verkreeg de vrijheid van een nieuw individualisme, ook hier, net als in de klassieke oudheid, gedreven door den zelfstandigen ondernemingszin van den burger. Deze nieuwe stroming beïnvloedde ook de geestelijkheid, vooral ook de lagere geestelijkheid, en veroorzaakte een steeds vrijere critiek op de misstanden in de Kerk (Wycliffe, Hus, Luther, Erasmus, Calvijn). Tenslotte ontstond hieruit de Hervorming. Deze onafhankelijke levensimpuls gaf ook den stoot aan kunsten en wetenschappen, die, eerst in Italië, later ook in Noord-Europa tot een tevoren ongekenden bloei kwamen. Hier, evenals op andere gebieden, trad de scheppende persoonlijkheid met zelfbewuste kracht naar voren, in scherpe tegenstelling met de vaak anonieme scheppingen der Middeleeuwen.

Ons interesseren in de eerste plaats de gevolgen van deze veranderingen voor de maatschappelijke structuur en voor het beleven van de maatschappelijke vrijheid. De maatschappij verandert zich slechts langzaam en de invloed van de Middeleeuwse opvattingen op het gezag deed zich nog lang daarna gelden. Geleidelijk ontwikkelden zich echter vanaf de late Middeleeuwen drie typen van maatschappelijke structuur: de absolute monarchie, de constitutionele monarchie en de plutocratisch-democratische stedenrepubliek. Deze drie vormen bereiken pas in de 17e eeuw hun volle ontwikkeling. Daarnaast toont dan Duitsland het voortbestaan van de Middeleeuwse structuur in weinig gewijzigden vorm.

De absolute monarchie.

Frankrijk is onder Lodewijk XIV het meest typische voorbeeld van de absolute monarchie geworden, maar vele Franse koningen en hun raadgevers, vooral de cardinalen Richelieu en Mazarin, hebben het tevoren reeds in deze richting gedreven. De absolute monarchie komt in haar wezen de bedoelingen van den renaissancevorst het meest nabij. De staat is aanleiding voor de verheerlijking van de vorstelijke persoonlijkheid. In dit op den voorgrond treden van het persoonlijke – ook van het toevallig persoonlijke – element ligt vooral het verschil met den Oostersen totalitairen staat, waar de vorst veel meer aan de tradities en aan den vorm van het geheel is gebonden. Het volk als zodanig had sinds eeuwen weinig invloed meer. Wel ontstonden in de 13e eeuw in Frankrijk vertegenwoordigende lichamen in de gewestelijke staten, waarin de drie standen: adel, geestelijkheid en burgerij vertegenwoordigd waren en die hoofdzakelijk om financiële redenen werden bijeen geroepen. Ook de Staten

Generaal, die maar zelden bijeen kwamen, hadden daar op de staatkundige ontwikkeling geen invloed en het Parlement was meer een hof van appèl voor andere rechtbanken, waarin juristen voor hun leven werden benoemd, dan een volksvertegenwoordiging. Aanvankelijk was het de machtige adel, die de eenheid van Frankrijk in den weg stond. Vooral Lodewijk XI wist door sluwheid en geluk zich van vele landen meester te maken en bij zijn dood in 1483 liet hij Frankrijk als een krachtige en goed beschermde staat achter. Een tweede moeilijkheid, die de macht van het koninkrijk Frankrijk verzwakte, was de tegenstelling tussen Katholiek en Protestant, die aanleiding werd tot godsdienstoorlogen. De Calvinistische propaganda had in alle lagen en standen der maatschappij veel aanhang gevonden, ondanks het feit, dat de ketters heftig vervolgd werden, maar het Franse koningshuis bezat een eeuwenoude Katholieke traditie en het had de georganiseerde macht van de Roomse Kerk achter zich. Eerst streefde men naar een zekere verzoening, maar al spoedig steeg de verbittering aan beide zijden en in 1562 brak de burgeroorlog uit, die ongeveer dertig jaren duurde en waaronder het land ontzettend heeft geleden. De Hugenoten wisten zich, niettegenstaande verschillende nederlagen, onder den Admiraal de Coligny staande te houden. Na een vrede in 1570, waarbij de Hugenoten weer met het hof gingen samenwerken, volgde in 1572 de verraderlijke Bartholomeüs Nacht, waarin vele aanzienlijke Hugenoten werden vermoord en in geheel Frankrijk ongeveer 8000 slachtoffers vielen. De burgeroorlog werd hervat. Toen de koning na allerlei intrigues werd vermoord, kwam Hendrik IV, die tevoren Protestant was geweest, aan het bewind en deze vaardigde in 1598 het Edict van Nantes uit, waarbij aan de Hugenoten godsdienstvrijheid en gelijkheid van rechten werd toegestaan (behalve in Parijs en enkele andere steden). Hiermee was voor het eerst in de nieuwe geschiedenis openlijk erkend, dat in een staat meer dan één godsdienstige gemeenschap kan bestaan.

Deze zege van het individualisme werd in Frankrijk later weer te niet gedaan door Lodewijk XIV (1661–1715). In hem kwam de andere zijde van den Fransen geest tot het hoogste gezag, de behoefte aan rationele orde en verstandelijke beheersing, die het land beschouwt als het materiaal voor den scheppenden geest van den monarch. Hij had een hoge opvatting van de koninklijke waardigheid, beschouwde haar als van God verkregen en voelde zich ten opzichte van zijn daden alleen jegens God verantwoordelijk. Hij zag het koningschap als een ernstig beroep, steunende op een goed administratief bestuur en hij werkte iederen dag geregeld aan de staatszaken; maar van zijn onderdanen eiste hij strikte gehoorzaamheid. Vooral in het eerste deel van zijn regering had hij uitstekende ministers, waaronder vooral Colbert uitblonk, die door een sterk protectionistisch stelsel handel en industrie tot bloei wist te brengen en ook den stoot gaf tot kolonisatie in Noord-Amerika, in West-Indië en op Madagascar. Eén der zwakke punten bleef in Frankrijk het fiscale systeem. Van oudsher waren de hoge adel en de geestelijkheid grotendeels vrijgesteld van belasting. De macht van den koning ging zover, dat de adel nu tot hofadel was geworden en dat de geestelijkheid zich achter zijn gezag stelde, maar hun privileges bleven op vele punten onaangetast, zodat de grote kosten van het schitterende hof en de vele oorlogen voornamelijk door de burgerij en de boeren moesten worden gedragen. In het strakke militaire en clericale nationalisme, dat onder Lodewijk XIV heerste, was geen plaats voor persoonlijke vrijheid. Een strenge censuur muilkorfde de pers en sloot het land af van de gevaarlijke besmetting, die van Engelse of Nederlandse publicaties kon uitgaan. Descartes, de grootste denker van zijn tijd, werd aldus verhinderd zijn geschriften in Frankrijk uit te geven. Wel werden wegen gebouwd, kanalen gegraven en allerlei nieuwe industrieën gevestigd, waarbij men alles tot in bijzonderheden van hogerhand regelde. Maar de keuze van de magistraten door de eigen steden werd afgeschaft en de ambten werden te koop gesteld. Ook ontnam de koning de financiële contrôle aan de hoge gerechtshoven (de parlementen).

Tot dien tijd was het land cultureel vrij sterk afhankelijk geweest van Italië. In den tijd van Catharina de Medici werden de Franse edelen nog als zeer ongemanierd beschouwd. Thans ontwikkelde zich een eigen stijl, zowel op het gebied van hoofse manieren als van taal. De schrijvers Corneille, Racine, Molière, La Fontaine, Bossuet verhoogden de glorie van den nieuwen nationalen Fransen geest, die aansloot bij den geest der klassieken. Verschillende academies ontstonden in dezen tijd als koninklijke instellingen. Frankrijk verkreeg aldus een heersenden stijl, wat nog niet geheel een culturele eenheid betekende, maar die toch beantwoordde aan de behoefte aan grootheid en preciese vormen van het Franse volk. De nieuwe stijl beperkte zich aanvankelijk vooral tot de sfeer van het hof. Deze stijl van het Franse hof, het gebruik van de Franse taal en de bouwstijl van de Franse paleizen vonden overal in Europa navolging.

Het behoorde bij deze behoefte aan grootheid en glorie, dat Lodewijk XIV zijn grenzen door verovering trachtte uit te breiden. Hij stuitte daarbij op den tegenstand van de Republiek der Verenigde Nederlanden, wat ten gevolge had, dat Lodewijk XIV in 1672 de lage landen binnenviel. Later, nadat Stadhouder Willem III in 1688 door een omwenteling in Engeland koning was geworden, bleef deze het centrum van het verzet tegen Lodewijk XIV in den negenjarigen oorlog en daarna in den Spaansen successie-oorlog.

Intussen had Lodewijk XIV door de opheffing van het Edict van Nantes in 1685 de verhouding tussen Protestanten en Katholieken in Europa zeer verscherpt. In die dagen was van de Protestanten in Frankrijk geen enkel politiek gevaar meer te duchten. Zij bekleedden aanzienlijke ambten bij leger en vloot en hadden een vooraanstaande plaats verworven in handel en industrie. Dit wekte den nijd van velen op. Den autocratischen koning was het vooral een doorn in het oog, dat een deel van zijn onderdanen er een eigen godsdienst op na wilde houden. Hun godsdienstoefeningen werden nu verboden en zij werden met de doodstraf bedreigd als zij naar andere landen uitweken. Ongeveer 200.000 van hen wisten toch, ondanks alle regeringsmaatregelen, over de grenzen te komen en zij vonden in Nederland, Engeland, Zwitserland en Brandenburg een toevluchtsoord.

De nadelen van het absolutisme voor de geestelijke vrijheid en voor de verdraagzaamheid spreken uit het voorbeeld van Lodewijk XIV duidelijk genoeg. De maatschappelijke vrijheid werd zeker door orde en welvaart bevorderd, maar zij kon zich niet ontplooien door de miskenning van het recht van den burger om een eigen mening en eigen belangen te laten gelden.

De constitutionele monarchie.

De ontwikkeling van Engeland vanuit zijn Middeleeuwsen vorm tot een nationaal constitutioneel koningschap geschiedde langs geheel andere lijnen. Willem van Normandië had Engeland in 1066 veroverd en de goederen van zijn tegenstanders aan zijn Normandische, Bretonse en Vlaamse edelen gegeven. Zij voerden een hoge cultuur in en een despotisch, voortreffelijk bestuur. Al spoedig smolten de invallers met de Engelsen samen en zo kwam het, dat allen samenwerkten voor het behoud van hun verschillende rechten, toen Jan zonder Land deze wilde schenden. Hem werd toen de beroemde Magna Charta afgedwongen in 1215, waarvan de belangrijkste bepalingen waren, dat niemand willekeurig gevangen mocht worden genomen, noch van zijn eigendommen beroofd, tenzij volgens de wetten des lands. De koning mocht geen buitengewone belastingen heffen dan met toestemming van 's Konings Raad, waarin hoge geestelijken en hoge edelen persoonlijk en van de lagere edelen en burgers afgevaardigden zitting zouden hebben. Werd de Magna Charta geschonden, dan had het volk het recht om in opstand te komen. Enigen tijd later werd na een opstand in 1265 het eerste Parlement te Westminster bijeen geroepen, waarin niet alleen geestelijkheid en adel bijeen kwamen, maar ook uit iedere Shire twee landedellieden en uit iedere stad twee burgers. Dit Parlement is daarop herhaaldelijk samengekomen. Het bestaan ervan en de betekenis van de kleine landedelen, die in hun shire de verschillende bestuursfuncties en de lagere rechtspraak in handen hadden, betekent een groot verschil tussen de ontwikkeling van Engeland en van Frankrijk. Ook bestond in Engeland vanaf de verovering door de Normandiërs eenheid van rechtspraak voor het gehele land en het volk had geleerd belasting te betalen, iets waaraan het Franse volk zich altijd weer heeft trachten te onttrekken. Bovendien waren de Engelsen gewend geraakt aan de onaangename plicht om werkzaam te zijn in den dienst van den staat, zowel de pachters door krijgsdienst te verrichten als de stedelingen door gezworenen bij de rechtbank te zijn of door hun medewerking te verlenen, wanneer misdadigers moesten worden aangehouden.

De rechten en plichten van de verschillende onderdanen waren dus in Engeland al vroeg gemeenschappelijk vastgelegd en al werden deze rechten niet door alle vorsten evenzeer in acht genomen, toch breidde deze constitutionele macht zich geleidelijk uit, doordat het Parlement invloed kreeg inzake financiën en wetgeving. De invloed van den machtigen adel verminderde zeer door de verliezen in den honderdjarigen oorlog met Frankrijk en door den daarna volgenden Rozenoorlog tussen de Lancasters en de Yorks. De Kerk werd in Engeland minder zelfstandig door een geschil van Hendrik VIII met den Paus, die weigerde zijn scheiding goed te keuren van Catharina van Arragon. Hendrik scheidde toen met goedvinden van het Parlement Engeland af van de Katholieke hiërarchie en stichtte een nationale kerk (1530).

Een tijd later werd het Katholieke geloof onder koningin Mary hersteld en werden de Protestanten hevig vervolgd, maar na haar dood in 1558 ontwikkelde Engeland zich onder koningin Elisabeth tot een bolwerk van het Protestantisme. Ook werd het land onder haar regering een belangrijke zeemogendheid. In dezen tijd ontving het Engelse volk, zoals Prof. Fisher het uitdrukt, zijn opvoeding door het humanisme, den Bijbel en de zee.

„De edelen zonden hun zonen naar Cambridge en Oxford, universiteiten, die nu de nieuwe taak kregen om hoger onderwijs aan leken te verschaffen. De meer gegoeden, mannen zowel als vrouwen, leerden Grieks en Latijn, Italiaans en Frans. De Spaanse, Italiaanse en Franse klassieken werden in het Engels vertaald en druk gelezen. Vooral Italië oefende een grote bekoring en invloed uit. Dat deze beschaving echter niet, zoals in Italië, tot losbandigheid en decadentie heeft geleid, is te danken aan den Bijbel, die twee en een halve eeuw lang, tot aan de komst van de goedkope couranten en de romans, voor de arme klasse en den burgerstand uitsluitend tot geestelijk voedsel heeft gediend van het Engelse volk.

„Een derde factor, die tot zijn opvoeding heeft bijgedragen, was de zee, die de dichters bezielde wat een romantischen gloed wierp over het leven van den zeeman. Nieuwe ontdekkingen verruimden den geestelijken horizon. Francis Bacon, die zijn tijd ver vooruit was, maande de studenten aan, zich niet langer met Aristoteles en de scholastiek bezig te houden, maar hun aandacht op de natuur te vestigen. Zo is de 17e eeuw, die met Bacon begint en met Newton eindigt, een lang en schitterend hoofdstuk in de geschiedenis van de Engelse wetenschap geworden. Harvey, die de bloedsomloop ontdekte en Robert Boyle met zijn opzienbarende ontdekkingen op natuurkundig gebied hebben Engeland een plaats gegeven in het intellectuele leven van Europa, waar de roem van Shakespeare en Milton nog niet was doorgedrongen." [1])

Engeland heeft pas geleidelijk in de 16e en 17e eeuw zijn vaste maatschappelijke structuur gevonden. Aanvankelijk stonden hier op godsdienstig, zowel als op staatkundig gebied twee vormen tegenover elkaar.

„Aan den enen kant stond het puriteinse ideaal van streng en sober leven in bijbelsen trant en oud-testamentischen geest, in gedachte, taal en gedrag doordrenkt van het Schriftwoord, onverschillig of men in de Staatskerk bleef of als Presbyterianen, Congregationalisten, Brownisten er zich van afgescheiden had. Daartegenover stond het type van beschaving, waarin alles was samengevloeid, wat voor Engeland Renaissance en Humanisme betekend had. Hier was een talrijke aristocratische klasse, van de gentry af tot den hoogsten adel toe, die de door de Renaissance weer verjongde ideeën van ridderschap en hoofse cultuur in practijk poogde te brengen door een leven van avontuur, waarin actieve krijgsdienst, stoutmoedige zeereizen, jacht en poëzie elkander afwisselden en aanvulden. De meesten van dit levenstype vonden, wegens de banden van het Anglicanisme met het Katholicisme, in de Staatskerk een aangewezen godsdienstvorm." [2]) De Tudors vertegenwoordigden als koningen deze richting, zij neigden naar den Katholieken godsdienst, naar een krachtige centrale kerk en een krachtig centraal gezag en zij trachtten het Parlement, dat hen daarbij hinderde, te negeren of naar hun inzichten te dwingen. Het Parlement wees echter met nadruk op zijn overoude rechten en wanneer de koning om financiële redenen genoodzaakt was het weer bijeen te roepen, liet het zich met kracht gelden. Het hief de bijzondere rechtbanken op en verklaarde plechtig, dat geen enkele belasting buiten het Parlement om mocht worden geheven. Ook dwong het van den koning het recht af, dat het alleen zichzelf mocht ontbinden.

Tenslotte kwam het tot een open oorlog tussen den koning en de

[1]) Fisher, o.c. Deel II blz. 151.

[2]) J. Huizinga, Nederland's beschaving in de 17e eeuw, blz. 88.

partij van het Parlement. Deze burgeroorlog was geen klassestrijd en ook geen oorlog van rijken tegen armen. Het ging in hoofdzaak om tegengestelde principes van regering en godsdienst. Oliver Cromwell, de leider van de Independenten, de onafhankelijke Protestanten, kreeg hierbij groten invloed. Toen de eerste burgeroorlog de moeilijkheden niet tot een bevredigende oplossing had gebracht, brak de strijd opnieuw uit en zette Cromwell door, dat de koning als verrader en vijand van den staat werd terecht gesteld. Cromwell vestigde een sterk militair gezag en het was zijn streven de Puriteinse Republiek in geheel Engeland, Schotland en Ierland te vestigen. Hij slaagde daarin ook tijdelijk, maar wekte groot verzet bij de Schotten en vooral ook bij de Ieren, die met grote wreedheid en willekeur werden behandeld. Cromwell was van nature aanhanger van een constitutionele regering, maar hij werd door de omstandigheden gedwongen tot het instellen van een militaire dictatuur, die weinig strookte met het wezen van het Engelse volk. Zijn ambtenaren handhaafden niet alleen de orde, zij hielden ook toezicht op de zeden en zijn regering wekte steeds meer verzet.

Op den dood van Cromwell volgde de Restauratie van Karel II met een korte periode van zedenverval en verwildering. De koning werd gesteund door subsidies van Lodewijk XIV, hij hield vast aan het absolutisme en regeerde tijdelijk zonder Parlement. Zijn broer, die hem in 1685 opvolgde, was openlijk Katholiek en ging dwars in tegen den geest van het land. Daarom riep een sterke partij van ontevredenen onzen stadhouder Willem III, die gehuwd was met een Engelse prinses, in het land en deze „roemrijke omwenteling", die in 1688 plaats vond, zonder dat daarbij enig bloed is vergoten, vestigde in Engeland voor goed de constitutionele monarchie, daar Willem en Mary pas als koning en koningin werden erkend, nadat zij de Declaration of Rights ondertekend hadden.

De Engelse constitutie, zoals deze zich hierna heeft gehandhaafd, was beter dan enige andere volksvertegenwoordiging in Europa, wat niet wegneemt, dat ook zij ernstige gebreken had. Het Parlement werd door de rijken beheerst, het was conservatief van aard en sociale verbeteringen werden niet nagestreefd. Aan uitbreiding van kiesrecht dacht niemand, voor volksopvoeding werd door de regering niets gedaan, de strafwetten bleven onverbiddelijk wreed. Zowel in de stedelijke regeringen als in de parlementaire kringen heerste een grote mate van corruptie. In het algemeen was men echter tevreden, dank zij de grote welvaart. De maatschappelijke structuur had haar evenwicht gevonden en daar binnen deze structuur mogelijkheid van verschillende levensvormen voor den enkeling bestond, beleefden de meesten een gevoel van maatschappelijke zekerheid en maatschappelijke vrijheid, die men gewaarborgd achtte door politieke rechten. Wel mochten de Katholieken eerst in 1779 hun godsdienstoefeningen in het openbaar houden en kregen eerst in 1829 Protestanten, die geen lid waren van de Anglicaanse Kerk, toegang tot het Parlement, maar godsdienstvervolgingen kwamen niet meer voor. In het particuliere leven heerste een grote mate van geestelijke vrijheid.

De burgerlijke republiek.

Nederland ontwikkelde in de 16e en 17e eeuw een ander type van maatschappelijke structuur dan Frankrijk of Engeland, al vertoont het eindresultaat in vele opzichten overeenstemming met het Engelse beeld. In het einde der 15e eeuw verkeerde ons land in vergelijking met de omliggende landen in een bijzonderen toestand. Vooral de Westelijke provincies waren meer en meer een stedenland geworden en de gehele beschaving had het type van een stedelijke cultuur. In het grootste deel van de Nederlanden was de horigheid der boeren verdwenen en had zij plaats gemaakt voor de vrije pachters. De landadel was nergens buitengewoon machtig en evenmin had zich hier een hoge geestelijkheid ontwikkeld, die door haar rijkdom en aanzien een groten invloed zou kunnen doen gelden. Door de grote afstanden werd het gezag van den keizer en later van de hertogen van Bourgondië hier niet streng gehandhaafd en hielden de steden een grote mate van zelfbestuur. De strijd tegen het water, verder de visserij en de handel, welke laatste tot een uitgebreide vrachtvaart op de Oostzee, op Noorwegen, Engeland, Frankrijk en Spanje had gevoerd, gaven aan het Nederlandse volkskarakter reeds vroeg een trek van grote zelfstandigheid. De steden trachtten met alle macht vast te houden aan hun Middeleeuwse rechten en het begrip vrijheid was in de eerste plaats verbonden met het behoud van deze rechten. De aantasting daarvan door Philips II van Spanje was, naast de godsdienstvervolgingen, de belangrijkste oorzaak van den opstand tegen het Spaanse gezag. Toen de Republiek der Zeven Provinciën zich in den Tachtigjarigen Oorlog vrij had gevochten van Spanje, werd dan ook geen centraal gezag gevestigd om het bedrijfsleven te ordenen of te leiden.

„Na de Hervorming bleef als economisch sterke en geestelijk mondige bovenlaag eigenlijk slechts de koopmansstand over. Hij was niet buitensporig rijk, maar zeer talrijk en tamelijk gelijkmatig verspreid over een groot aantal steden, voornamelijk in Holland en Zeeland. Naarmate de macht van den adel verzwakte, en die van de oude Kerk geheel verdween, moest de eerste plaats, die de koopmansstand innam, ook den voorrang in het politieke en het sociale leven meebrengen. Uit de bovenste laag van den koopmansstand groeide gaandeweg, zonder zich van den bodem van het economisch leven geheel af te scheiden, een magistratenstand." [1]) Aanvankelijk was de neiging van deze stadsbesturen om de verantwoordelijkheid voor het centrale gezag op zich te nemen, ook niet zeer sterk. De Unie van Utrecht, die in 1579 de Noordelijke provincies tot een geheel verbond, toen het samengaan met de Zuidelijke Nederlanden onmogelijk was gebleken, had den Spaansen koning nog niet afgezworen. Toen dit enigen tijd later geschiedde, nadat Philips II Willem van Oranje in den ban had gedaan en een prijs voor zijn vermoording had uitgeloofd, trachtte men ook eerst nog zich onder de bescherming van Frankrijk of Engeland te stellen, eer de Republiek het onafhankelijk staatsgezag op zich nam. Evenals de vrije Zwitserse volksgemeenschap is dus de Nederlandse zelfstandigheid min of meer toevallig en tegen de oorspronkelijke bedoeling van het volk in ontstaan. Het ging in den aanvang alleen om het handhaven van rechten, maar de strijd voor deze vrijheid heeft in beide gevallen het volk gestaald en republieken gevestigd, die bolwerken zijn geworden voor de maatschappelijke en de geestelijke vrijheid.

De staatsvorm van onze Republiek vertoonde verschillende eigenaardigheden, die dit toevallige ontstaan verraden. Het meest opvallend is daarbij wel de positie van het Huis van Oranje. Willem de Zwijger, zijn broers en zijn zonen hadden goed en bloed geofferd voor de vrijheid van dit land, zij hadden als opperbevelhebber te velde den vijand overwonnen en in de harten van het volk onsterfelijke dankbaarheid en liefde gewekt. Maar zij bleven den titel van Stadhouder voeren, ook toen zij niet meer onder een Koninklijk gezag stonden en zij namen tegenover de Staten een positie in, die noch overheidsgezag boven deze, noch ambtelijke dienstbaarheid onder deze kon heten. De Unie van Utrecht liet de souvereiniteit aan de Provinciale Staten en eiste voor beslissingen in de Staten-Generaal eenparigheid van stemmen, terwijl er geen middel was om een minderheid te dwingen zich naar de meerderheid te voegen. Hierdoor werden de Staten-Generaal tot een gebrekkig staatsinstrument en het behoeft niet te verwonderen, dat men er nooit toe heeft kunnen geraken, een algemene belasting voor te schrijven. „Het type van de Republiek was en bleef: een op zichzelf zwak centraal gezag, dat dreef op het gemeenschappelijk belang van de stedelijke oligarchieën. Hoe gebrekkig de staat als geheel bewerktuigd was, spreekt wel het sterkst uit het ontbreken van een algemeen hoogste gerechtshof. – Dat traag en omslachtig werkende instrument van Staten, Provinciaal en Generaal, met zijn ernstige leemten en verlammingen, heeft niettemin aan de staatkunde der Republiek een in den grond constante, zo ook naar omstandigheden wisselende richting kunnen geven, die bij de avontuurlijke en vaak roekeloze

[1]) Huizinga, o.c. blz. 28.

politieke experimenten van Stuart's, Wasa's en Bourbon's gunstig afsteekt. De vreemdeling zag in de politiek der Verenigde Provinciën nooit een andere drijfveer dan winzucht van een hebzuchtigen koophandel. En inderdaad, die drijfveer was sterk genoeg, doch het ontbrak den vreemden tijdgenoot aan het vermogen en aan den goeden wil om die politiek tevens te zien als een nationale welvaartspolitiek, die heel wat meer wijsheid en zorg voor het algemeen welzijn bevatte dan de dynastieke verovering- en intriguepolitiek, waarin de meeste monarchieën van Europa nog opgingen." [1])

Het lijkt op het eerste gezicht onbegrijpelijk, dat een klein, onbetekenend landje als het onze in de 17e eeuw een zo grote rol heeft kunnen spelen als staatsmacht, als handelsmacht en als bron van beschaving. Dit is ten dele te verklaren uit de voorgeschiedenis, die de burgerijen der kleine steden had voorbereid om een zelfstandige taak op zich te nemen. Ten dele hangt het ook samen met het feit, dat de omliggende landen door verschillende oorzaken nog niet in staat waren hun kracht te ontplooien. Maar zeker heeft ook de strijd voor de geestelijke vrijheid er in sterke mate toe bijgedragen, de innerlijke mogelijkheden van ons volk tot ontwikkeling te brengen. Aanvankelijk vormden de Calvinisten in de steden de kern van het verzet tegen Spanje en aan hun geestkracht en volharding in het begin van den strijd is het vooral te danken geweest, dat Prins Willem onder zo moeilijke omstandigheden het verzet heeft kunnen volhouden. Het Calvinisme was echter niet de enige, alles overheersende macht op geestelijk gebied. Ook de geest van Erasmus was hier diep geworteld en had velen beïnvloed. Die Humanistische geest uitte zich het sterkst bij de Remonstranten, die tegenover de Hervormde Kerk hun zelfstandigheid handhaafden. Daarnaast stond weer de stille vroomheid van de Doopsgezinden, die geen wapenen wilden dragen, geen eed zweren en geen ambten aanvaarden. Ook de oude Rooms-Katholieke Kerk had op vele plaatsen nog een belangrijken aanhang. Na een korten tijd van vervolging werden haar geheime godsdienstoefeningen oogluikend toegelaten. Ook de geloofsgemeenschap der Joden werd hier geduld en ze verkreeg zelfs een zekere achting. „Het systeem, dat de kerkelijke verhoudingen bepaalde, kon noch volledige godsdienstvrijheid, noch principiële verdraagzaamheid heten. Het was een practijk, die met een oogje toedoen en af en toe enige omkoping het lot van de gezindten, die buiten de officiëele Kerk stonden, zeer dragelijk maakte. De Katholieke eredienst gold formeel als verboden, maar iedereen wist de schuilkerken te vinden. Zelfs de uitsluiting van ambten liet uitzonderingen toe, in zoverre als er in enkele provinciën nog wel adelijke Katholieke rechters werden toegelaten, terwijl in het leger de Katho-

[1]) Huizinga, o.c. blz. 48.

lieke adel zelfs een plaats van enige betekenis innam. De Protestantse dissenters, Doopsgezinden en Luthersen, leden nauwelijks onder die uitsluiting, want zij begeerden geen ambten, evenmin als de Joden." [1])

De strijd tussen het humanistisch en puriteins Christendom verliep in Nederland minder scherp dan in Engeland. De Hollandse patriciërs, die de zaak van het Humanisme voorstonden, geleken weinig op den Engelsen aristocraat; al sierden zij zich met heerlijkheden en vreemde ridderorden, hun ontbrak de hoofse en de militaire allure. Hun cultuur stond ook dichter bij die der burgers, die hier toch ook wel door den geest van Erasmus waren beïnvloed. Al heeft de geest van Calvijn zijn stempel gedrukt op het Nederlandse volk, toch bleef daarnaast door den bloei van kunsten en wetenschappen het humanistisch element ten volle gehandhaafd. De predikanten hadden vooral invloed als verkondigers van de openbare mening. Zij spraken, zoals Huizinga zegt, het Woord Gods met de stem des volks. Het volk bleef, ook bij den toenemenden welstand, eenvoudig, spaarzaam en vlijtig en overal heerste de bekende zindelijkheid.

In overeenstemming met dezen algemenen aard heeft de Nederlandse geest zich het vruchtbaarste getoond op cultuurgebieden, waar hij nuchter, zakelijk en helder de werkelijkheid wist te vatten en weer te geven. Waar deze gaven het duidelijkste spraken, zoals in de schilderkunst en de bouwkunst, daar heeft ons land zich een wereldnaam veroverd. In de wetenschappen hebben Nederlanders vooral uitgeblonken als geleerden en bij de practische toepassing van hun kennis. Naast grote philologen, theologen en juristen (Hugo de Groot) staan onderzoekers als Simon Stevin, die het eerst tabellen voor de getijden vaststelt, staan de microscopische proefnemingen van Leeuwenhoek, staat de ontdekking van het slingeruurwerk door Christiaan Huygens en van den verrekijker door Zacharias Janse. Vóór alles hebben de Nederlanders echter door de zeevaart tot de vermeerdering der aardrijkskundige kennis bijgedragen. Overal ter wereld bevoeren zij de zeeën en stichtten zij hun factorijen en koloniën.

Op politiek gebied hebben de Verenigde Nederlanden in de 17e eeuw een rol van grote betekenis gespeeld. Hun vloten streden om de heerschappij ter zee met de nieuwe zeemacht Engeland – aanvankelijk met veel succes. Te land hadden zij de aanvallen van Lodewijk XIV af te weren. In de politiek der Oostzee-staten was de Republiek herhaaldelijk de beslissende factor. Amsterdam had zich niet alleen tot een centrum voor den Europesen handel ontwikkeld, maar het werd ook het middelpunt van den geldhandel. Banken en bankiers waren in Europa reeds van oudsher bekend, maar „eerst

[1]) Huizinga, o.c., blz. 87

door de stichting van de Amsterdamse wisselbank in 1609 heeft het financiële mechanisme zijn modernen vorm gekregen. In deze dichtbevolkte en bloeiende stad werden reeds staatspapieren en aandelen der handelscompagniën en „scheepsparten" verhandeld, veelsoortige munten gewisseld, gelden in deposito gegeven, met vreemde regeringen leningen gesloten, terwijl assignatiën op de wisselbank het betalingsverkeer zeer vergemakkelijkten. Met verwondering zag Londen, hoe deze kleine buurman legers en vloten kon uitrusten en handelsondernemingen op touw kon zetten, ver buiten alle verhoudingen tot zijn grootte en bevolkingsdichtheid. Het gaf aan burgers de gelegenheid hun spaarpenningen veilig te beleggen, stelde volken in staat gemakkelijk geld te lenen, verschafte aan den handel kapitaal, dat door personen, die geen kooplieden waren, bijeen was gebracht. Hoe groot hun uitgaven ook waren, steeds hebben de Nederlanders in de 17e eeuw aan hun verplichtingen kunnen voldoen, omdat zij een gezonde methode hadden om de uitgaven van den staat te financieren." [1])

De Nederlanden leefden in de 17e eeuw enigszins boven hun krachten. Bovendien werden Engeland en Frankrijk langzamerhand machtiger en begonnen nieuwe rijken als Rusland en Pruisen zich te doen gelden. Maar ook de mensen zelf veranderden. „Met het opkomen van de natuurwetenschap, het veld winnen van een algemeen ideaal van tolerantie, het uitslijten van het bijgeloof en bovenal het doordringen van de verering der redelijkheid als maatstaf van leven en handelen, was er in den geestelijken habitus van den ontwikkelden mens een verandering gaande geworden. Hij bleef, goed-Dordts, of goed-Rooms, al naar hij gezind was. Maar in de oude precisie, de oude heftigheid en hartstochtelijkheid van het beleden geloof was toch bij allen iets van den geest des tijds ingeslopen, van dien geest van de beginnende 18e eeuw, die vlak en droog en nuchter was. Dit betekende een reeks van idealen, die voor Nederland's karakter bijzonder gewichtig zijn geworden: verdraagzaamheid, vredelievendheid, een zeer sterk en oprecht rechtsgevoel, afkeer van haarkloverij en van grote woorden, begeerte naar rust." [2])

Vrijheid in de 18e eeuw.

Wij hebben hiermee drie verschillende typen van maatschappelijke verandering beschouwd, die ontstaan zijn tussen het eind van de Middeleeuwen en de Franse Revolutie. Het is nodig thans eerst de betekenis van deze nieuwe vormen in het licht te stellen, eer wij ingaan op de verdere ontwikkelingen aan het eind van de 18e eeuw.

Vanuit den Middeleeuwsen militairistischen staat is de absolute

[1]) Fisher, o.c. deel II blz. 251.
[2]) Huizinga, o.c., blz. 170.

monarchie als uiting van een nationalen staat gemakkelijk te begrijpen. Nieuw is hierbij echter het geleidelijk groeiend begrip voor eigen nationale eenheid en voor eigen nationale cultuur. Nieuw is ook de meer systematisch doorgevoerde organisatie van den staat als eenheid. Oud blijft in dezen regeringsvorm de zucht naar machtsvertoon en praal, die aan den heerser het gezag van den verheerlijkten, door God uitverkoren leider moeten geven. Oud is ook de behoefte aan oorlogsroem en prestige, zonder welke het militairistisch gezag al spoedig iets van zijn zin verliest. Oud is verder nog de neiging om het geestelijk leven te dwingen, om den godsdienst van zijn onderdanen door den vorst te laten bepalen. In deze laatste zaken gold Lodewijk XIV dan ook als voorbeeld voor de grotere en kleinere Duitse vorsten, al misten deze de nationale culturele eenheid en de grondige organisatie en bleven zij aldus meer in den Middeleeuwsen staatsvorm steken. Pas in de 18e eeuw, toen de Keurvorst van Pruisen Willem Frederik en zijn zoon Frederik de Grote hun staat met Pruisische degelijkheid gingen organiseren, ontstond een eigen Duits voorbeeld van nationalen monarchistischen stijl, dat geleidelijk meer invloed kreeg op de andere Duitse staten. Vooral in Duitsland werd daarna ook theoretisch de georganiseerde nationale staat tot ideaal.

Nederland en Zwitserland vertegenwoordigen, naast Engeland, in dit tijdvak van de geschiedenis de eerste pogingen om weer op grotere schaal een aristocratisch-democratische gemeenschap te vestigen. De stadstaten, zo de republieken Genua en Venetië en de vrije steden van het Duitse rijk, zijn hen daarin voorgegaan. Deze gemeenschapsvorm is ook hier, evenals in Hellas, in de steden gegroeid. In Duitsland en in Italië blijft hij ook nog op enkele plaatsen voortbestaan, al krijgt hij geen invloed op de gemeenschapsstructuur van het land. In Zwitserland en in Nederland echter, waar de vrijheidszin van het volk den strijd voor de burgerrechten had weten te winnen, werd deze stedelijke gemeenschapsvorm den grondslag voor het staatsbestel. In Zwitserland steunde hij nog ten dele op de oudere volksvergaderingen, in Nederland kwam hij bijna uitsluitend voort uit de stedelijke regeringen. Deze staatsvorm berust niet op de organiserende macht van een roemrijken militairen leider, maar op onderlinge samenwerking om orde en welvaart te scheppen. Burgerlijke degelijkheid, vlijt, betrouwbaarheid en een zekere verdraagzaamheid zijn aan deze gemeenschap eigen. Het gaat hier niet om het verwerven van den gunst van een vorst, maar wel om het vermogen zich te schikken in een gemeenschappelijken stijl, die het persoonlijk initiatief laat gelden, mits men de rechten en plichten van de gemeenschap erkent.

Reeds in Hellas en in het Romeinse Rijk werd het duidelijk, waar het zwakke punt van een dergelijken gemeenschapsvorm ligt. De aristocratische democratie vindt de beste voorwaarden voor haar bloei in een gemeenschap, die nog enigszins overzichtelijk is, zodat het volk de waarde der persoonlijkheden kan beoordelen en de leiders omgekeerd ook de mening van het volk vernemen. In een groter staatkundig verband is dan een vrij sterke decentralisatie nodig, wat een gevaar voor de eenheid kan opleveren. In Zwitserland en in Nederland heeft de krachtige eenheid ook wel eens ontbroken, al hebben beide landen de politieke eenheid weten te bewaren. De Republiek der Verenigde Nederlanden heeft zelfs geruimen tijd een actieve politieke rol gespeeld en grote kracht naar buiten ontwikkeld. Het gebrekkige van den staatsvorm werd hier gecompenseerd door de eenheid van belangen door het overwicht van de machtige provincie Holland en door den invloed der Oranjes. Een voorbeeld voor een nieuwen gemeenschapsvorm vormden de Nederlanden echter niet, al werden hun vrijheid en hun rijkdom alom bewonderd en benijd.

Alleen Engeland deed een stap verder in de ontwikkeling der regeringsvormen. Wat aan Rome niet gelukt was, namelijk een orgaan te scheppen, dat den stedelijken regeringsvorm kon doen toepassen voor het gehele land, dat verwezenlijkte Engeland in zijn Parlement en zijn Constitutie. Het is niet gemakkelijk de oorzaken aan te geven van de ontwikkeling van het parlementaire stelsel. De volksvergadering heeft van oudsher een groot gezag behouden bij de Scandinavische volken en Engeland heeft dezen invloed in de Middeleeuwen in sterke mate ondergaan, terwijl het bovendien ook eigen tradities van dezen aard bezat. Hiermee hangt samen een grote eerbied voor gemeenschapsvormen en een algemeen verbreide gemeenschapszin, een „public spirit", die een tegenwicht vormen tegen den dwang van het militairistisch gezag. In latere eeuwen werd de groei van een algemeen onderling vertrouwen, dat de grondslag vormt voor een volksvertegenwoordiging, zeer bevorderd door de lange periode van vrede, waarin het land leefde. De burgeroorlogen hadden het volk niet diep gespleten en daarna kende Engeland alleen oorlogen buiten het eigen land. De verhouding tussen de aristocratie en het volk was gunstig in vergelijking met landen als Frankrijk of Duitsland, daar vooral de „gentry", de lagere adel met de burgerijen samenwerkte. Het Parlement gold als de spreekbuis van het volk, ook al konden de grote massa van den middenstand en het armere volk hier geen directen invloed uitoefenen. Het twee-partijen stelsel van de Whigs en de Torries maakte, dat iedere regering een waardige oppositie vond. Het Kabinet eerst onder den Koning, later onder den Eersten Minister, was voor zijn beleid verantwoording verschuldigd aan het Parlement, en dit weer aan de kiezers. Evenals in Rome werd het Parlement beheerst door de rijke grondbezitters, maar ook hier vormde deze klasse langen tijd een waardige vertegenwoordiging van het volk. De maatschappelijke vrijheid berustte in Engeland, evenals in Nederland en in Zwitserland, op vaste rechten en op de politieke vrijheid, die veroorloofde critiek uit te oefenen op de handhaving van die rechten en verbeteringen voor te stellen. Daarnaast bestond vrije meningsuiting ook buiten de volksvertegenwoordiging en de burgers hadden deel aan de verantwoordelijkheid, doordat zij in bepaalde bestuursfuncties werden ingeschakeld. De sfeer van maatschappelijk vertrouwen drukt zich hier ook uit in een verdraagzaamheid tegenover verschillende gezindten en in een geringere behoefte aan dwang van de zijde der regeringen.

Toen Voltaire in Engeland vertoefde (1726–1729), nadat hij voor een kleinigheid in Parijs zonder vorm van proces in de Bastille had gezeten, uitte hij zich vol bewondering over deze gelukkige gemeenschap, waar een ieder mocht schrijven of zeggen wat hij wilde, waar geen marteling of willekeurige gevangenneming bestond, waar secten van allerlei aard konden bloeien en waar edelman en priester net zo goed belasting moesten betalen als ieder ander. Zelfs de vorst kon daar niemand op willekeurige wijze vervolgen of schade doen. Voltaire en Montesquieu maakten reclame voor de Engelse opvattingen van de gemeenschap en al spoedig ontstonden in Frankrijk talrijke geschriften, waarin critiek werd geoefend op den eigen staatsvorm. Een heftige critiek op alles wat achterlijk, onrechtvaardig, wreed en bijgelovig was in de heersende opvattingen vond haar uitvoerigste uitdrukking in een „Encyclopédie" in 34 delen, die een belangrijk werktuig voor de geestelijke omwenteling in Frankrijk werd en die ook in andere landen de verlichte ideeën hielp verbreiden.

In dit aanprijzen van de vrijheid van denken, spreken en schrijven, in deze eisen van ruim baan voor de rede is nog geen sprake van enige verheerlijking der democratie. Men wilde opruiming houden onder verouderde en onredelijke vormen. Men wilde de regering en het volk ruimer van geest en minder verstard, dan zou het juiste oordeel zich overal vanzelf doorzetten. De gedachte, dat het daartoe nodig zou zijn aan het volk meer invloed op de regering toe te kennen zou aan de meesten dezer critische intelligente mannen in de verschillende Europese landen grote onzin hebben geleken. En waarschijnlijk zou een dergelijke gedachte nog het scherpst zijn afgewezen in Engeland, waar men vrij algemeen tevreden was met de wijze, waarop de politieke vrijheden werden gehandhaafd en de politieke verantwoordelijkheid werd gedragen.

Conclusie.

Een kort overzicht van de geschiedenis van de Middeleeuwen tot de Franse Revolutie toont ons een ontwikkeling van de maatschappelijke en de politieke structuren, die overeenkomst vertoont met de Antieke geschiedenis, maar op enkele punten daarvan afwijkt. De overeenkomst bestaat vooral in den groeienden invloed van het burgerschap in een oorspronkelijk militairistisch feodale maatschappij, waardoor burgerrechten en burgerplichten, ontwikkeld in onderling redelijk overleg, een vasten grondslag voor de maatschappij gingen vormen. De geschiedenis van dezen „derden stand" vertoont dan verder typische verschillen in de nationale staten, die zich aan het eind der Middeleeuwen in Europa vormden. In Duitsland ging zijn invloed na den Dertigjarigen Oorlog weer grotendeels verloren, in Frankrijk werd hij, evenals de adel, ingeschakeld in een sterk monarchaal verband, dat door zijn Renaissance-allures toch een zekere plaats liet aan de ontwikkeling van den individuelen geest, in Engeland verbond hij zich met de „gentry", den lageren adel en wist een gezamenlijke vertegenwoordiging af te dwingen en gezamenlijke maatschappelijke en politieke grondslagen te ontwikkelen, in Nederland en Zwitserland beheerste hij, in den vorm van een republiek, de gehele maatschappelijke en politieke structuur.

Een nieuwe factor in de politieke structuren vormt eigenlijk alleen het Engelse Parlement, dat zich ontwikkelde tot een nationaal orgaan om de verkregen rechten te handhaven en door onderling overleg de gemeenschappelijke belangen te behartigen. Aldus werd de aristocratisch-democratische stadsregering uitgebreid tot het gehele land, iets, waar de Romeinen, zelfs onder Augustus, niet in waren geslaagd.

Wat de maatschappelijke structuur betreft, wordt een nieuw element gevormd door het Christendom. In de Grieks-Romeinse wereld kreeg het pas tijdens en na het verval invloed op de maatschappij, maar in de Middeleeuwen en daarna was het, vanaf het begin, de grootste vormende geestelijke macht van de Westerse wereld. Het Humanisme, dat in de Renaissance het Westerse type van den aristocraat schiep, was een Christelijk Humanisme en het type van den vrijen mens, dat toen ontstond, werd in zijn hoogmoed getemperd door de idealen van rechtvaardigheid, mensenliefde en deemoed, die in de Middeleeuwen gezag hadden gekregen. Ook in den Grieks-Romeinsen tijd hadden de Mysteriën-godsdiensten de gedachten van de wezenlijke gelijkheid van den mens verbreid, maar pas het Christendom had de gelijkheid van den mens voor God verbonden met een geestelijk waardeoordeel, los van maatschappelijke macht en bezit. Allen staan in dezelfde mate tegenover het Oordeel, de critiek durft dit uit te spreken; geen gezaghebber, geen aristocratische klasse kan zich daaraan geheel onttrekken. Zij weten, dat zij, niettegenstaande hun prachtige gewaden, naakt staan in de zonde voor het oog van God en van de mensen. Deze invloed van het Christendom gaf aan de nieuwe maatschappij, die in de steden ontstond, een ander cachet dan de stedelijke aristocratieën der oudheid tonen.

De leus van de Franse Revolutie: vrijheid, gelijkheid en broederschap, is moeilijk denkbaar zonder vele eeuwen voorafgaand Christendom. Aan het eind der 18e eeuw hadden deze idealen echter een anderen inhoud gekregen, die geleidelijk door een accentverschuiving was ontstaan. In het tweede deel zal dit uitvoeriger behandeld worden, maar voor het begrip van de veranderde maatschappelijke en politieke verhoudingen is het nodig de hoofdzaak hiervan aan te duiden. Het Christelijk vrijheidsbegrip wortelt in de overtuiging, dat de mens zijn waarde ontvangt uit een geestelijke wereld, die onaantastbaar is voor allen dwang en alle verdrukking van deze wereld. Van hieruit ontstond geleidelijk, eerst in de Kerk, daarna vooral in de burgerijen der steden het besef van een goddelijke gerechtigheid, die reeds hier op aarde verwezenlijkt kan worden. Rechten en vrijheden, die eerst de geestelijke ontplooiïng moeten waarborgen, krijgen dan, vooral in de 16e eeuw, ook tot taak de persoonlijke ontplooiïng te bevorderen. Het bewustzijn van de vrije persoonlijkheid, dat vooral in Engeland, Nederland en Zwitserland de maatschappelijke verhoudingen gaat beheersen, breidt zich dan geleidelijk uit van de aristocratisch-burgerlijke elite naar steeds bredere lagen van de gemeenschap. Parallel hiermee wordt ook de idee der gelijkheid van de geestelijke sfeer naar de maatschappelijke overgebracht: ieder behoort gelijk te zijn voor de wet. Practisch werd dit ideaal in geen der Europese landen vóór de Franse Revolutie verwezenlijkt, maar in de aristocratische democratieën waren toch invloeden werkzaam, die dit ideaal geleidelijk versterkten.

Van de broederschap der mensen kan men dat veel minder zeggen. Naarmate de vrije persoonlijkheid in de eeuwen na de Renaissance meer tot haar recht kwam, raakte de algemene idee van de broederschap steeds meer op den achtergrond, zodat volken, standen en individuen zich weer los van elkaar gingen voelen. De Franse Revolutie, die in de eerste plaats een verovering van persoonlijke vrijheidsrechten voor de burgerij betekende, voegde hieraan door de leuze der broederschap een diepere innerlijke reactie toe van het volk, dat naar eenheid verlangde in een maatschappij, die deze op verschillende punten had verloren. Zij zocht deze eenheid – overeenkomstig den geest van dien tijd – door de verbroedering van vrije, onafhankelijke persoonlijkheden.

HOOFDSTUK IV

VRIJHEID ALS LIBERAAL DOEL

De rechten van den mens.

„Wij houden de waarheid voor vanzelfsprekend: dat alle mensen gelijk zijn geschapen, dat zij door hun Schepper met zekere onvervreemdbare rechten zijn begiftigd, welke zijn: leven, vrijheid en het streven naar geluk; dat om deze rechten te verzekeren regeringen over de mensen zijn gesteld, die hun gerechte macht ontlenen aan de toestemming der geregeerden; dat telkens wanneer enige vorm van regering schade doet aan deze doelstellingen, het het goede recht is van het volk deze te veranderen of af te schaffen en een nieuwe regering in te stellen, die haar grondslagen vindt in zulke principes en haar macht organiseert in zulken vorm als geschikt lijkt om zijn veiligheid en geluk te bevorderen."

Met deze woorden uit de Onafhankelijkheidsverklaring van de Verenigde Staten van Noord-Amerika wordt (in 1776) een nieuwe periode van maatschappelijk bewustzijn ingeluid. De aanleiding voor den Amerikaansen Vrijheidsoorlog was een betrekkelijk onbelangrijk geschil over het heffen van een belasting, maar de oorzaken lagen dieper. Er was daar in de nieuwe wereld een nieuwe geest gegroeid. Velen waren daarheen uitgeweken om geloofsvervolgingen te ontgaan en anderszins moesten de pioniers hun steun in de eerste plaats vinden in de eigen onafhankelijke persoonlijkheid, zodat de gemeenschap daar werd opgebouwd door vrije samenwerking van dergelijke persoonlijkheden. Het streven naar vrijheid en geluk wordt hier allereerst beleefd als een individuele zaak en een persoonlijk recht, waaraan geen regering mag tornen. Deze opvattingen waren geleidelijk tot rijpheid gegroeid na een lange voorbereiding in de Protestantse – vooral in de niet erkende secten en in de humanistische – vooral in de wetenschappelijk en philosofisch georiënteerde kringen.

Juist in die kringen van de verlichte denkers vonden de principes van de Onafhankelijkheidsverklaring dan ook in geheel Europa een groten weerklank en in Frankrijk werd de revolutionaire stemming er zeer door aangewakkerd. Hier sloten deze opvattingen geheel aan bij die van de denkers van de „Encyclopédie". Deze gingen hier en daar nog wat verder en zij waren meer philosofisch, minder als geloofsovertuiging geformuleerd. Nieuwe opvattingen over den mens en de maatschappij waren vooral in Engeland ontstaan onder invloed van philosofen als Locke en Hume. Deze verkondigden de mening, dat de mens een product is van de omstandigheden en de staat een product van de mensen. Zij zagen den menselijken geest bij de geboorte als een onbeschreven blad papier en de hersenen als een orgaan met onbepaalde mogelijkheden, dat door ervaring, associatie en gewoonte, dus door de opvoeding, kon worden gevormd en ontwikkeld. De mens kan die maatschappij maken, die hij voor zijn ontwikkeling nodig heeft en daar die omstandigheden weer zijn eigen wezen bepalen, heeft hij, volgens deze opvatting, de verbetering van zijn lot zelf in handen. De Zwitser Jean Jacques Rousseau ging hierbij nog een stap verder door (in zijn Contrat Social, 1762) te verklaren, dat de mens niet alleen gelijk wordt geboren, maar dat hij van nature goed is en dat hij alleen door een slechte maatschappij wordt bedorven. Hij deed een beroep op de aangeboren deugd van den mens om betere wetten te maken voor het algemeen welzijn, zodat geen geweld meer nodig zou zijn om orde te scheppen en te handhaven. Deze opvattingen wekten, vooral bij de intellectuelen, een sfeer van vertrouwen en optimisme die aan de hoven van verlichte despoten als Frederik den Groten en Keizer Jozef II weerklank vond.

Hier zien wij voor het eerst duidelijk een verschijnsel, dat in de verdere ontwikkeling der maatschappelijke structuur een groten invloed zal krijgen, namelijk het geloof in een ideologie, die de plaats gaat innemen van vroegere godsdienstige overtuigingen. Op het volk heeft een dergelijke ideologie aanvankelijk meestal slechts geringen invloed, maar zij kan de leiders inspireren, die haar dan later in pakkende leuzen vertolken. Het verloop van de Franse Revolutie is door deze ideologie zeker gecompliceerder en verwarder geworden dan anders het geval zou zijn geweest. De eerste oorzaak ervan werd gevormd door misstanden in het financiëel beheer, waardoor telkens hongersnood en ellende de armste klassen der bevolking teisterden, die zwaar belast waren, terwijl de adel en de geestelijkheid, dank zij hun privileges, bijna niets bijdroegen en in weelde baadden. De grote massa der boeren en der kleinere burgerij wenste vooral afschaffing van die voorrechten en gelijkheid van recht en toen de Revolutie dit had gebracht, was bij hen de revolutionaire impuls verdwenen en ging het verder alleen om het behoud van het nieuw verworvene. Iedere regeringsvorm, die hun deze garantie kon verschaffen, was hun welkom. Vandaar, dat de meesten trouwe aanhangers werden van Napoleon, toen deze de veranderingen in rechten en bezit onder zijn keizerlijke regering bestendigde. De boeren en kleine burgers waren vooral in het bezit van land gekomen door de onteigening van de goederen van de Kerk en van den gevluchten adel, die door den maatschappelijken chaos kort daarna zeer in waarde daalden. De revolutionairen hadden vele principiële regelingen voorbereid, maar slechts weinig kwam tot uitvoering. De Revolutie was overal in het land dadelijk met groot enthousiasme ontvangen en zij leidde tot het stichten van broederschappen van vrije burgers en tot nationale gardes om de vrijheid te verdedigen; het centrale gezag ging echter verloren.

De Constituerende Vergadering streefde er wel naar een idealen regeringsvorm te vestigen, maar de meeste besluiten werden niet uitgevoerd. Principiëel waren de „rechten van den mens" vastgesteld in een lange reeks van artikelen, waarvan de belangrijkste luidden:

„De mensen worden vrij en gelijk aan rechten geboren en zij blijven dit. De maatschappelijke verschillen kunnen slechts berusten op het algemeen belang.

„Het doel van iedere politieke vereniging is het bewaren van de natuurlijke en onvervreemdbare mensenrechten. Die rechten zijn: vrijheid, eigendom, veiligheid en weerstand bij verdrukking.

„Alle souvereiniteit ligt in principe en naar haar wezen in de natie; geen lichaam of individu kan autoriteit uitoefenen, of deze moet uitdrukkelijk aan haar zijn ontleend.

„De vrijheid bestaat daarin alles te kunnen doen wat anderen niet schaadt. Dus heeft de uitoefening van de natuurlijke rechten bij ieder mens geen andere grenzen dan die, welke aan de andere leden van de gemeenschap het genot van dezelfde rechten verzekeren. Deze grenzen kunnen slechts door de wet worden bepaald.

„De wet heeft alleen het recht handelingen te verbieden, wanneer deze schadelijk zijn voor de maatschappij. Wat niet door de wet verboden is mag niet verhinderd worden en niemand kan worden gedwongen iets te doen wat de wet niet beveelt.

„De wet is de uitdrukking van den algemenen wil; alle burgers hebben het recht persoonlijk of door hun vertegenwoordigers aan haar vorming mee te werken; zij moet voor allen gelijk zijn, onverschillig of zij beschermt of bestraft. Daar alle burgers in haar ogen gelijk zijn, worden zij gelijkelijk toegelaten tot alle waardigheden, ambten en publieke betrekkingen naar gelang van hun capiciteiten en zonder andere onderscheiding dan die van hun deugden en hun bekwaamheden.

„Niemand kan aangeklaagd, gevangen genomen of gevangen gehouden worden dan in gevallen door de wet bepaald en in den vorm door haar voorgeschreven.

„Die wet mag slechts straffen opleggen, die duidelijk en overtuigend noodzakelijk zijn en niemand mag gestraft worden dan volgens een wet, die vóór zijn delict is uitgevaardigd, gepubliceerd en van kracht geworden.

„Ieder wordt zo lang als onschuldig beschouwd, tot hij schuldig is verklaard; dientengevolge moet, als zijn inhechtenisneming noodzakelijk wordt geacht, iedere hardheid, die er niet toe dient zich van zijn persoon meester te maken, streng door de wet worden tegen gegaan.

„Niemand mag lastig gevallen worden om zijn overtuigingen, ook niet om religieuse overtuigingen, mits de uiting ervan de publieke orde, op de wet gegrond, niet verstoort.

„De vrije mededeling van gedachten en meningen is één van de kostbaarste rechten van den mens; iedere burger mag dus vrijelijk spreken, schrijven en drukken, maar hij is verantwoordelijk voor misbruik van deze vrijheid in gevallen door de wet bepaald.

„De burgers hebben het recht door henzelven of door hun vertegenwoordigers de noodzakelijkheid te onderzoeken van een publieke bijdrage, het gebruik ervan na te gaan en hun aandeel, de wijze van inning en den duur te bepalen.

„Daar eigendommen een onaantastbaar en heilig recht vormen, mogen zij aan niemand ontnomen worden, behalve in gevallen, waar de publieke noodzaak, wettelijk vastgesteld, dit overtuigend vereist en op voorwaarde van een juiste en van tevoren vast te stellen schadevergoeding."

De Napoleontische organisatie.

Deze idealen van maatschappelijke vrijheid maakten groten indruk, ook ver buiten de grenzen van Frankrijk, maar zij werden, zowel in Frankrijk zelf als daarbuiten, spoedig overstemd door de chaotische gebeurtenissen, die op de eerste idealistische bedoelingen volgden. Het gepeupel van Parijs maakte zich, onder aanvoering van enkele theoretische fanatici, van de leiding meester en het Schrikbewind met zijn massale moorden en zijn terechtstelling van den koning en de koningin bracht de zaak van de Revolutie in discrediet. De buitenlandse oorlogen, aangewakkerd door de uitgeweken adelijke emigranten, verhoogden de onrust en de innerlijke spanning en van de zo nodige reorganisatie kwam niets terecht.

Bij een dergelijk maatschappelijk verval, waarbij de menigte in de plaats komt van de geleidelijk gegroeide gemeenschap, ontstaat de behoefte aan den sterken leider. Napoleon vertoonde de beste eigenschappen van de Griekse tyrannen: hij was een groot aanvoerder in den oorlog en hij had begrip voor de belangen van het volk. Wel toonde hij weinig geduld voor de nieuwe theoretische opvattingen over de maatschappij, maar hij haalde toch in zijn wetgeving vele vruchten van de Revolutie binnen. „Al waren de veroveringen van Napoleon van voorbijgaanden aard," schrijft Fisher [1]), „toch bleek

[1]) H. A. L. Fisher, A history of Europe blz. 836.

zijn werk aan de innerlijke structuur van Frankrijk op graniet te zijn gebouwd. Hij was een meester in alle eigenschappen, die nodig zijn voor civiele administratie, in verbeelding en initiatief, een drijvende kracht in zijn belangstelling voor de kleinste bijzonderheden, in zijn helderheid van hoofd en zijn geweldige arbeidsvermogen. Met buitengewonen spoed werden de verwoestingen, door de revolutie veroorzaakt, hersteld. De bemoeilijkende omstandigheden van het „ancien régime" waren niet langer aanwezig. Er waren geen corporaties, geen parlementen of provinciale staten meer en geen groepen van bevoorrechte burgers, die buiten het wettig gezag stonden. De prefect in zijn departement, de onder-prefect in zijn arrondissement, de burgemeester in zijn gemeente voerden de bevelen van het hoofd van den staat uit, terwijl zij werkten in een overzichtelijke organisatie zonder bijzondere hindernissen.

„De codificatie van de Franse wet, die misschien het meest blijvende vormt van Napoleon's scheppingen, was een droom, die teruggaat tot in de 15e eeuw en die een integrerend deel van het revolutionaire geloof uitmaakte. De Revolutie bepaalde, dat er een wetgeving zou zijn en maakte talrijke ontwerpen gereed, maar in haar koortsachtigen drang bleef alles onvoltooid. Napoleon nam het onderbroken werk weer op en dreef dit door zijn persoonlijke energie en zijn belangstelling snel tot een zegevierende afsluiting. De „code civil" kwam natuurlijk niet uit het brein van één abstracten wetgever. De voornaamste wettelijke principes van het „ancien régime", zowel van het Romeinse recht, dat in het Zuiden heerste, als van het Frankische gewoonterecht uit het Noorden, tezamen met die delen van de revolutionaire wetgeving, die aan Napoleon en zijn raadgevers geschikt leken, werden samengevoegd en gedistilleerd tot één deel, dat zo prachtig helder is, dat ook de leek het met genoegen kan lezen en zo beknopt, dat het gemakkelijk in een jaszak kan worden meegedragen. De verdienste van de „code civil" is, dat het in vaste begrijpelijke lijnen den bouw fixeert van een beschaafde lekengemeenschap, die gegrond is op maatschappelijke gelijkheid en godsdienstige verdraagzaamheid, op particulier bezit en een vast familieverband. Het schonk, niet alleen aan Frankrijk maar aan geheel Europa het overzichtelijke plan van een land, dat trouw bleef aan een lange traditie van vast gezinsverband en particulier bezit, maar dat tegelijkertijd de beste vruchten van een liberale lekenrevolutie wilde vasthouden. Dit is de voornaamste betekenis voor Europa van de „code civil". Door de instelling van het burgerlijk huwelijk en de echtscheiding verbreidde het bovendien door Europa het denkbeeld van een gemeenschap, die in staat was het zonder clericale hulp te stellen. Hieruit mag echter niet worden afgeleid, dat Napoleon de macht van den godsdienst of van het gezag in het gezinsverband als

elementen voor het maatschappelijk welzijn zou onderschatten.
„Meer dan enige andere invloed verspreidde dit burgerlijk wetboek in Europa den roem van de instellingen van het nieuwe Frankrijk. Hier was de kern van de revolutionaire philosofie in een vorm, die practisch geschikt was voor menselijk gebruik. Hier was een combinatie van vruchtbare vernieuwing en oude traditie. Hier werd vrijheid verbonden met orde. Sinds de dagen van Justinianus is nooit een samenstel van wetten zo veelvuldig gecopiëerd."

Napoleon bezat een scherp begrip voor de realiteit. Hij wist het aanzien en de glorie van den militairistischen staat te verenigen met een redelijke burgerlijke orde. Zijn administratief bestuur heeft zich een eeuw lang in Frankrijk gehandhaafd. Hij schiep een bureaucratische organisatie, die zonder enige beperking aan hem onderworpen was en waarop hij kon vertrouwen. Op deze wijze werd hij de wanorde en de corruptie den baas en gelukte het den financiëlen chaos, die tot een staatsbankroet had gevoerd, te saneren. De belastingen kwamen weer geregeld binnen, de tollen en de domeinen werden goed beheerd. Met den Paus kwam Napoleon tot een Concordaat. De kerkelijke goederen werden niet teruggegeven, maar de geestelijkheid werd door den staat betaald en in haar vrijheid van bewegingen aanzienlijk beperkt. De scholen kwamen onder contrôle van den staat en een strenge intellectuele discipline bereidde den jeugdigen intellectueel voor op den dienst van den staat. Het lagere onderwijs verbeterde maar weinig, maar het middelbaar en het hogere onderwijs werd onder staatsgezag gereorganiseerd, wat gepaard ging met een afwijzende houding tegenover intellectuele vrijheid.

Napoleon's regering toont zowel de sterke als de zwakke zijden van het dictatorschap, waarbij een „tyran" zich tot leider van de menigte opwerpt om een eind te maken aan de desorganisatie in een volksgemeenschap. Van een bekwamen en energieken leider kan een veel grotere militaire kracht naar buiten en een veel ingrijpender organiserende macht naar binnen uitgaan dan van een bestuur, dat door overgeleverde rechten en tradities wordt beperkt. Frankrijk heeft onder Napoleon's militaire leiding een geweldige kracht ontwikkeld, maar niet alleen zijn alle militaire veroveringen weer verloren gegaan, maar ook België en het Rijnland, die reeds tevoren door de Franse Republiek veroverd waren, moesten weer worden afgestaan. Het gevaar van een dergelijke dictatoriale regering ligt in de zwakke karaktertrekken van den leider, die zich hier even onbeperkt kunnen uitleven als zijn sterke zijden. Hoogmoed en ijdelheid leiden onder dergelijke omstandigheden tot mateloze zelfoverschatting, die tot roekeloze avonturen drijft, waar een voorzichtig beleid op zijn plaats zou zijn geweest. Het Franse volk, dat zich door zijn zucht naar roem had laten meeslepen, bleef na

Napoleon's ondergang achter in een verzwakten toestand.

Voor de organisatie der Franse gemeenschap heeft de geest van Napoleon een meer blijvende nawerking gehad. Zijn regering was dictatoriaal, al heeft hij wel eens een beroep gedaan op het volk (door het pebisciet bij zijn benoeming tot levenslang Consul) of op het Tribunaat als volksvertegenwoordiging (bij zijn benoeming tot Keizer in 1804). Hij was in zoverre een kind van de Revolutie, dat hij niet hechtte aan titels of privilegiën, maar zijn helpers koos onder de bekwaamsten en de flinksten. Daarmee kwam een nieuwe klasse van burgers tot aanzien. Een terugkeer van het land tot den toestand van vóór de Revolutie werd daarna onmogelijk. De kleine burgerij en de boerenstand waren financiëel onafhankelijker geworden, de macht van de Kerk was verminderd. Napoleon's invloed had het gelijke recht voor allen stevig gevestigd en de rechtspraak, de regeling der financiën en de bureaucratische administratie schiepen een maatschappelijke orde, die tot culturele uitdrukking is geworden voor het Franse volk.

Ook Nederland heeft in den „Fransen tijd" (1795–1813), zoals vele andere Europese landen den invloed van de Revolutie en van Napoleon ondergaan. De omwenteling was hier voorbereid door een langen strijd tussen Prinsgezinden en Patriotten en kwam onbloedig tot stand. De regenten werden afgezet en de Bataafse Republiek gesticht, die een of- en defensieve alliantie sloot met de Franse Republiek. Dit kwam Nederland niet alleen zwaar te staan in geldelijke bijdragen en in het betalen van een bezetting, maar ook in den afstand van Staats-Vlaanderen, Maastricht en Venlo en de bezetting van Vlissingen. De handel kwijnde, de schuldenlast nam toe en de armoede kreeg een ongekenden omvang. De koloniën gingen geleidelijk aan Engeland verloren. De staatkundige veranderingen voltrokken zich zonder grote belangstelling van het volk. Bij de nieuw ingevoerde volksstemmingen bracht slechts een klein percentage der stemgerechtigden zijn stem uit. Geleidelijk werden hier soortgelijke verbeteringen als in Frankrijk ingevoerd, als eenheid van belastingen, eenheid van recht en verbetering van onderwijs, vooral onder de regering van Lodewijk Napoleon (1806–1810) en na de inlijving bij het Keizerrijk. Aldus heeft Nederland ook deel gekregen aan de hervormingen met een blijvend karakter, die Napoleon heeft gebracht. Romein somt deze in het kort op als: „gelijkheid voor de wet, godsdienstvrijheid, een rechtsbedeling, ideaal vergeleken bij die der Republiek, een burgerlijk wetboek dat het tot 1838, een strafwetboek, dat het, ofschoon niet ongewijzigd tot 1886 zou houden, een ambtenarencorps, dat zijn „besognes" niet meer pijpen-rokend en op zijn sloffen afdeed, maar dat in staat was zo nodig binnen 24 uur de verlangde gegevens te verstrekken, jaarlijkse gespecificeerde begrotingen, publieke aanbesteding bij leveranties aan Rijk en Gemeenten, verbeteringen van den Burgerlijken Stand en van het burgerlijk huwelijk, van het Kadaster, van gevangenissen en nog zoveel ander „kleingoed" meer." [1]) Hierbij kunnen bij voorbeeld genoemd worden het metrieke stelsel van maten en gewichten en een grote verbetering van het wegennet.

Liberalisme en socialisme.

Na Napoleon werd de Europese wereld teruggeleid in de oude banen door het Weense Congres onder leiding van Metternich en door de Heilige Alliantie. Liberale ideeën golden als revolutionair en gevaarlijk. De keizers van Oostenrijk en van Rusland en de koning van Pruisen beschouwden zich als de steunpilaren van het overgeleverd gezag en van de kerk. Het intellectuele leven werd aan banden gelegd, de constitutionele bewegingen in Italië en Spanje bestreden. Maar het streven naar vrijheid was eenmaal bewust geworden, vooral bij de volken, die zich onderdrukt voelden, zoals de Italianen en Czechen onder Oostenrijk, de Polen onder Rusland en Pruisen, de Belgen in de Verenigde Nederlanden, de Serviërs en Grieken onder de Turken en de Amerikaanse kolonies onder Spanje. Nog gedurende den vrijheidsoorlog tegen Frankrijk had de Spaanse Cortes in het belegerde Cadix een constitutie bezworen naar het model van de Franse van 1791 met algemeen stemrecht, een Kamer van volksvertegenwoordiging, met koloniale vertegenwoordiging en afschaffing van de Inquisitie. Deze constitutie werd nooit uitgevoerd, maar de discussies bij haar ontstaan gaven het aanzien aan twee partijen, de „,Liberales" en de „Serviles". Hier werd het begrip van de persoonlijke vrijheid tot politieken toetssteen verheven en het begrip liberaal werd sindsdien tot programma voor een maatschappij, gevestigd op politieke rechten.

Dit liberalisme voerde aanvankelijk een – ten dele ondergrondse – oppositie. De opstand der Italiaanse liberalen in Napels en Piemont werd door Oostenrijk onderdrukt (1821), die der Spaanse liberalen door Frankrijk teniet gedaan (1823). Maar de Grieken wisten zich (1821–1829) van de Turken te bevrijden en Peru en Brazilië, Columbia en Mexico maakten zich van hun Iberische meesters los en werden zelfstandige staten. Studentenbonden, vrijmetselaarsloges en andere geheime verenigingen beleden het ideaal der vrijheid.

De idealen der liberalen werden zowel beïnvloed door de leus van „vrijheid, gelijkheid en broederschap" als door het voorbeeld van het Engelse parlementaire stelsel. De constitutionele monarchieën, die in verschillende Europese landen min of meer naar Engels model waren ingesteld, werden uit angst voor de herleving van revolutionaire

[1]) Jan Romein, De lage landen aan de zee, blz. 507.

tendenzen in reactionaire richting gedreven. Dit geschiedde vooral in Frankrijk, waar het oude en het nieuwe na de Restauratie in extreme vormen tegenover elkaar stonden. Lodewijk XVIII had de moeilijke taak het evenwicht te bewaren tussen twee zeer uiteenlopende tradities en levensbeschouwingen. „De constitutie van Engeland kon wel worden gecopiëerd," schrijft Fisher, „maar de gemoedelijkheid, de gematigdheid, de prettige vorm van geven en nemen en het besef van graden van verbondenheid, die deze constitutie met succes deden werken, waren minder gemakkelijk te evenaren." Door wijze keuze van ministers wist Lodewijk XVIII op een handige manier de tegenstellingen in evenwicht te houden, maar Karel X, die in 1824 den troon besteeg, had autocratische en clericale opvattingen en trachtte een terugkeer tot het „ancien régime" tot stand te brengen. Hij ontketende daarmee in 1830 de Juli-revolutie, waarbij hij door de Parijse menigte werd verdreven, waarna Louis Philippe in zijn plaats den troon aanvaardde. Deze revolutie had opstanden in België en in Polen tot gevolg. België werd daarna met de hulp van Frankrijk in 1839 een onafhankelijk koninkrijk, maar Polen verloor als Russische provincie zijn onafhankelijkheid.

De regering van Louis Philippe, den „burgerkoning", betekende voor Frankrijk het einde van alle kansen op terugkeer van het „ancien régime". Frankrijk was na den val van Napoleon een constitutionele monarchie geworden met een aristocratisch-democratischen gemeenschapsvorm. De strijd ging aanvankelijk om de vraag, welke aristocratie de gemeenschap zou vertegenwoordigen. Deze vraag werd gedurende de regering van Louis Philippe definitief beslist ten gunste van de nieuwe bezittende klasse. Wel werd het aantal kiezers nu van 80.000 verhoogd tot ongeveer 250.000, maar de burgerstand bleef hierbij den grootsten invloed houden, zodat men van een plutocratische aristocratie kan spreken. Deze nieuwe leidende klasse van industriëlen, zakenlieden en intellectuelen met burgerlijke allures verschilde aanzienlijk van de oude heersende klassen van adel, militairen en hogere ambtenaren in Duitsland en Oostenrijk, maar ook van de heersende klasse in Engeland, waar de tegenstelling tussen adel en gezeten burgerij minder scherp en geleidelijker was dan in Frankrijk en vooral in Duitsland. [1]) De nieuwe Franse koning paste in zijn levensstijl zeer goed bij dezen burgerlijken geest, maar hierbij behoorde ook een zekere burgerlijke eigenzinnigheid, die op haar rechten staat en geen concessies wenst te doen aan de bezitlozen. Zijn minister Guizot gaf aan allen, die uitbreiding van kiesrecht verlangden, den raad: verrijkt U door

[1]) In Engeland kon een edelman aan handel en industrie doen, wat in Duitsland en in Frankrijk (behoudens misschien de Hugenoten) onmogelijk was.

arbeid en gij zult kiezer worden! Economisch ging het land inderdaad sterk vooruit, een wettelijke regeling van de volksschool verhoogde het aantal leerlingen aanzienlijk, wetboeken werden verbeterd, het zelfbestuur van gemeenten, arrondissementen en departementen voorzichtig uitgebreid, de straatwegen verbeterd en later ook de aanleg van spoorwegen bevorderd.

Niettegenstaande dezen vooruitgang bestond een voortdurende politieke onrust in het land, enerzijds door een Napoleontische partij, die de oude glorie van Frankrijk door een herstel der Bonapartes wilde doen herleven, anderzijds door de propaganda van oude republikeinse en nieuwe socialistische theorieën. De ideologie van de Franse Revolutie werd thans door verschillende idealisten en politici verder uitgebouwd. Saint-Simon predikte afschaffing van de erfelijke voorrechten, internationale organisatie van den arbeid en een systeem van distributie voor allen, overeenkomstig de bekwaamheid. Louis Blanc pleitte voor nationale werkplaatsen en voor een algemene organisatie der industrie. Proudhon uitte het gevaarlijk maxime, dat bezit diefstal betekent. [1]) De begrippen socialisme en communisme werden in dezen tijd gevormd en kregen spoedig algemene gangbaarheid. Evenals in den tijd van de Franse Revolutie werkten deze leuzen van de intellectuelen op de verbeelding van het Parijse volk en zij wekten in de fabrieken en werkplaatsen een stemming van oproerigheid en verzet, die in Februari 1848 den opstand deed uitbreken. Ditmaal hadden de liberalen de leiding niet, maar was het programma van de revolutie door de socialistische volksleiders opgesteld. De nieuw gevormde provisorische regering besloot niet alleen het algemeen stemrecht in te voeren, maar verplichtte zich arbeid te verschaffen aan alle burgers door nationale werkplaatsen in te richten en in ieder geval aan de werkelozen een bepaald dagloon te garanderen. Voor het eerst in de Europese geschiedenis werd hier het algemene, geheime, directe kiesrecht toegepast. Iedere Fransman, die 21 jaar was en in het bezit van zijn burgerlijke rechten, kreeg het actieve kiesrecht. Voor verkiesbaarheid werd de leeftijd op 25 jaar gesteld.

De aldus gekozen nationale vergadering bevestigde de republiek, maar zij bleek een grote meerderheid van gematigden op te leveren, die zich keerde tegen het rode gevaar in Parijs. Toen het volk van Parijs door demonstraties zijn zin trachtte door te zetten, werden de leiders gevangen genomen, de nationale werkplaatsen, waar onrust gestookt werd, gesloten en tegen de werkelozen, die van buitenaf Parijs overstroomden, opgetreden. Daarop ontstond in

[1]) Zoals dit met vele maximes het geval is, bedoelde hij het niet zo erg als het lijkt. Proudhon was alleen een tegenstander van het arbeidloos inkomen, niet van het bezit als zodanig.

Juni weer een hevige opstand in Parijs, die door een militaire dictatuur werd onderdrukt. De kloof tussen de burgerij en de arbeidersklasse werd aldus sterk vergroot. Toen daarna de populaire Lodewijk Napoleon door een volksstemming met grote meerderheid tot president der republiek werd gekozen, was de weg weer vrij voor een sterker centraal gezag. De volksvertegenwoordiging beperkte zelf weer het kiesrecht, Lodewijk Napoleon wist zijn populariteit op allerlei wijzen te versterken, zodat hij in staat was, na ontbinding van de Kamer, door een plebesciet een overweldigende meerderheid te verkrijgen voor een opdracht aan hem om een nieuwe constitutie te vestigen (1851). Hierbij werd alle macht in handen gelegd van den president, die besliste over oorlog of vrede, verdragen sloot, ambtenaren aanstelde en alleen wetten kon voorstellen. De 251 afgevaardigden voor het wetgevend lichaam werden door algemeen kiesrecht gekozen, maar de regering stelde de candidaten vast. In 1852 sprak het Franse volk bij een volksstemming met bijna 8 millioen (tegen ruim 250.000) den wens uit, dat Lodewijk Napoleon de keizerlijke waardigheid zou aanvaarden, wat kort daarop geschiedde.

Deze snelle wisselingen van den staatsvorm duiden op een onevenwichtigheid in de gemeenschapsstructuur, die wij overal op het vasteland van Europa terugvinden en die sindsdien nooit geheel is overwonnen. Wij zagen reeds vroeger, dat een verwarrend element in de Franse Revolutie aanwezig was in den vorm van een ideologie, die een nieuwe zakelijke regeling van machtsverhoudingen en belangen stoorde. In deze ideologie werden vrijheid en gelijkheid aan elkaar gekoppeld, terwijl men trachtte de broederschap daaruit af te leiden. Deze opvatting stond in lijnrechte tegenstelling met die der Christelijke Kerk, die de broederschap der mensen uit hun hoedanigheid als kinderen Gods afleidde, maar die tegenover hun innerlijke vrijheid om den wil van God al of niet te doen hun uiterlijke onvrijheid en ongelijkheid als een noodzakelijk gevolg van de schepping stelde. Dit nieuwe idee van vrijheid en gelijkheid was een intellectueel begrip, in de hoofden van intellectuelen ontstaan en door intellectuelen gepropageerd. Inderdaad bevat het intellect een bevrijdend element, daar het alle dingen in abstracties doet vatten en aldus afstand schept tegenover de concrete werkelijkheid en het maakt in zijn sfeer de mensen tot gelijken, omdat zijn algemeen geldende waarheden voor ieder dezelfde zijn. Daar de grote massa der mensen niet hoofdzakelijk in deze sfeer leeft, gaan deze gezichtspunten van vrijheid en gelijkheid voor haar in veel mindere mate op. Daar blijken ook duidelijker de grote verschillen in den aanleg en in de intellectuele vermogens. Desalniettemin heerste vóór en na de Franse Revolutie vrij algemeen de mening, dat alle mensen gelijk worden geboren en dat de verschillen ontstaan onder invloed van de uiterlijke omstandigheden. De vrijheid zou in staat zijn voor ieder gelijkelijk die gunstige mogelijkheden van den aanleg te doen ontplooien, wanneer maar de omstandigheden beter worden voor allen. [1])

De liberalen, die van de vrijheid als middel alle heil voor de mensheid verwachtten, waren oorspronkelijk ook bijna uitsluitend intellectuelen, die zich in hun maatschappelijke en hun geestelijke vrijheid door verstarde tradities en een verstarde geloofsopvatting belemmerd voelden. Waar zij voor het volk opkwamen, daar bekeken zij de noden van het volk toch in de eerste plaats vanuit hun eigen levenservaring. Toen het liberalisme later ook op economisch gebied de vrije ontwikkeling van de welvaart, van handel en industrie eiste, kreeg het ook vat op zakenlieden en industrieëlen, maar werd de kloof, die het van den arbeidersstand scheidde, daardoor dieper.

Bij de opvattingen der liberalen sprak het eigenlijk vanzelf, dat de vrijheid en de gelijkheid zich over alle standen dienden uit te strekken om het grootste heil voor de gemeenschap te kunnen opleveren. Maar dit ideaal bleek practisch niet zo gemakkelijk te verwezenlijken, daar overal een grote ongelijkheid bestond. Het werd dus onwillekeurig naar de toekomst verschoven, maar dit moest op intelligente arbeiders en arme intellectuelen den indruk maken van een verraad. Waar de staat thans gezien werd als uitdrukking van den gemeenschappelijken wil, daar leek het enig middel tot verbetering, invloed te krijgen op het staatsbestuur en de weg daartoe was geopend door den wens naar gelijk en algemeen stemrecht. Dat de lagere klassen arm en onontwikkeld waren, kwam volgens deze opvattingen door hun slechte sociale omstandigheden en dit onrecht, dat zij dus aan de heersende klassen konden wijten, die deze maatschappij hadden gevormd en in stand hielden, diende te worden goed gemaakt. Het behoeft niet te verwonderen, dat deze ideeën een revolutionaire stemming kweekten bij de bezitlozen en onterfden. Vooral bij de levendige bevolking van Parijs, die zich bewust was geworden van haar macht, bestond de opvatting, dat zij het recht en de plicht had voor een betere gemeenschap te strijden.

[1]) Deze mening scheen bevestigd te worden door wetenschappelijke opvattingen in de biologie. In de eerste jaren der vorige eeuw stelde de Franse natuurkundige Lamarck de theorie op, dat de vormen en de functies der levende wezens ontstaan en zich ontwikkelen door het gebruik en dat de aldus teweeg gebrachte veranderingen overgebracht worden van geslacht op geslacht. Waar een zekere erfelijkheid werd erkend, achtte men die afhankelijk van den invloed der omgeving. Deze theorie is door latere onderzoekers, vooral door Darwin (Over het ontstaan der soorten door natuurlijke teeltkeus, 1859) volkomen weerlegd, maar de optimistische opvattingen, die eraan werden ontleend, bleven tot op den huidigen dag hun invloed behouden.

Klassenstrijd en industrialisatie.

Vanaf 1848 gaan het liberalisme en het socialisme theoretisch verschillende wegen. De liberalen zien in het zich ontwikkelende kapitalisme een bron van welvaart, waaruit een ieder kan putten en zij voelen zichzelf als de nieuwe aristocratie van een aristocratische democratie. De socialisten beschouwen het kapitaal als een vijandige macht, die hun vrijheid en rechten onthoudt en voor hen bestaat het heil alleen in de komst van een „echte" democratie, waarbij het volk de macht aan zich trekt, zonder daarbij een aristocratie nodig of wenselijk te achten. Deze laatste opvatting werd gedurende de revolutie van 1848 nog aanzienlijk verscherpt door het bekende communistisch manifest, door Karl Marx en Engels uitgegeven. Zij legden hierin een programma voor revolutionaire hervorming neer, steunende op een nieuwe ideologie en bedoeld als een recept voor internationaal gebruik. Het stelde als doel de onteigening van alle land ten bate van den staat, een hoge en progressieve inkomstenbelasting, de opheffing van het erfrecht, de concentratie van alle crediet en transport in handen van den staat, het staatsbezit van fabrieken en productiemiddelen, de algemene verplichting tot arbeid, de vereniging van landbouw en industrie en verder openbaar onderwijs en eenheid van opvoeding voor alle kinderen. Het eindigt met de woorden: „De communisten achten het overbodig hun opvattingen en hun bedoelingen te verbergen. Zij verklaren openlijk, dat hun doel alleen bereikt kan worden door gewelddadige omverwerping van de bestaande maatschappelijke orde. Laten de bezittende klassen sidderen voor de communistische revolutie. De proletariërs hebben niets te verliezen dan hun ketenen. Zij hebben de hele wereld te winnen. Proletariërs van alle landen verenigt U!"

Marx heeft zijn ideologie van het socialisme nader uitgewerkt in zijn boek „Das Kapital" (1867), waarmee hij een wetenschappelijken grondslag legde voor de sociaal-democratische arbeidersbeweging op het vasteland van Europa. Een deel van het programma van het communistisch manifest is in verschillende landen verwezenlijkt, echter niet door de revolutie der arbeiders, maar door het (zij het onder druk) groeiend maatschappelijk inzicht der burgerij. De arbeiders hadden in dien tijd en nog lang daarna ook zeker niet de macht om een dergelijke omwenteling door te zetten, zoals uit het verloop der revoluties in 1848 ten duidelijkste bleek. Maar de ideeën van Marx betekenden voor de arbeidersklasse een profetie van een betere toekomstige wereld. Marx hulde, als het ware, de figuur van een profeet in het gewaad van een wetenschappelijk denker. [1]) Voor hem stond het vast, dat een noodzakelijke wet van

[1]) Hij leefde de laatste 34 jaren van zijn leven als uitgeweken Duits revolutionair in Londen onder moeilijke omstandigheden en schreef daar zijn werken.

ontwikkeling het primitieve communisme vervangen had door een feudale maatschappij, dat deze weer verdrongen was door de kapitalistische bourgeoisie, die op haar beurt gedoemd was opzij te worden geschoven door het proletariaat. Hij zag al deze veranderingen veroorzaakt door den haat en den strijd tussen de verschillende klassen. Volgens hem zou de kapitalistische maatschappij zichzelf met ijzeren noodzakelijkheid te gronde richten, doordat het kapitaal zich in steeds grotere hoeveelheden in de handen van enkelen zou ophopen, terwijl de overgrote massa tot een steeds armzaliger slavernij gedoemd, langzaam rijpte voor de uiteindelijke omwenteling, die het kapitalistische monopolie zou vernietigen, het particulier bezit zou afschaffen en de productiemiddelen aan den staat zou brengen.

Het is zeer opvallend, dat deze visie in Engeland, waar zij ontstond, nooit groten invloed heeft kunnen krijgen, terwijl zij op het vasteland door de arbeidersleiders als een evangelie werd verkondigd. Dit feit treft des te meer, omdat de industriële ontwikkeling in Engeland ruim een halve eeuw eerder was begonnen dan in het overige Europa, zodat de invloed van het kapitalisme zich daar vroeger deed gelden. Richard Arkwright (1732–1792) had daar reeds in de 18e eeuw machinale katoenspinnerijen opgericht, waarbij het systeem van massalen, gedisciplineerden arbeid werd toegepast. Daar werd ook de stoommachine bruikbaar gemaakt door de ontdekking van den condensor (James Watt, 1769) en van het vliegwiel (1781), waarna stoommachines voor de markt werden gemaakt en stoom de overheersende factor werd in de Engelse industrie. In 1819 voer het eerste stoomschip over den Atlantischen Oceaan en in 1829 werd in Engeland, na de ontdekking van de locomotief door Stephenson, de eerste spoorweg geopend. Aan het eind van de Napoleontische oorlogen zien wij daar reeds het begin van een industriële, kapitalistische maatschappij. Dit land was de werkplaats van Europa geworden. Het haalde zijn grondstoffen uit de hele wereld en voerde fabrikaten uit.

Daarbij waren de arbeidsomstandigheden in de industriën miserabel; de gemoedelijke verhoudingen van de werkplaats waren vervangen door de koude zakelijkheid van de fabriek, waar de werkman zijn arbeidskracht als koopwaar verkocht en waar hij zonder pardon werd uitgeschakeld, als men hem niet meer nodig had. Het ergerlijkste verschijnsel van deze vroegste industrialisatie, de slavenarbeid van vrouwen en kinderen, bracht tenslotte een reactie van het publiek teweeg en werd aanleiding tot de eerste sociale wetten. Het duurde echter langen tijd, vóór een parlement, waarin de rijke landadel den toon aangaf, belangstelling toonde voor de allerdroevigste toestanden van de bevolking in de nieuwe arbeiderscentra. De

Napoleontische oorlogen en daarna de vrees voor revolutie hielden de aandacht gespannen. De eerste wet over den arbeid van kinderen (1819) beperkte dien arbeid tot 12½ uur en verbood hem voor kinderen onder de negen jaar. Zelfs deze wet bleef nog lang een dode letter, daar het toezicht op den fabrieksarbeid ontbrak. Vakverenigingen van arbeiders werden pas in 1824 toegestaan.

Onder de dreiging van de sociale onrust en van de revolutionaire gebeurtenissen op het vasteland van Europa kwamen geleidelijk verbeteringen tot stand. In 1832 kreeg de middenstand door een verandering van het kiesrecht de leiding van het Lager Huis en daarna werden de stedelijke regeringen op meer democratischen grondslag gebracht, het strafrecht werd hervormd, een begin gemaakt met de zo nodige verbetering van het onderwijs en belastingen, die den prijs van het voedsel verhoogden, werden afgeschaft. In Engeland kwam het niet tot een revolutie, doordat men telkens op het laatste moment verbeteringen invoerde. De tegenstellingen tussen de verschillende klassen der bevolking waren echter niet minder groot dan in Frankrijk of in Duitsland het geval was. De geweldige fortuinen, in handel en industrie gemaakt, deden de armoede der proletariërs nog des te meer uitkomen. Toch heeft in dit land, waar de industrialisatie veel verder gevorderd was dan ergens anders en waar het kapitalisme zich het meeste had ontplooid, de marxistische theorie van den klassenstrijd nooit vat kunnen krijgen op de verbeelding van den arbeider. Dit verschijnsel brengt ons tot het inzicht in een merkwaardige tegenstelling tussen de Engelse liberale democratie en de democratische opvattingen in het overige Europa.

De liberale democratie.

Misverstanden kunnen gemakkelijk ontstaan door het gebruik van dezelfde woorden voor verschillende zaken. De woorden liberalisme en democratie hebben in Engeland een anderen achtergrond dan op het vasteland van Europa [1]), omdat de geschiedenis ervan anders is. Zij komen voort uit een andere maatschappelijke structuur, al zijn de politieke middelen, waarmee vrijheid en volksvertegenwoordiging worden nagestreefd, voor een groot deel dezelfde. De gemiddelde Engelsman ziet in het liberalisme de uitdrukking van zijn maatschappelijk vrijheidsbegrip, dat in de eerste plaats zijn individuele rechten tegenover den staat en tegenover andere burgers inhoudt. Deze vrijheid is in oorsprong aristocratisch, Christelijk en humanistisch. Het trotse en vrije gevoel een Engelsman

[1]) Met uitzondering van Zwitserland, Nederland en de Scandinavische landen, waar ten dele een soortgelijke gemeenschapsontwikkeling had plaats gevonden als in Engeland.

te zijn is hier nauw verbonden met de verplichting zich als een gentleman te gedragen. Vrijheid betekent hier niet alleen het recht om zijn eigen leven te leven, maar ook de plicht om anderen hierin vrij te laten en de noodzakelijkheid om gemeenschappelijk te waken voor de goede orde, die uit de vrije samenwerking van allen ontstaat.

Het is begrijpelijk, dat de staat bij een dergelijke opvatting van de maatschappij niet ingrijpt in de ondernemingen der individuele burgers, vóór en aleer duidelijke feiten aanwezig zijn, die aantonen, dat de vrijheid van andere burgers of de rechten van de gemeenschap worden benadeeld. Het vrije initiatief van den industriëel, dat de mechanisatie en organisatie van den arbeid mogelijk maakte en de vrije handel, die goederen tegen den laagsten prijs kon leveren, waren reeds door Adam Smith (in zijn Wealth of Nations, 1776) als de grondslagen van de nationale welvaart aanbevolen en toen zijn voorspelling zich had bewaarheid, zag het Engelse volk hierin nog meer de bevestiging van de juistheid van het vrijheidsprincipe. Pas geleidelijk ontstond een sociale wetgeving, die de rechten van de arbeiders tegenover de werkgevers verdedigde. Het ontstaan daarvan werd door een beroep op Christelijke idealen bevorderd en vele idealisten uit alle kringen werkten daaraan mee.

De intellectuele liberalen in Engeland waren ook, evenals de grote massa van de arbeiders, veel minder van den godsdienst vervreemd dan dat in Frankrijk of Duitsland het geval was. De Hervorming en de verlichte ideeën der Franse Revolutie hadden de geestelijke eenheid van het volk hier veel minder verstoord en terwijl minder dan elders neiging bestond om den staat verantwoordelijk te stellen, voelde de gemeenschap zich eerder verantwoordelijk voor bestaande misstanden. Dit inzicht maakt het begrijpelijk, dat de sociale ontwikkeling in de 19e eeuw in Engeland geleidelijk en zonder revoluties is verlopen en tevens, dat de klassenstrijd als leuze minder kans had, omdat juist de samenwerking tussen de klassen als ideaal meer algemene erkenning vond. Bovendien voelt de gemiddelde Engelsman weinig voor ideologieën, die een geesteshouding willen gronden op theoretische visies in plaats van op godsdienst, tradities en levenservaring.

Deze gunstige ontwikkeling van de Engelse sociale verhoudingen werd zeer bevorderd door de geweldige toename aan welvaart en macht van Engeland in het midden der vorige eeuw. Het leven concentreerde zich grotendeels in de steden, die voor een belangrijk deel vanuit het buitenland werden gevoed. Een zeer omvangrijke zeevaart voerde de grondstoffen en voedingsmiddelen aan en verspreidde de Engelse industriële producten weer over de gehele wereld. Londen was de grote geldmarkt en stapelplaats van de wereld, waar geweldige rijkdommen werden opgehoopt. Het Engelse kapitaal beheerste den wereldhandel en de Engelse vloten brachten op alle zeeën de pax brittannica. De levensmiddelen waren goedkoop, terwijl de lonen stegen (tussen 1850 en 1890 met 61 %). Coöperatieve arbeidersverenigingen verbeterden nog de economische omstandigheden. De rechtspositie van de arbeiders ging steeds vooruit. Bij geschillen brachten dikwijls vreedzame onderhandelingen, of een beroep op een arbiter, de beslissing. Nadat de arbeiders het stemrecht hadden gekregen, werden (vanaf de zeventiger jaren) ook hun vertegenwoordigers in de grote partijen opgenomen en tot regeringsambten toegelaten, zodat zij het niet nodig achtten een eigen partij te stichten. „De arbeidersverenigingen beperkten er zich niet toe gelden als strijdmiddel te verzamelen, maar zij vormden ook een goed werkend systeem van fondsen, die hun leden bij ziekte, ongeval, invaliditeit en werkeloosheid steunden. Aldus ontstond een bewonderenswaardige zelfregering van de arbeidersklassen, die het initiatief van de persoonlijkheid niet verving, maar die erop gericht was, het individu in zijn strijd voor de maatschappelijke aanpassing krachtiger te maken en hem daarbij bescherming en hulp te geven." [1])

De cerebrale democratie.

In Engeland was de politieke ontwikkeling een gevolg van den maatschappelijken groei. De meeste verantwoordelijkheid ligt daar bij de vrije burgers; de staat ordent en consolideert, wat zich heeft gevormd. De politieke vrijheid is aldus een gevolg van de maatschappelijke vrijheid. Een dergelijke natuurlijke ontwikkeling bleek voor het vasteland van Europa onmogelijk door den invloed van de ideologie van de Franse Revolutie. Daarbij toch werd een bepaald ideaal van een menselijke gemeenschap voorop gesteld en van den staat geëist, dat deze dat ideaal zou verwezenlijken, zo niet goedsschiks dan kwaadschiks via een revolutie. Het algemene stemrecht gold in de eerste plaats als een middel om den staat te dwingen het ideaal te verwezenlijken. Het recept lijkt eenvoudig: het volk eist de vervulling van zijn ideologie en de staat draagt de gehele verantwoordelijkheid. De voorgeschiedenis van Frankrijk en Duitsland (en ook van andere Europese landen) maakt deze houding begrijpelijk, zoo ook het geloof der liberalen in de redelijkheid van den mens. Het centrale gezag deed in deze landen inderdaad bijna alle belangrijke dingen; het nieuwe was alleen, dat het volk dit gezag thans verantwoordelijk ging stellen. Onder het verlichte despotisme van de 18e eeuw vinden wij wel het geloof in de redelijkheid, maar nog niet de verantwoordelijkheid van het staatshoofd, die daarna aan het voorbeeld der Engelse constitutie werd ontleend, echter zonder

[1]) Prof. Herkner, Volkswirtschaft und Arbeiterbewegung, Propyläen – Weltgeschichte, VIII Band, blz. 394.

begrip voor den afwijkenden maatschappelijken toestand van dit land.

In Frankrijk zagen wij reeds een geleidelijk uit elkaar gaan van de liberale en de democratische idealen. Het geloof in de vrijheid beperkte zich voor deze liberalen tot hun eigen klasse van intellectuelen en zakenmensen; het liberalisme werd aldus een economische en een anti-clericale houding. In Engeland was deze economische opvatting vrij algemeen aanvaard, de geestelijke strijd was minder fel en de maatschappelijke houding stond bij de liberalen op den voorgrond. In Frankrijk drukten de liberale overtuigingen veel meer uitsluitend de geesteshouding uit van de nieuwe bezittende klasse, die zich daardoor van de rest van het volk afscheidde. Dit geschiedde temeer, naarmate de nieuwe arbeidersklasse het begrip democratie steeds meer op zeer eenzijdige wijze ging uitleggen, door daarin niet te zien een regering van of namens het gehele volk, maar het laten gelden van de wensen van de onderdrukten, de proletariërs. Dit werd zeer duidelijk na de Februari-revolutie, toen het Parijse volk, ontevreden over de beslissingen van de met algemeen stemrecht gekozen volksvertegenwoordiging, opnieuw probeerde zijn wil door een revolutie door te zetten. De zaak van de democratie raakte aldus steeds meer in discrediet en hierdoor wordt het succes begrijpelijk van Lodewijk Napoleon, die zich aandiende als den kampioen van arbeiders en boeren tegenover de kapitalistische macht van de bezittende klasse. Hij wilde als het ware den democratischen staat verwezenlijken met de middelen van den verlichten despoot. Hij verbeterde inderdaad de sociale, hygiënische en aesthetische toestanden, het credietwezen werd georganiseerd en de bouw van spoorwegen en industriën bevorderd. Onder zijn regering werden in Parijs de eerste grote warenhuizen gebouwd en de eerste wereldtentoonstellingen gehouden. De industriële ontwikkeling nam echter lang niet die vlucht van het Engelse voorbeeld. Parijs bleef meer een stad van „ateliers" dan van fabrieken. Massaproductie lag niet zeer in den aard van het Franse volk. Ook de sociale wetgeving vond slechts langzaam voortgang. De arbeidstijden waren lang, zelfs kinderen werden twaalf uur aan het werk gehouden. De vakverenigingen waren toegelaten, maar niet officiëel erkend. Een betere verstandhouding kwam moeilijk tot stand door de wederzijdse achterdocht, al hadden zowel de regering als de arbeiders een open oog gekregen voor het goede voorbeeld van de Engelse gemeenschap. Revolutionaire elementen verstoorden onder den invloed van hun ideologieën telkens weer de goede samenwerking.

Teneinde de politieke onrust in het land te bestrijden, besloot Napoleon III in 1870 een liberalen regeringsvorm naar het Engelse voorbeeld in te voeren met een ministerie, dat verantwoordelijk was aan de volksvertegenwoordiging. Deze verandering vond algemenen bijval, maar kort na de invoering brak de Frans-Duitse oorlog uit. De Commune, de opstand van het Parijse volk na den nederlaag, versterkte weer opnieuw het wantrouwen tegenover de arbeiders. De Republiek, die daarna ontstond, trachtte zich veilig te stellen, zowel tegen de gevaren van het despotisme als tegen de wilde democratische opvattingen van de arbeiders. De president van de Republiek werd nu niet meer bij volksstemming gekozen, maar door de beide Kamers in verenigde zitting. Deze kunnen niet zo gemakkelijk het slachtoffer worden van een populairen volksleider. Men verwachtte van nu af aan niet meer een eigen politiek van den president van de Franse Republiek. De arbeidersleiders waren na de Commune grotendeels verbannen; de arbeiders waren in verschillende groepen verdeeld. Pas tegen het einde der 19e eeuw vond de arbeiderspartij in Millerand, Briand en Jaurès leiders, die meer eenheid in de beweging brachten. In 1884 werden de vakverenigingen wettelijk erkend. Het voornaamste strijdpunt in de Franse binnenlandse politiek vormde in dezen tijd de tegenstelling tussen de clericalen, die de oude maatschappelijke instellingen wilden handhaven en de modernisten, die merendeels de Kerk wel haar gezag in het gezin wilden laten, maar die de liberale en de democratische idealen bedreigd achtten door een Kerk, die zich op maatschappelijk gebied met de reactie had verbonden.

De ontwikkeling van de Franse Republiek vanaf 1871 tot op heden toont ons duidelijk de moeilijkheden van een democratische gemeenschap, die het zonder de tegenpool van een aristocratie moet stellen. Het verschil met Engeland ligt vooral in dit gemis. Het algemeen belang gold in Engeland dermate als overwegende factor, dat het vanzelf sprak, dat de adel, de zakenmensen, de intellectuelen, de geestelijkheid, de boeren en de arbeiders hierin de gemeenschappelijke zaak zouden erkennen. Sociale en geestelijke tegenstellingen konden aldus worden overbrugd. Niettegenstaande een grote mate van individuele vrijheid, is ieder toch streng gebonden aan bepaalde regels van maatschappelijk gedrag. De elite vertegenwoordigt in de eerste plaats dezen gemeenschapsstijl. In Frankrijk was een dergelijke stijl veel minder aanwezig. De burger was individualistischer: hij achtte zijn terrein meer beperkt tot het particuliere leven. Zo hij onder het ancien régime een openbaar ambt kocht, dan zag hij dit in de eerste plaats als een zaak van eigen voordeel. Deze houding van den burger bleef ook na de Revolutie bestaan, toen hij veel meer verantwoordelijk geworden was voor de maatschappelijke structuur en voor de regering. De steeds meer ontstaande minachting voor den „bourgeois" was het gevolg van deze houding. Ook werden aldus de intellectuelen de uitsluitende leiders van de democratische zaak. Men zou in Frankrijk, in tegenstelling met de liberale democratie van Engeland, van een „cerebrale democratie" kunnen spreken. Daar deze intellectuelen hun levenshouding niet meer van uit den godsdienst, maar vanuit een stelsel van ideeën trachtten te bepalen, kregen ideologieën de betekenis van een geloofsovertuiging, waarbij echter onwillekeurig het accent telkens op verschillende gezichtspunten werd gelegd, zodat bij deze heerschappij van de rede moeilijk een eenheid van opvattingen en van levensstijl tot stand kon komen. Een dergelijke leiding moest op het volk uitermate verwarrend werken. Het miste het voorbeeld van een aristocratische klasse en de intellectuele progressieve groepen vormden geen elite met een eigen stijl. Bovendien had het volk van de revolutie her een grote achterdocht gehouden tegenover alles wat zich als aristocratie zou willen laten gelden. Terwijl Frankrijk in de 19e eeuw een groter rijkdom aan geestelijke begaafdheid heeft voortgebracht dan de meeste andere landen en hierin ook op vele gebieden de leiding in Europa behield, gelukte het niet hieruit een nationale elite te scheppen. Op geestelijk, zowel als op sociaal gebied bleef het individualisme hoogtij vieren.

De verdeeldheid van de Franse gemeenschap belemmerde de krachtige ontwikkeling van de Franse Republiek, al heeft deze zich tot op den huidigen dag kunnen handhaven. In den nieuwen democratischen regeringsvorm was het centrale gezag van het kabinet minder sterk dan in Engeland. Daardoor had de partijpolitiek in de Kamers een veel grotere kans en hierdoor ontstond die herhaalde wisseling van regeringen, die naar binnen en naar buiten een zo grilligen, weinig stabielen indruk maakt. Individuele en ideologische invloeden bleven zeer belangrijke factoren en maakten het moeilijk een vasten koers te sturen. Wel kwam aan het eind der vorige eeuw een zekere consolidatie tot stand, doordat een deel der burgerij verzoend raakte met de sociaal-democratische opvattingen, die op hun beurt meer zakelijke en redelijke vormen aannamen. Eerst was de overheersende partij conservatief, later opportunistisch, dan radicaal en tenslotte socialistisch (Briand, 1910). Wel wist de republiek zich door de beroering van politieke schandalen heen te handhaven. Wel had Frankrijk zijn koloniën aanzienlijk uitgebreid, zorgde de ambtenarenstand voor een goed beheer en was het leger een betrouwbaar instrument voor de handhaving van het gezag. Maar bij dat alles bleef het gemis aan geestelijke en sociale eenheid een wonde plek in deze gemeenschap. In 1914 toonde het volk nog iets van zijn oude kracht, maar in 1939 bleken de oude fouten te overheersen.

Deze ontwikkeling van het liberalisme en van de democratie in Frankrijk heeft de politieke stromingen in Europa in sterke mate beïnvloed, zowel in positieven zin als door het wekken van reactie. Na den Napoleontischen tijd overheerste de reactie op het revolutionaire gevaar. Het liberalisme uitte zich in den vrijheidsdrang van de onderdrukte volken en in de propaganda voor het Engelse regeringsstelsel. In Duitsland en Oostenrijk gingen autocratische monarchen iedere vrijheidsbeweging, waar zij maar konden, tegen. Maar ook hier werd in 1848 de revolutionaire beweging in Frankrijk aanleiding tot een algemene beweging voor de vernieuwing van de maatschappelijke orde. Massavergaderingen en straatbetogingen verkondigden den wens naar een meer democratische regering, naar vrijheid van drukpers, verbeterde rechtspraak en opheffing van de oude feudale rechten. Arbeiders en burgers gingen hierin samen. Ook streefde men naar een Duitse eenheid, die door de stichting van een Duits parlement, door het volk gekozen, verwezenlijkt zou worden. In de kleinere Duitse staten waren de regeringen onder den indruk van de hevige volksbeweging tot grote concessies bereid, maar de vraag was, hoe Pruisen en Oostenrijk, de bolwerken van het absolute gezag, zich zouden gedragen. In Wenen dwong het volk het ontslag van Metternich af, die naar Engeland vluchtte. Hongaren en Czechen eisten afzonderlijke regeringen. In een nieuwen, bij algemeen stemrecht gekozen Rijksdag werden de feudale rechten van de landeigenaren over de boeren opgeheven. Hiermee waren de boeren bevredigd, waardoor zij de verdere belangstelling voor de revolutie verloren. Deze kwam daarmee vrijwel uitsluitend in handen van de intellectuelen en van de verschillende nationaliteiten. De eenheid van Oostenrijk werd aldus bedreigd, wat tot een krachtige reactie voerde, toen het centrale gezag zich van zijn eersten schrik had hersteld.

De grondslag voor een liberale reorganisatie van de gemeenschap, namelijk een zelfstandige, zelfbewuste burgerstand, ontbrak in Oostenrijk. Ditzelfde gold eigenlijk ook voor geheel Duitsland. Daar was de inzet van de revolutionaire beweging eenvoudiger, daar hier geen rassentegenstellingen bestonden. Eigenlijke republikeinen waren sterk in de minderheid, zodat het hier ging om twee idealen: een liberalen regeringsvorm en de eenheid van Duitsland. Dit doel werd op de zuiverste wijze nagestreefd door het voor-parlement van ongeveer 500 afgevaardigden, meest uit de Kamers der verschillende landen, dat in 1848 in Frankfort bijeen kwam. Dit besloot de toekomstige regering van Duitsland geheel in handen te stellen van de constituerende nationale vergadering, die door algemeen kiesrecht in geheel Duitsland (zonder Oostenrijk) zou worden gekozen. Dit parlement vertoonde duidelijk de verschijnselen van de cerebrale democratie. De beste krachten van het Duitse intellect namen eraan deel en het werd door hoge idealen bezield. Het schiep een democratische constitutie voor een verenigd Duitsland, waar de persoonlijke vrijheid den grondslag van de gemeenschap zou vormen. Het zwakke punt van deze volksvertegenwoordiging bleek al spoedig hierin te bestaan, dat het geen belangen vertegenwoordigde en daarom geen krachten achter zich had. De macht van de vorsten en van den adel kwam er niet in tot uitdrukking, de arbeiders waren niet georganiseerd en de burgerij had zich maar weinig tot zelfstandige macht ontwikkeld. Bij Oostenrijk met zijn vele niet-Duitse volken kon men geen steun vinden en daarom werd besloten de kroon van het nieuwe rijk aan te bieden aan den machtigsten Duitsen vorst, den koning van Pruisen. Deze had voor het eerst in 1847 onder den druk van de politieke opinie een parlement bijeengeroepen, maar het spoedig daarna weer ontbonden. Toen de revolutionaire beweging in 1848 zich ook van Berlijn meester maakte, beloofde hij een nieuwe constitutie en een volksvertegenwoordiging op grond van algemeen en geheim kiesrecht. Het volk bleef echter onrustig, de tegenstellingen in het nieuwe parlement bleken groot en de militaire partij verzette zich steeds meer. Toen de reactie in Oostenrijk zegevierde, de opstandige Hongaren waren verslagen en het oproerige Wenen was onderworpen, zond ook Frederik Willem IV van Pruisen zijn kabinet en zijn parlement weer naar huis (November 1848). Geen wonder, dat de koning daarna de Duitse kroon afwees, die hem door een democratische regering werd aangeboden, in plaats van door de Duitse vorsten.

Na de nederlagen van de democratie in Oostenrijk en Pruisen kwam het parlement in Frankfurt in de lucht te hangen. Oostenrijk verbood aan zijn afgevaardigden verdere deelname aan het parlement. In de Pruisische Tweede Kamer werd deelname aan deze rijksregering onmogelijk verklaard. Ook in andere staten bleef het aandringen op erkenning zonder gevolg. Daarop kregen de radicalen in Frankfurt steeds meer de overhand, op verschillende plaatsen ontstonden onlusten en hierop trokken zich vele afgevaardigden uit het parlement terug. Tenslotte werd de rest in Stuttgart, waarheen zij was uitgeweken, door soldaten uiteen gejaagd (1849).

Noch Duitsland, noch Oostenrijk bleken een maatschappelijke structuur te bezitten, die rijp was voor een liberaal-democratischen regeringsvorm. Daar ook Frankrijk na 1848 weer den weg naar de autocratie was ingeslagen, bleef Engeland langen tijd het enige duidelijke Europese voorbeeld van een dergelijke gemeenschapsorganisatie. Dit voorbeeld imponeerde echter zo zeer door zijn welvaart en zijn macht, door zijn vaste orde en rustige verdraagzaamheid, dat het niet naliet op den duur een groten invloed uit te oefenen, zowel op staatkundig als op economisch gebied. Wij zagen hoe Frankrijk aan het eind der 19e eeuw in zijn regeringsvorm en in zijn streven naar meerdere vrijheid voor handel en industrie door Engeland werd beïnvloed. België was voor een belangrijk deel naar dit voorbeeld gevormd, evenals het nieuwe Italië (1861). Nederland, dat na den Napoleontischen tijd een lange periode van inzinking had doorgemaakt, kwam onder den invloed van liberale en democratische stromingen na 1860 tot een sterke herleving van zijn volkskracht. De vrijhandel bracht ook hier steeds grotere welvaart. In West-Europa gold de liberale democratie overal als een voorbeeld tot navolging.

Verval van de liberale idee.

Het succes van het liberalisme kwam vooral in drie punten tot uiting: in de nationale bevrijding van onderdrukte volken, in de bevrijding van de burgerij van den maatschappelijken druk van ongelijke rechten en privileges en van den geestelijken druk van vooroordelen en verder in de welvaart, die het kapitalistische stelsel met zich bracht. Het stelde de voordelen van de verstandelijke ontwikkeling door beter onderwijs toegankelijk voor ieder, die dat kon betalen en legde den toets van de rede aan op alle overgeleverde opvattingen. Het bestreed het geestelijk monopolie der clericalen en maakte het onderwijs los van godsdienstige opvattingen. Op economisch gebied prikkelde de vrije wedijver tot grote krachtinspanning en de resultaten van dezen ondernemingsgeest kwamen de welvaart van het land ten goede.

De bezieling voor het liberalisme is later geleidelijk verminderd en het had reeds lang opgehouden de grote zegenrijke macht te zijn in de ogen der mensheid, vóór socialistische, communistische en nationaal-socialistische tegenstanders hun vijandige critiek erop richtten. De vrijheid als doelstelling raakte op den achtergrond en wel voornamelijk om twee redenen. In de eerste plaats verliest iedere doelstelling aan betekenis door haar vervulling. Zowel de vrijheid der volkeren als de vrijheid der burgers werd geleidelijk bereikt. Naast België, Griekenland en de Zuid- en Middel-Amerikaanse staten, kwamen ook Italië, Spanje en Portugal tot meer eigen nationalen vorm. In Oostenrijk-Hongarije werd de drang der volken naar zelfstandigheid ten dele vervuld. Duitsland kwam tot eenheid. In de meeste Europese landen waren de privileges opgeheven, het onderwijs gemakkelijker bereikbaar gesteld en de mogelijkheid van carrière voor de bekwamen geopend. Wel bleven de economisch zwakken en de minder bekwamen van deze vrijheden verstoken, maar ook zij ondervonden de weldaden van den liberalen geest en in vele gevallen werkten de liberalen met de arbeiders samen om de levensomstandigheden der laatsten te verbeteren en meer mogelijkheden tot vooruitgang en ontwikkeling voor hen te openen.

Hierin werden de liberalen echter onwillekeurig geremd door den anderen factor, die het verval van de liberale idee heeft veroorzaakt, namelijk de identificatie met bepaalde economische opvattingen. Vrije concurrentie in handel en industrie leek niet alleen een principiële voorwaarde voor de nationale welvaart, maar zij werd tevens onverbrekelijk verbonden geacht met den liberalen gemeenschapsvorm. Aldus raakten liberalisme en kapitalisme nauw met elkaar verbonden. De vrije concurrentie betekent theoretisch, dat arbeiders de gunstigste omstandigheden kiezen, maar in de practijk profiteren vooral de werkgevers en worden arbeiders en onderworpen, of minder kapitaalkrachtige volken dikwijls uitgebuit. Al kwamen liberalen, zowel theoretisch als practisch, wel voor de belangen der onderdrukten op, toch was hun standpunt in de eerste plaats een verdediging van het bezit en van economische voordelen. Zo bleek vrijhandel bij voorbeeld in de practijk het gunstigst voor een volk, dat reeds handel en industrie en scheepvaart heeft ontwikkeld en daarom gemakkelijk concurreren kan met andere volken, die hierin pas aan het begin staan. Het is dus begrijpelijk, dat het verzet tegen het liberalisme groeide bij de vertegenwoordigers der economisch zwakke proletarische bevolking en ook bij landen, die bij vrijhandel onder de concurrentie hadden te lijden. Zowel de sociaal-democraten als de economische nationalisten verzetten zich tegen een vrijheid, die door allerlei omstandigheden geen gelijke kansen gaf. Het verweer, dat de ongelijkheid nu eenmaal in de natuur ligt door erfelijkheid en bestaande omstandigheden, door rijkdom of armoede van verschillende landen, kan in principe op den grondslag van het liberale ideaal niet worden aanvaard. Dit ideaal kwam in de verdenking een theorie te zijn voor de bezittende klassen.

Het ideaal der democratie bleef zich langer onaangetast handhaven. De oorspronkelijke liberale ideeën werden hier voortgezet in den vorm van eisen tot vrije ontwikkeling voor het gehele volk. De democraten erfden echter ook de oorspronkelijke fout van het liberalisme de mensen als gelijk te beschouwen. Deze fout kwam hier nog sterker aan het licht, omdat de eenvoudiger volksklassen als regel een geringere begaafdheid tonen, zodat de aanspraak op wezenlijke menselijke gelijkheid hier van verschillende gezichtspunten bezien aanmatigend kan schijnen. Waar de sociaal-democratie de vergissing van de cerebrale democratie had overgenomen een aristocratie, een elite, voor een gezonde democratie overbodig te achten, leidde deze opvatting van de gelijkheid tot een mystieke overschatting van de massa. De cerebrale democratie werd tot massademocratie. De ernstige gevolgen voor het maatschappelijk leven, die hierdoor zijn ontstaan, zijn niet te begrijpen zonder het inzicht in een nieuwen factor, die groten invloed heeft gehad op de maatschappelijke ontwikkeling vanaf de tweede helft der 19e eeuw, namelijk de drang tot organisatie.

Conclusie.

De ontwikkeling en het verval van de liberale idee stellen ons voor vragen, die speciaal de problematiek van de democratie betreffen. Oorspronkelijk is de liberale democratie de eerlijkste poging om een gemeenschap van vrije persoonlijkheden te vormen, die het eigen wezen tot zijn recht laten komen, zonder anderen in hun ontplooiïng te hinderen. Deze democratie had haar beste kansen in landen, die reeds door een aristocratisch-democratische maatschappelijke structuur tot eerbied voor de persoonlijke vrijheid waren opgevoed. In Engeland groeide de democratische gedachte geleidelijk uit een dergelijke maatschappij, in de Verenigde Staten had zij een Puriteinsen grondslag, in Frankrijk werd zij door intellectuelen uitgewerkt en ontstond de mening, dat de staat, via de politieke democratie een democratische gemeenschap zou moeten scheppen. Deze tegenstelling tussen liberale en cerebrale democratie werd aanzienlijk versterkt door den invloed der industrialisatie en het ontstaan van het socialisme. Marx voegde met zijn opvatting van den klassenstrijd een nieuw element toe aan de ideologie van de menselijke gelijkheid en van den overheersenden invloed der uiterlijke omstandigheden. Bovendien kreeg deze ideologie thans een veel reëlere fundering in den strijd van de georganiseerde arbeiders voor sociale rechtvaardigheid.

Op het vasteland van Europa ontstaat na 1848 steeds meer een tegenstelling tussen de liberale democratie en de sociaal-democratie. In Engeland komt deze pas veel later tot stand. Beide vormen lijden aan de nadelen van ideologieën, die eenzijdige gezichtspunten tot dogma's ontwikkelen. De liberale democratie heeft de vrije persoonlijkheid overschat als scheppend element van den vooruitgang; zij achtte den aanleg van iederen mens gelijkelijk in staat van de vrijheid te profiteren en door redelijkheid en onderling overleg de moeilijkste vragen van de gemeenschap tot een goede oplossing te brengen. Daarnaast had zij overdreven verwachtingen van de welvaart die aan iedereen ten goede zou komen. Dat dit laatste ten slotte toch in vele landen is gebeurd, lag niet alleen aan den geest der liberalen, maar nog veel meer aan den strijd der arbeidersklasse. Naast het vele goede dat zij tot stand heeft gebracht, vertoonde de liberale elite ook de mogelijkheden van ontaarding, die wij vooral in de Romeinse wereld leerden kennen. Onder den invloed van het kapitalisme ging de klassengeest de welgestelde burgers overheersen en verloren zij meer en meer het recht te spreken voor de algemene zaak. De belangrijke vernieuwingen, die zij tot stand hadden gebracht, waren gemeengoed geworden en werden als iets vanzelfsprekends beschouwd. Hun idealen leken conservatief, toen zij geen oplossingen brachten voor de nieuwe vragen, die de massale arbeidersorganisaties en de enorm vergrote staatsmacht stelden.

De sociaal-democratie toont ten dele een andere ideologie en zij wordt bedreigd door een anderen vorm van ontaarding, die meer aan het oude Athene dan aan het Romeinse rijk doet denken. De sociaal-democraten gebruikten de ideeën vrijheid en gelijkheid onwillekeurig op een andere wijze dan de liberalen. Daar zij de lange voorgeschiedenis van de aristocratische democratie misten, waren zij veel meer overgeleverd aan de begrippenwereld van de cerebrale democratie. Democratie betekende voor hen niet in de eerste plaats een gemeenschap van vrije persoonlijkheden, maar een maatschappij, die rekening hield met de belangen en de behoeften van het volk. De idee van de gelijkheid kreeg de betekenis van een hevig verwijt tegenover de heersende klasse, die de ongelijkheid had gemaakt en in stand hield. Als vrijheid gold niet in de eerste plaats de ontwikkeling der persoonlijkheid, maar het recht op materiële vrijheid, op evenveel mogelijkheden om de voordelen van de welvaart te genieten als de bourgeoisie. In de ideologie raakte aldus het meer innerlijke ideaal van den mens op den achtergrond: alle mensen worden gelijk geboren alleen de verschillende omstandigheden veroorzaken de verschillen en het is de plicht van de ontrechte en verdrukte massa de staatsmacht te veroveren om een klassenloze maatschappij te vestigen, waarin sociale rechtvaardigheid de gelijkheid van allen zal verwezenlijken. Deze opvattingen zijn later wel wat subtieler geworden, maar zij hebben hun invloed op de massa allerminst verloren. Hier dreigt dan het gevaar, dat Aristoteles democratie als een ontaardingsvorm deed betitelen: de menigte, die geen eerbied meer heeft voor belangrijke menselijke verschillen en bijzondere prestaties, aanvaardt de leuzen van volksleiders, die op hun gevoelens weten te werken en zij wil de wereld veranderen, ten dele vanuit nobele bedoelingen, ten dele vanuit vooroordelen en hartstochten, wat het gevaar meebrengt van maatschappelijke verwarring en verlaging van het cultuurniveau.

De maatschappelijke en politieke tegenstellingen, die aldus werden verscherpt, zouden misschien onder invloed van het parlementarisme – en in Engeland ook onder die van Christendom en Humanisme – tot een zekere verzoening zijn gekomen, wat ten dele ook wel is geschied, indien niet nieuwe factoren de ontwikkeling hadden gecompliceerd. Deze factoren zijn de geweldige toename van de macht van den staat door betere organisatie en het eveneens toenemende streven naar organisatie op maatschappelijk en politiek gebied.

HOOFDSTUK V

VRIJHEID VERSUS ORGANISATIE

De georganiseerde wereld.

In de moderne wereld zijn wij er zo zeer aan gewend geraakt, dat de meeste werkzaamheden en vele levensuitingen van den mens in een algemeen maatschappelijk verband zijn opgenomen, dat dit verschijnsel ons in het geheel niet meer verwondert. Omstreeks 1850 waren de meeste van die massaal georganiseerde verbanden in het werk, in de politiek, in de opvoeding, in de wijze van wonen, van geestelijke oriëntering en van verstrooiïng nog niet aanwezig. De massamens, die wij in het eerste hoofdstuk leerden kennen als een typisch verschijnsel van dezen tijd, kwam toen alleen voor in enkele grote steden als Londen of Parijs en in de nieuwe fabriekscentra van Noord-Engeland en België. Ook daar was hij zich niet van zijn betekenis en zijn macht bewust, behalve in de spontane emotionele uiting van de revolutie, al was omstreeks dien tijd Marx reeds bezig hem de heerschappij der aarde te voorspellen. De toenemende macht van den massamens is ondenkbaar zonder de nieuwe mogelijkheden der organisatie. De macht van de organisatie is echter een probleem op zichzelf en wij moeten dit eerst nader beschouwen, eer wij vragen naar het verband met het verschijnsel van den massamens.

Iets meer dan een mensenleeftijd geleden was de organisatie op allerlei gebied, gemeten naar onze tegenwoordige maatstaven, zeer gebrekkig. Het verkeer was weliswaar sinds den aanleg van de eerste spoorwegen in Engeland, Frankrijk, België en Duitsland in de 30er jaren veel verbeterd, maar het heeft toch enigen tijd geduurd vóór de spoorwegen en de stoomvaartlijnen het wereldverkeer beheersten. In de 40er jaren werd de telegraaf door Morse ontdekt, in de 50er jaren ontstonden onderzeese kabels, in de 60er jaren transatlantische kabels. In 1878 kwam de Internationale Postunie tot stand. In 1876 werd in Amerika de eerste telefoon door Graham Bell uitgevonden. In 1869 werd het Suezkanaal geopend, in 1881 liep de eerste electrische trein. De organisatie van deze uitvindingen werd van onschatbare waarde voor een efficiënte berichtgeving en voor den handel. De kranten kregen aldus een geheel andere betekenis. Zij werden steeds meer organen van voorlichting op ieder gebied en naarmate de politieke partijen zich meer gingen organiseren en het betere onderwijs de belangstelling deed toenemen, werd de pers het belangrijkste middel om de publieke opinie te beïnvloeden.

Het georganiseerde onderwijs is evenzeer een betrekkelijk jong product als de georganiseerde voorlichting. In de 18e eeuw hing het voornamelijk van de wijsheid der ouders en van het geluk der omstandigheden af, of een jongen behoorlijk onderwijs kreeg en zonder een zekere welgesteldheid der ouders was ook hun wijsheid van weinig nut. De kerken en vele stadsbesturen organiseerden het onderwijs min of meer en het particulier initiatief deed de rest. De eerste stoot in de richting van een contrôle door den staat kwam van de zijde van verlichte militairistische heersers, die het belang van goed onderwijs inzagen voor hun officieren en hun ambtenaren. Frederik de Grote organiseerde het Duitse onderwijs en Napoleon deed dat later in Frankrijk en beïnvloedde hierdoor ook de opvattingen in de door hem bezette gebieden. De strijd tussen kerkelijke en wereldse overheersing in het onderwijs is sindsdien nooit geheel tot een oplossing gekomen, maar het recht van den staat op contrôle en op organisatie van het onderwijs heeft toch overal erkenning gevonden. Gelegenheid tot lager onderwijs werd een algemene eis, waarop later de verplichting tot dit onderwijs, voor meisjes zowel als voor jongens, volgde. De mogelijkheid om het geestelijk leven van den mens te organiseren nam aldus zeer sterk toe, enerzijds door de soort van kennis, die van een ieder werd geëist, anderzijds doordat men thans alle inwoners van een land door het gedrukte woord kon bereiken. Tegenover de clericalen deed de staat weliswaar de concessie, dat het onderwijs „neutraal" diende te zijn en dus geen propaganda voor enige geestelijke richting mocht bevatten, maar dit verbreken van den band tussen onderwijs en kerk betekende op zichzelf reeds een bepaalde geesteshouding. Een mogelijkheid voor het beïnvloeden van het onderwijs door den staat is hiermee geopend en in Pruisen, evenals in Frankrijk voelde de staat dit als zijn plicht. In Engeland is deze opvatting pas langzaam doorgedrongen. De kerken hielden daar langer de leiding. Pas in 1846 ging de staat zich met de opleiding der onderwijzers bemoeien, Oxford en Cambridge waren tot 1871 alleen open voor leden van de Anglicaanse kerk. Verplicht algemeen onderwijs kwam in Engeland pas in 1870 tot stand en financiële steun aan middelbare scholen in 1902. De kleinere democratische landen van Europa hadden hierin het voorbeeld van Frankrijk en Duitsland meer gevolgd. Het lagere onderwijs kwam in ons land in 1801 onder staatscontrôle, terwijl het middelbaar onderwijs in 1863 door den staat werd georganiseerd. Het verplichte lager onderwijs werd hier in 1907 ingevoerd.

De moderne mens wordt door dit georganiseerde onderwijs veel meer beïnvloed dan hij zichzelf bewust is. Nadat zijn geest aldus volgens een bepaald schema is gevormd, komt hij dan verder onder den invloed van een georganiseerde publieke opinie, die voortdurend op hem inwerkt door middel van krant, radio en bioscoop. Door deze suggestie wordt zijn eigen critiek steeds meer uitgeschakeld. Daar zijn gezichtsveld door den goeden inlichtingendienst vrijwel de gehele wereld omvat, kan hij zich ook zelden uit eigen ervaring een oordeel vormen en raakt hij eraan gewend gezag te aanvaarden van meningen, die door de één of andere organisatie worden verkondigd. Den invloed hiervan op de geestelijke ontwikkeling zullen wij in het tweede deel van dit boek nader onderzoeken.

De meest opvallende gevolgen van de organisatie zijn te vinden op economisch gebied. De organisatie van den arbeid en van de productie heeft op de moderne wereld het stempel van de industrialisatie gedrukt. Geleidelijk is de mens een onderdeel van de machine geworden en de menselijke gemeenschap één groot bedrijf. Onder de leuze de welvaart te vermeerderen heeft dit proces zich in steeds sneller tempo voltrokken, tot het ten slotte de snelheid en den omvang heeft gekregen van een lawine, die niemand meer kan tegen houden. De industrialisatie is in het laatst der 18e eeuw in Engeland begonnen en heeft daar al spoedig welvaart en vrijheid gebracht aan een deel der burgerij, maar grote ellende en loonslavernij aan de arbeiders. Voordien bestond voor een belangrijk deel van den arbeid de mogelijkheid tot persoonlijk contact, wat wederzijds een zekere verantwoordelijkheid meebracht. Door de organisatie in het groot werden de verhoudingen tussen werkgevers en arbeiders zakelijk en mechanisch: de menselijke verbondenheid en de gemeenschappelijke zin van den arbeid raakten verloren.

Aanvankelijk vormden de fabrieksarbeiders slechts een klein deel van de gemeenschap, maar de verhouding tussen de landbevolking en de stadsbevolking verschoof zich snel in de richting van de stad en deze toename ontstond vooral door den groei der arbeidersbevolking. In 1851 woonde de helft der bevolking van Engeland en Wales in de steden, in 1891 was dit reeds 72 %. In Frankrijk leefde in 1850 nog een groter deel der bevolking op het land en de grootindustrie was er nog weinig ontwikkeld, maar ook hier ontstond de trek naar de steden. De snelste werking van de toenemende industrialisatie heeft Duitsland vertoond. In 1871 maakte daar de stedelijke bevolking 31 % van het geheel uit, in 1895 ruim 45 %. De steenkoolproductie steeg daar van 20 millioen ton in 1860 tot 70 millioen ton in 1890 en tot 190 millioen in 1913. Ook de staalproductie nam geweldig toe. Het aantal arbeiders in loondienst in de industrie groeide van 3.6 millioen in het Duitsland van 1882 tot 8.2 millioen in 1907. De betekenis der industrie in het begin van deze eeuw wordt geillustreerd door de volgende cijfers voor de verhoudingsgetallen der arbeiders, werkzaam in bepaalde bedrijven: [1])

	landbouw	mijnen en industrie
Groot Brittannië en Ierland (1911)	12 %	45 %
Frankrijk (1911)	41 %	36 %
Duitsland (1907)	34 %	39 %
Verenigde Staten (1910)	33 %	31 %

Tegelijk hiermee was ook het aantal dergenen, die werkzaam waren in handel en verkeer (in Engeland ook vooral in de scheepvaart) geweldig toegenomen. Ook de kleinere landen volgden deze ontwikkeling, België en Zwitserland aanvankelijk het sterkst. Nederland, dat in de eerste helft der 19e eeuw nog in hoofdzaak agrarisch was en dat zijn handel grotendeels had verloren door de napoleontische oorlogen, begon in de tweede helft dezer eeuw zijn handel en zijn scheepvaart weer op te bouwen en industriën te ontwikkelen. Omstreeks 1850 was het aantal arbeiders in industrie (meest kleinbedrijven) en landbouw nog ongeveer gelijk, in 1930 is het eerste aantal twee keer zo groot geworden als het tweede.

De georganiseerde staatsmacht.

Door de toenemende industrialisatie en door den trek naar de steden werden nieuwe eisen aan de gemeenschapsorganisatie gesteld. De besturen van staat en gemeenten gingen zich verantwoordelijk stellen voor zaken, waarmee zij zich vroeger niet of veel minder hadden bemoeid, bij voorbeeld voor gas-, waterleiding en electriciteit, voor algemene hygiënische maatregelen, voor behoorlijke verkeersmiddelen, voor goede arbeiderswoningen, voor ziekenhuizen, armenzorg en behoorlijk onderwijs. Een belangrijk deel van deze nieuwe bedrijven werd staats- of gemeentebedrijf. De overheid trad steeds meer op als werkgever en kreeg daardoor directen invloed in het economisch leven (b.v. door het vaststellen der lonen).

Ook de indirecte invloed van de overheid op de economische organisatie werd steeds ingrijpender. De sociale wetgeving is één der belangrijkste functies van den staat geworden. De eerste wetten op de beperking van den kinderarbeid kwamen moeizaam en onder grote tegenwerking tot stand, maar toen de staat eenmaal opmerkzaam was geworden op het nationale belang van een gezonden arbeidersstand, volgden de sociale wetten in de verschillende landen elkaar op in een geregelden ontwikkelingsgang. De arbeiders kregen geleidelijk het recht voor hun belangen op te komen door de vorming van arbeidersverenigingen, door het recht van staken, door scheidsgerechten en bemiddelaars. Inspecteurs controleerden de hygiënische

[1]) Deze getallen zijn grotendeels ontleend aan de Propyläen-Weltgeschichte.

omstandigheden en de veiligheid in de fabrieken. In sommige gevallen werden minimum lonen ingesteld en werden verzekeringen ten behoeve van den arbeider wettelijk voorgeschreven. Duitsland, dat voorging in deze staatszorg, stelde achtereenvolgens verplichte ziekteverzekeringen (1883), ongevallenverzekering (1884), en ouderdomsverzekering (1889) in.

Niet alleen door de regelingen in zijn eigen bedrijven en door de sociale wetgeving beïnvloedt de staat de economische organisatie. Hij is ook opdrachtgever voor allerlei werk en door belastingen en door tarieven voor in- en uitvoer bevordert of belemmert hij de levensmogelijkheden voor industriën. Dit was in zoverre niets nieuws, omdat bijvoorbeeld hetzelfde gebeurde onder het mercantilistische stelsel in den tijd van Lodewijk XIV, maar de veel verbeterde organisatie van het economische en het sociale leven en de meerdere psychische bereikbaarheid van den enkeling geven den staat in onzen tijd ook op dit punt een veel grotere macht. Naarmate de staat zich meer met de organisatie van handel en industrie gaat bemoeien, wordt hij bovendien zelf meer in het kapitalistische streven naar macht betrokken en gaat hij de burgers steeds meer zien als arbeiders in een groot productieapparaat, op welks organisatie hij het toezicht houdt.

Wij spreken hier van den staat, maar dit is een abstract begrip voor een machtsapparaat, dat door politieke leiders wordt gehanteerd. Vroeger was dit apparaat in handen van den vorst en – afgezien van de gebrekkiger maatschappelijke organisatie – was het in het belang van volksvertegenwoordigingen het niet te krachtig te maken. Men vindt dan ook herhaaldelijk de combinatie van een vrij zwakken staat naast een krachtig levende maatschappij. „Daar het staatsgezag een techniek is betreffende de regeling van openbare orde en veiligheid en van de administratie," schrijft Ortega Y Gasset [1]," bereikte het ancien régime het eind van de 18e eeuw met een zeer zwakken staat, die van alle kanten door een wijdse en woelige maatschappij werd bestookt. De wanverhouding tussen de macht van den staat en de macht van de maatschappij was op dat ogenblik zo groot, dat, als men dezen toestand vergelijkt met dien uit den tijd van Karel den Groten, de staat van de 18e eeuw een degeneratie vertoont. De staat der Karolingiërs was natuurlijk veel minder machtig dan die van Lodewijk XVI, doch de maatschappij rondom hem was zonder enige kracht. Bovendien eerbiedigt, in tegenstelling tot wat men doorgaans gelooft, de absolute staat instinctmatig de maatschappij veel meer dan onze democratische staat, die wel intelligenter is, maar minder gevoel van verantwoordelijkheid heeft."

De enorme toename van de macht van den staat in onzen tijd is

[1]) Ortega Y Gasset, De Opstand der Horden, blz. 119.

door twee factoren ontstaan: 1e. doordat hij thans door de invoering van het algemeen kiesrecht de meerderheid in de maatschappij vertegenwoordigt en 2e. doordat hij de geweldige macht van de moderne organisatiemiddelen tot zijn beschikking kan krijgen. Na 1848 vertegenwoordigt de staat in Europa in beginsel steeds de meerderheid en de bourgeoisie, die zich daarna van de openbare macht meester maakte, heeft de maatschappelijke macht tot een openbare macht georganiseerd, die nu een geweldigen invloed op het maatschappelijk leven kan doen gelden. „In onzen tijd is de staat een ontzaglijke machine geworden, die met bewonderenswaardige efficiëncy werkt, dank zij de hoeveelheid en de nauwkeurigheid van zijn middelen. Men behoeft slechts op een veer te drukken van deze machine, die midden in de maatschappij is opgesteld, en onmiddellijk komen zijn enorme vangarmen in beweging en richten deze hun werkzaamheid bliksemsnel op ieder deel van het maatschappelijk lichaam, dat men aanwijst." [1]) Waar dit enorme machtsapparaat in handen komt van politieke partijen, die de meerderheid vertegenwoordigen, valt het niet te verwonderen, dat de strijd om de beheersing ervan steeds scherper en feller vormen heeft aangenomen.

De partijorganisatie.

Deze strijd der partijen om de macht is één der belangrijkste oorzaken geworden voor het verval, dat ettelijke volksvertegenwoordigingen zijn gaan vertonen. De Engelse historicus Dawson wijst erop, [2]) dat de Engelse democratie er in wezen op berekend was een evenwicht tot stand te brengen in een spel van krachten en opvattingen, waarbij het de bedoeling was ook de minderheden tot hun recht te laten komen. Daar tegenover was de cerebrale democratie en daarna de massa-democratie meer een stelsel om den wil van de meerderheid te laten gelden, waarbij weinig verdraagzaamheid werd getoond tegenover minderheden. Deze houding is ten dele veroorzaakt door het geloof in de menselijke gelijkheid, maar zij is zeer versterkt door het georganiseerde politieke streven naar macht. Het grijpen naar de politieke macht hangt ten nauwste samen met het bereiken van een meerderheid van stemmen van minstens de helft plus één. Vroeger moest men door besprekingen in de volksvertegenwoordiging tot een resultaat trachten te komen, dat voor het land acceptabel was. Daarbij golden naast algemene en bijzondere belangen, ook de idealen van de burgers als maatstaf. Naast Christelijke idealen waren, sinds de 18e eeuw, sociale idealen hierbij van groten invloed geworden. Naarmate het partijenstelsel opkwam, ging men zich minder richten naar de algemene publieke opinie en meer

[1]) Ortega Y Gasset o.c. blz. 120.
[2]) Christophor Dawson, Beyond Politics, 1939.

naar de meningen en de belangen van een bepaalde groep, die in haar eigen organisatie haar standpunt reeds van tevoren had bepaald en vastgelegd. Men behoefde minder rekening te houden met de meningen in de gemeenschap, als men maar zeker was van de opinie van zijn groep. Het algemeen belang en de spontane meningsuiting raakten dan op den achtergrond tegenover de houdingen der politieke partijen, die bepaalde belangen en bepaalde meningen reeds op eigen wijze hadden gevormd. Belangen en sociale en godsdienstige opvattingen voegden zich dan – dikwijls onder den invloed van toevallige omstandigheden – tot maatschappelijke complexen samen. Soms overwogen daarbij de belangen, zoals vrijhandel of tarieven, sociale verzekering, arbeidstijden en minimum-lonen, bij andere gelegenheden weer het politieke gezichtspunt, bij voorbeeld staatsexploitatie tegenover particuliere exploitatie en weer onder andere omstandigheden de geesteshouding, bij voorbeeld godsdienstige of vrijzinnige opvoeding. Om de politieke macht van de partij te handhaven was het echter nodig deze zeer verschillende gezichtspunten tot een soort practische eenheid samen te kneden. Wat hiermee aan daadkracht gewonnen werd, ging verloren aan bewegelijkheid en plooibaarheid.

De liberale democratie streefde oorspronkelijk naar een gezonde maatschappelijke eenheid door aan iederen burger, via het stemrecht, belangstelling en medeverantwoordelijkheid te geven voor de algemene zaken, die na openbare bespreking op redelijke wijze zouden worden beslist. Maar al spoedig bleek het resultaat anders te zijn dan men had verwacht. Het zwaartepunt lag niet bij den individuelen kiezer en zijn redelijk oordeel, maar bij de partijen en de beroepspolitici. Men bereikte geen eenheid van de gemeenschap, maar een georganiseerde tegenstelling van bepaalde belangen en bepaalde geesteshoudingen, tot vrij starre complexen verbonden. Men geeft er zich meestal weinig rekenschap van hoe het oorspronkelijk wezen van de democratie door de organisatie van de politieke partijen aangetast is geworden. Dit is ongemerkt geschied op verschillende manieren, die wij kunnen samenvatten in vier rubrieken: 1e. de invloed van het grootkapitaal, 2e. de politieke organisatie van het klassenbelang, 3e. het in dienst stellen van culturele en godsdienstige idealen als middel van de politiek en 4e. de centralisatie van oordeel en gezag. Wij willen deze punten thans eerst nader beschouwen.

Door de concentratie van productie en distributie in enkele geweldige ondernemingen worden vele voordelen bereikt (betere kwaliteit, lagere kosten, snelle invoering van verbeteringen), maar ontstaan tevens in de maatschappij centra van enorme kracht, die zowel tegenover den staat als tegenover het publiek een grote mate van onafhankelijkheid kunnen handhaven. De staat heeft ze nodig als bron van welvaart, maar als door de concentratie de concurrentie wordt uitgeschakeld, is het publiek, wat de prijzen betreft, aan hen overgeleverd. De staat kan zich verdedigen, de trustvorming door wetten beperken, maar het grootkapitaal verweert zich door met zijn geldmacht invloed uit te oefenen op de publieke opinie via de pers en via de volksvertegenwoordigers. Daar deze invloed meestal indirect geschiedt, ontneemt hij aan de openbaarheid als belangrijken factor in het democratische stelsel een deel van haar betekenis. De economische belangen worden dan weggestopt achter politieke en geestelijke leuzen. Men denke aan de verhouding tussen oorlogsindustrie en oorlogspropaganda in verschillende landen. In ons land is deze invloed van het grootkapitaal gelukkig beperkt gebleven, maar waar hij ontstaat, daar heeft hij bij het publiek een zeker wantrouwen ten gevolge, dat de waarde van de democratische organen, pers en volksvertegenwoordiging, doet verminderen.

Een meer directe ondermijning van het democratische stelsel ontstond, toen een bepaalde partij, die der sociaaldemocraten, rondweg verklaarde, dat zij niet het algemeen belang voorstond, maar dat van een bepaalde klasse. Deze partij stond langen tijd op het standpunt van Marx en zij aanvaardde den klassenstrijd als grondslag van haar streven. Aanvankelijk stelde zij zich tegenover den staat, maar later gaf zij de revolutie op als middel tot verbetering en noemde zij zich democratisch, omdat zij een parlementaire meerderheid nastreefde om dan pas de minderheid tot een verandering in de maatschappelijke structuur te kunnen dwingen. Zolang de socialisten in de minderheid waren, profiteerden zij van de heersende liberale opvattingen, die ieder tot zijn recht wilden laten komen. Een idealistische elite van kunstenaars en intellectuelen wilden de arbeiders door opvoeding bevrijden, maar de invloed van deze groep was gering in verhouding tot die der organiserende machthebbers in de partij. In de eigen partijorganisatie werd de vrijheid van het individu veelal achter gesteld bij de partijdiscipline. De arbeiders voelden zich als een leger, dat ten strijde trekt en waarin tucht en ondergeschiktheid aan de leiders eerste vereisten zijn. De politieke opvoeding, die in de partij ter hand werd genomen, vertoonde weinig overeenkomst met de democratische opvoeding der Atheense burgers, die de algemene beraadslagingen bijwoonden en verantwoording op zich moesten nemen door het vervullen van ambten. De goed georganiseerde sociaal-democratie bracht haar aanhangers enkele zeer bepaalde opvattingen bij, bijvoorbeeld dat de staat alleen veranderd kon worden door het apparaat van de partij en zij vroeg dan van de meesten alleen maar hun stem en hun bijdrage en hoogstens nog wat propagandistische actie. [1]) Het begrip voor het geheel van de maatschappij werd stelselmatig vertroebeld. Het leek of een volk alleen maar uit georganiseerde klassen bestaat. De andere klassen gelden dan als de vijand, die verantwoordelijk is voor alle bestaande misstanden en die er op uit is het volk te onderdrukken, om de voordelen van de welvaart voor zich te reserveren. Ook hadden de sociaal-democraten van de cerebrale democraten het waandenkbeeld van de menselijke gelijkheid geërfd, dat de voornaamste oorzaak is van hun mechanische, onpsychologische opvattingen van de menselijke gemeenschap. Vandaar ook, dat zij niet vroegen naar de oorzaken voor het bestaan van klassen of naar de betekenis van een elite. Ook de zin en de grondslagen van het leiderschap werden niet onderzocht. Men stelde eenvoudig de eigen visie als die van een groep tegenover die van anderen en achtte alleen maar meningen van een groep mogelijk, zodat een streven naar algemenere gezichtspunten zinneloos werd. Daarmee werd een der belangrijkste grondslagen van de democratie: het streven naar eenheid van opvatting via redelijke argumentatie, in principe opgegeven en de houding van de communisten en van de fascisten voorbereid. De massa-democratie, die aldus ontstond, verschilt in wezen aanzienlijk van de oudere vormen van democratie. Politiek wordt een strijd van grote groepen, waarbij de individuele overtuiging weinig betekenis meer heeft.

Een derde oorzaak voor den achteruitgang van de maatschappelijke en de politieke structuur in de democratische landen is te vinden in de verminderde algemene betekenis van godsdienstige en culturele idealen. Wij zullen dit punt in het volgende deel uitvoeriger onderzoeken, maar hier dient er alvast op gewezen, dat de democratie ook hierdoor is verzwakt. Democratie vraagt onderling overleg en daartoe is een zekere gemeenschappelijkheid van grondslag nodig. „Pour bien discuter il faut être d'accord." Bij de vroegere agrarische gemeenschap werd een dergelijke eenheid van levenshouding – en ten dele ook van belangen – tussen de verschillende standen veel meer gevonden dan thans. De nieuwe bezittende klasse uit handel en industrie staat dikwijls, wat levensbeschouwing en godsdienstige opvattingen betreft, geheel vreemd naast de nieuwe arbeidersklasse

[1]) Hiermee wordt niet ontkend, dat in de kringen der arbeiders veel voor hun ontwikkeling en hun zelfontwikkeling is gedaan, maar de geestelijke ontwikkeling stond, evenals de politieke ontwikkeling, vanaf het begin in het teken van de „klasse". Dat mensen van een andere klasse naar een algemeen geldende geesteshouding streven, wordt dan a priori als een illusie beschouwd. Alle religiositeit, alle humanisme en iedere geestelijke grondslag geldt dan als vermomde klassengeest en aldus werd de opvatting van de communisten en van de nationaal-socialisten voorbereid, dat er buiten de natuurwetenschap geen absolute geldigheden bestaan, zodat de staat het recht heeft den geest te leiden in de richting van de politiek, die hij voorstaat.

of naast den boerenstand. Belangstelling van fabrikanten voor hun arbeiders kan deze vreemdheid niet wezenlijk overbruggen en de kapitalistische opvattingen enerzijds, de vijandige houding door den klassenstrijd anderzijds maakten een goede menselijke verhouding vrijwel onmogelijk.

Een soortgelijke vervreemding bestaat tussen intellectuelen en arbeiders en soms ook wel tussen intellectuelen en kapitalisten. Oorspronkelijk hadden arbeiders en studenten tezamen op de barricades gestaan voor de liberale ideeën en ook later kon men dikwijls in de kringen van studenten belangstelling en geestdrift vinden voor socialistische opvattingen. Maar het verdere verloop van deze eerste liefde wordt gekenschetst door het gezegde, dat wie in zijn jeugd geen socialist is daardoor toont geen hart te hebben, maar dat degene, die het op lateren leeftijd blijft, geen hersens bezit. De oudere intellectuelen werden dikwijls teleurgesteld door de veel te simplistische voorstellingen van mens en maatschappij en bovendien afgeschrikt door den dwang, die bij dit stelsel op minderheden wordt uitgeoefend, waartoe zij in wezen altijd zullen behoren. Hierbij komt nog de algemene afkeer van den intellectueel voor het baatzuchtige realisme van de meeste politieke organisaties.

De godsdienst vormde vroeger de grote band, die de gemeenschap, ondanks alle tegenstrijdigheden, tezamen hield. Na de Franse Revolutie stelden vele liberalen en socialisten zich tegenover de kerken; in hun angst voor de bedreiging van kerk en geloof viel het omgekeerd vele Christenen moeilijk hun liberale, socialistische of communistische naasten lief te hebben. Wij zagen hoe in Frankrijk – en ook wel elders – de Katholieke Kerk zich liet meeslepen door voorstanders van het ancien régime in het politieke vaarwater van de reactie en hoe daarbij de strijd voor de vrijheid identiek werd met anticlericale opvattingen. Van weerszijden zijn deze houdingen wel begrijpelijk, maar het valt toch uitermate te betreuren, dat de kerken onder den invloed van de politiek een deel van hun universele standpunt hebben opgegeven. Het gevaar ontstaat dan, dat culturele en godsdienstige idealen in dienst gesteld worden van de politiek.

In de vorige eeuw hebben geloofsrichtingen zich inderdaad tot politieke partijen ontwikkeld. Het voorbeeld van de liberalen en van de arbeiderspartijen wekte ook de „Christelijke" partijen op om zich te reorganiseren voor den strijd om de macht. Daarbij raakten de Christelijke idealen gekoppeld aan belangen van de boeren, van den middenstand en ook wel aan die van het grootkapitaal, die allen tezamen een tegenwicht moesten vormen tegen revolutionaire neigingen. Het heeft niet gunstig op het Christendom gewerkt, dat het hierbij onwillekeurig dikwijls meer middel werd dan doel. De Middeleeuwen hadden reeds getoond, dat het verband tussen geestelijk gezag en politieke macht niet zonder gevaar is voor de zuiverheid van de doelstellingen der Kerk. Ook thans weer werd die zuiverheid bedreigd, ditmaal door te grote belangstelling voor de machtsmiddelen der politieke organisatie. De kortste weg van de socialisten om de maatschappij door meerderheid van stemmen tot een heilstaat te dwingen, lokte ook de Chistenen aan, die de gemeenschap weer onder het geestelijk gezag van de kerk willen stellen. Ook hier wordt de meerderheid gebruikt om te dwingen en de democratische overreding geraakt op den achtergrond. Het beeld van de eigen partij accentueert dan meer de organisatie en de discipline dan de belangstelling voor problemen en de redelijke oplossing daarvan. De begrenzing van een bepaalde geloofsbelijdenis maakt een uiteenzettting met andersdenkenden dikwijls reeds a priori onvruchtbaar en wanneer deze geesteshouding ook in de politiek wordt overgebracht, wordt een democratische oplossing van problemen aldus evenzeer bemoeilijkt als door het eenzijdige klassenstandpunt der socialisten.

Een vierde, zeer zwaar wegende moeilijkheid voor de ontwikkeling van een gezonde democratie lag in de toenemende centralisatie van het regeringsgezag. Democratie eist onderling vertrouwen en een zeer verbreide kennis van zaken. Beiden worden bevorderd door decentralisatie. De vertrouwensmannen en de regeringspersonen zijn in kleine plaatsen beter aan de kiezers bekend en zij kunnen daar ook gemakkelijker op de hoogte zijn van de meningen en de belangen in hun gemeenschap. Ook zullen daar vele mensen de vraagstukken van algemeen belang nog vrij behoorlijk kunnen overzien. In grote gemeenten, in een provincie of in het rijk wordt de mogelijkheid tot persoonlijk contact geringer en worden de problemen dikwijls dermate technisch en ingewikkeld, dat ook het oordeel van vertegenwoordigers, die er enige studie van hebben gemaakt, tekort schiet, zodat zij de zaak aan deskundigen moeten overlaten. Door centralisatie van gezag ontstaat dus aan den enen kant een verminderd contact tussen regering en volk, tussen vertegenwoordigers en kiezers, vooral ook als het kiesrecht wordt uitgebreid en algemeen wordt. Aan den anderen kant is een verminderde kennis van zaken het gevolg, omdat maar weinigen in moeilijke en ingewikkelde zaken deskundig geacht kunnen worden. Deze beide factoren hebben tot gevolg, dat bij sterkere centralisatie van een eigenlijken democratischen invloed, een invloed van den volkswil, niet veel overblijft.

De politieke partijen hebben een zekere neiging deze beperking van het democratisch stelsel te verdoezelen door het voor te stellen alsof het centrale regeringsgezag en de deskundigen toch in laatste instantie door de heersende politieke partijen worden bepaald. De kiezer moet een zeker geloof in zijn eigen invloed behouden, anders verliest hij zijn belangstelling en wordt de invloed van de partij bedreigt. De politici, die de belangen van hun partij voorstaan, zijn door de omstandigheden gedwongen de massa op een bepaalde manier warm te houden voor politieke en andere vragen. De psychologie der massa heeft geleerd, dat men daarbij maar weinig op het zakelijk en redelijk oordeel kan rekenen, zodat deze beïnvloeding vooral langs den weg van het gevoel dient te geschieden. Zakelijke en redelijke argumentatie bereikt de burgers in kleinere verbanden, waar het om belangen gaat, die ieder kan overzien en deze argumentatie heeft ook meer invloed op de ontwikkelde klassen, die als regel critischer zijn en hun emotionaliteit beter hebben leren beheersen. Door het algemeen kiesrecht en toenemende centralisatie van de regering wordt aldus de zakelijke beoordeling van regeringsproblemen zeer bemoeilijkt. De politici komen er dan gemakkelijk toe hun kiezers te bereiken langs den weg van gevoelsargumenten. Reeds in de Oudheid bleek dit een gevaar voor een gezonde democratie te zijn. De overheid, die de verantwoordelijkheid draagt voor het algemeen belang en de deskundigen, die advies geven voor de technisch juiste oplossing, voelen zich dan belemmerd door volksvertegenwoordigingen, die emotionele factoren op den voorgrond schuiven. Het is dikwijls het belang der partijen stemming te maken door bij zakelijke beslissingen het één of ander gevoelsargument er bij te slepen om de kiezers te overtuigen, dat hun belangen en hun vooroordelen het nodige respect genieten. De democratische grondslag van het redelijk overleg raakt dan door de partijbelangen op den achtergrond.

De situatie in West-Europa.

Ten gevolge van deze oorzaken ontstond in landen met een democratischen regeringsvorm in het begin van deze eeuw een eigenaardige situatie: de regeringen beschikken door het goed georganiseerde machtsapparaat van den staat over een enorme centrale macht, maar zij zijn in het gebruik daarvan dikwijls geremd en gehinderd door de afzonderlijk georganiseerde maatschappelijke groepen, die in den vorm van politieke partijen critiek uitoefenen en verantwoording eisen. De regeringsmacht was groot en goed georganiseerd en de maatschappij toonde eveneens een krachtig en goed georganiseerd leven, maar in de organisaties van de gemeenschap en van de partijen waren ook allerlei toevalligheden gefixeerd, die door de historische ontwikkeling, door vooroordelen, verkeerd begrip en particularismen waren ontstaan en die nu met veel gevoel werden vast gehouden, terwijl zij geen grote innerlijke betekenis meer bezaten. Iedere groep heeft dan neiging te redeneren vanuit haar vooroordelen en de overheid verkeert in het lastige parket, dat zij al die vooroordelen moet ontzien. Door de politieke organisatie vertonen zich niet alleen de politieke idealen en de bijzondere belangen, maar ook de vooroordelen nu in geconcentreerden, zeer concreten vorm. Regeren is onder dergelijke omstandigheden wel een buitengewoon moeilijke kunst geworden, terwijl ook de parlementaire situatie er niet eenvoudiger op werd. Oorspronkelijk was de tegenstelling der partijen vooral bepaald door de liberalen en de clericale conservatieven, maar door de nieuwe arbeidersvertegenwoordigers en door splitsingen in de partijen werd het aantal der parlementaire groepen talrijker. Zelfs in Engeland, waar het tweepartijen stelsel zich het langst heeft kunnen handhaven, werd het oude systeem verstoord door de Labour Party. Een ministerie steunde nu in de meeste landen niet meer op een enkele partij, maar op een combinatie, hetgeen allerlei compromissen noodzakelijk maakte. Dit evenwicht bleek dikwijls weinig stabiel, wat ten gevolge had dat ministeries voortdurend wisselden, zoals vooral in Frankrijk geschiedde, of wel, dat een eigenlijk parlementaire regeringsmacht niet gevormd kon worden, zodat „extra-parlementaire kabinetten" ontstonden, die nog slechts ten dele op de partijen steunen. Dit werd in ons land, dat tenslotte meer dan vijftig partijen telde, langzamerhand de regel.

De regeringen waren genoodzaakt voortdurend met deze lastige partijen om te springen door telkens aan hun kleinere en grotere wensen tegemoet te komen en door bij benoemingen voor openbare ambten met de verlangens der politici rekening te houden. Zij moesten de algemene lijnen van hun politiek inkleden naar de stemmingen, die in belangrijke partijen heersten. In Nederland had dit bij voorbeeld de verwaarlozing van het leger en van de vloot ten gevolge. Het meest typische verschijnsel van een democratie, die tot schijn-democratie wordt, is de afhankelijkheid van de verantwoordelijke regering van de onverantwoordelijke beïnvloeding der publieke opinie. In de echte democratie is het stelsel van de verantwoordelijkheden zorgvuldig naar draagkracht verdeeld. De politieke partijen en hun journalistieke organen namen echter steeds minder verantwoordelijkheid op zich, maar zij werden er niet bescheidener op in hun oordeel.

Onder deze omstandigheden werden de politieke rechten en de politieke vrijheid, die zij uitdrukken, een zaak van steeds minder belang voor den gemiddelden burger. Oorspronkelijk waren deze rechten een middel om ongehinderd tot welstand te geraken, daarna leken zij een ideaal, dat aan de wereld het heil zou brengen. Nu zijn deze wensen voor een ieder vervuld. Men mag vrijelijk zijn mening uiten en de regering becritiseren, men kan zich verenigen om de maatschappij op bepaalde punten te veranderen en door middel van het algemeen kiesrecht deze opvattingen in de volksvertegenwoordiging brengen. De openbare ambten staan voor iedereen open.

Daarmee is een grote mate van politieke vrijheid bereikt. De enkeling merkt nu echter, dat deze vrijheid practisch weinig betekent als de regering en de maatschappij alreeds behoorlijk zijn georganiseerd en als het grote moeite kost het politieke apparaat in beweging te brengen. Alles is zo goed en zo ingewikkeld georganiseerd, dat men de verantwoordelijkheid graag aan de deskundigen overlaat en het gezag van ambtenaren en politici aanvaardt, ook al is men het op bepaalde punten daar niet geheel mee eens. Tegenover de geweldige macht van de organisatie trekt de enkeling bij een conflict vrij zeker aan het kortste eind. Wil men iets bereiken, dan is het in de eerste plaats nodig relaties te hebben, die door gezaghebbers invloed op de organisatie kunnen uitoefenen. Dit is natuurlijk altijd wel het geval geweest, omdat de mens een gemeenschapswezen is en de enkeling als zodanig alleen bij uitzondering gezag heeft, maar het valt in onzen tijd meer op, omdat de liberale democratie de vrijheid van den individuelen mens heeft geproclameerd en omdat de macht van de organisatie juist in dezen tijd zo geweldig is toegenomen. De dwang, waaraan de gemiddelde mens tegenwoordig als regel vanaf zijn vroegste jeugd is onderworpen, valt hem weinig op, zolang de geordende wereld om hem heen hem geeft wat hij nodig heeft. De behoefte aan vrijheid ontstaat pas, als zijn natuurlijke verlangens geen bevrediging vinden. Het eerste gevolg van de betere organisatie was een algemene vermeerdering van welvaart en zekerheid, van de mogelijkheden om het leven te genieten. Onder dergelijke omstandigheden is het onnodig door politieke rechten invloed uit te willen oefenen op den staat. Men laat de politiek graag aan meer bevoegden over. Daarmee vermindert het begrip voor zaken van algemeen belang, dat toch voorwaarde is voor een goede democratische regering. De overheid van haar kant vindt het zo wel gemakkelijk en geeft zich geen moeite dit begrip door voorlichting te wekken om aldus het publiek in democratischen geest op te voeden. Dat zou immers alleen maar lastige discussies geven. Zowel de welvaart als de overheid droegen er dus toe bij het type van den onverantwoordelijken massa mens te vormen.

Wij zagen in het eerste hoofdstuk hoe belangrijk de massamens voor de structuur van de tegenwoordige gemeenschap is geworden. Na de historische beschouwing van de ontwikkeling dier gemeenschap zal het thans beter mogelijk zijn in te zien, dat de massamens een bedreiging vormt voor de democratische gemeenschapsstructuur. Deze toch eist vrije onafhankelijke burgers, die in staat zijn een eigen mening te vormen over de zaken der gemeenschap en die daarover op redelijke wijze kunnen argumenteren. Daartegenover is de massamens als eenling geheel gebonden door de groep, waarin hij leeft, hij heeft geen eigen vorm en geen eigen mening, de zaken van de gemeenschap interesseren hem alleen voor zover hij zijn wensen bevredigd wil hebben en de gemeenschap daarvoor verantwoordelijk stelt. Hij denkt er niet over mee de verantwoordelijkheid te dragen en hij heeft een souvereine minachting voor redelijke argumenten [1]). Toch heeft zich in de meeste staten een verschuiving van het eerste type burger naar het tweede voltrokken, zonder dat de democraten hun idealen daardoor ook maar enigszins voelden bedreigd. De massamens is pas na den vorigen wereldoorlog een bewust probleem geworden. De verhouding tussen staat, gemeenschap en massamens had zich toen in verschillende landen reeds tot verschillende typische vormen ontwikkeld, die wij thans eerst nader moeten beschouwen om de maatschappelijke crisis na 1918 beter te kunnen begrijpen.

De Europese Westerse democratieën stonden, zoals wij daarnet hebben gezien, voor de moeilijkheid, dat een sterke maatschappelijke organisatie haar uitdrukking had gevonden in politieke partijen, die allerlei historische, sociale, economische en geestelijke tegenstellingen fixeerden en daardoor den groei tot grotere eenheid tegenhielden, terwijl een machtig staatsgezag dat die eenheid zou willen bevorderen, daardoor in sterke mate gehinderd werd. De vaste lijn ontbrak dan, men leefde bij compromissen. Desalniettemin kwamen overal aanzienlijke verbeteringen tot stand en men mocht aannemen, dat verdere discussies tussen de partijen en de vrije critiek daarbuiten het bewustzijn van den aard der moeilijkheden zou versterken en op den duur oplossingen zou doen vinden. De massamens had in deze landen geen eigen specialen vorm om zich te uiten. Zijn invloed werd wel geleidelijk merkbaar in de meeste partijen, doordat overal de rechten veel meer op den voorgrond werden gesteld dan de plichten en verhoging van de welvaart het eerste doel van alle politiek scheen te zijn. Deze invloed van een geesteshouding op de politiek moet als algemeen verschijnsel worden gezien. De ideologie van de sociaaldemocraten is hier maar ten dele in betrokken. Wel komt het ideaal der gelijkheid bij uitstek overeen met zijn nivellerende levenssfeer, maar de klassenstrijd ligt hem even weinig als enige andere strijd. Hij wil ook hiervoor de inspanning en de verantwoordelijkheid graag aan anderen laten. Als de sociaaldemocraten aan de regering komen, hebben zij evenveel last van dit verschijnsel als andere regeringen. De invloed van den massamens is overal meer indirect en weinig opvallend, al droeg deze invloed zeker in niet geringe mate bij tot een zeker verval van den democratischen regeringsvorm. In landen met een ouderen democratischen gemeenschapsstijl, waartoe ook ons land behoort, werd dit verval ten dele tegengehouden en gecompenseerd door een algemene erkenning van de rechten van den individuelen mens en door eerbied voor redelijke argumenten.

[1]) Het is gewenst er hier nog eens uitdrukkelijk op te wijzen, dat de massamens in alle klassen en standen voorkomt.

De maatschappij in Amerika.

In Amerika en in Duitsland ontwikkelden de verhoudingen zich op andere wijze. Wij moeten deze thans wat uitvoeriger beschouwen en wij willen beginnen met de gemeenschapsstructuur in de Verenigde Staten. Wanneer men het algemene geheime kiesrecht tot maatstaf neemt voor de democratie, dan vertegenwoordigen de Verenigde Staten den oudsten democratischen gemeenschapsvorm. Ziet men in het kiesrecht eerder iets formeels en zoekt men het meest wezenlijke in de mogelijkheid tot individuele economische ontplooiïng voor iedereen, dan vormen eveneens de Verenigde Staten in hun eerste ontwikkeling de meest democratische gemeenschap, die men zich denken kan. De grondslagen van deze gemeenschap waren anders dan de geschiedenis ze tevoren heeft getoond [1]) Wel is het ook vroeger voorgekomen, dat een grote, weinig bezette ruimte door een volk in bezit is genomen, maar dit volk zette dan de eigen, historisch gevormde cultuur in de nieuwe wereld voort. Ten dele is dit ook in Amerika wel geschied, maar daar staat tegenover, dat vele kolonisten juist uit oppositie tegen bepaalde opvattingen hun vaderland hadden verlaten. Amerika werd aanvankelijk bevolkt door individualistische mensen, die om godsdienstige of politieke redenen, of uit een drang naar een onafhankelijk bestaan, de gevaren trotseerden van de grote reis en van een ruw leven onder moeilijke omstandigheden. De eerste kolonisten behoorden grotendeels tot Protestantse secten en zij waren ook op geestelijk gebied individualisten. Aldus ontstond in de nieuwe wereld een volk van sterke, onafhankelijke persoonlijkheden.

Voor dergelijke mensen is de staat een organisatie van den gemeenschappelijken wil, hij wordt practisch beschouwd, zonder enigen mystieken eerbied. Het spreekt daar vanzelf, dat een gemeenschapsorganisatie ieder ogenblik veranderd kan worden om haar te verbeteren. De innerlijke morele eisen hebben dan voor de gemeenschap grotere waarde dan het staatsgezag. De morele waarden, aan den Bijbel ontleend, vormden de belangrijkste onderlinge band. Het is begrijpelijk, dat het moeite kostte in een dergelijke maatschappij een krachtig gezag te vestigen. Dit bleek vooral na den Vrijheidsoorlog bij de vorming van de constitutie, toen de republikeinen (de latere democraten) het gezag der afzonderlijke staten verdedigden tegenover de federalisten (de latere republikeinen), die een sterke centrale regering wensten. Later leidde deze onafhankelijke houding tot den groten burgeroorlog, (1861–1865), toen de Zuidelijke democratische staten, die de slavernij wilden handhaven, uit de Unie traden om aan den dwang der meerderheid te ontkomen. Deze oorlog bracht

[1]) Zij komen enigszins overeen met de grondslagen der kolonisatie in Zuid-Afrika en Australië.

het Amerikaanse volk ertoe, de noodzakelijkheid van een sterker centraal gezag te erkennen.

Een merkwaardig verschijnsel, waarin het overwicht van de volksbeweging tegenover het centrale bestuur tot uiting komt, is ook thans nog het aftreden van alle staatsambtenaren, van hoog tot laag, wanneer de verkiezingen een andere partij aan het bewind brengen. Tot op den huidigen dag moet dus bij een dergelijke verandering het gehele staatsapparaat worden vernieuwd. Dit heeft ten gevolge, dat geen bureaucratische traditie kan ontstaan, dat staatsbedrijven niet zo gemakkelijk als in Europa gevestigd kunnen worden en dat ook voor de overheid het organiseren een voortdurende acute eis blijft, zodat het regeren in dit land een dynamische beweging vereist om de voortdurende nieuwe scheppingen op maatschappelijk gebied (nieuwe bedrijven, nieuwe ontginningen, nieuwe steden) bij te kunnen houden. Men bedenke slechts, welk een geweldige onderneming de ontginning van het Westen is geweest om te beseffen hoe de particuliere ondernemingsgeest en het vrije initiatief ook zeer bijzondere eisen stellen aan de overheid. Afgezien van het feit, dat de ambtenaren bij iedere verkiezing ermee rekening moeten houden weer als particulier te moeten gaan werken, vormt reeds de bewegelijke, vitale sfeer van het Amerikaanse leven een reden, waarom een bureaucratische statische ambtenarengeest zich hier moeilijk kan ontwikkelen. De weinige afstand tussen burger en ambtenaar, de mogelijkheid, dat een ieder geroepen kan worden een actief aandeel te nemen door aanvaarding van een bestuursfunctie, doen ons aan het oude Hellas denken. Ook de verbinding van goed betaalde baantjes met politieke idealen komt met deze vroege vormen van de democratie overeen. Het voornaamste accent in deze jonge gemeenschap lag echter op de vrijheid voor een ieder om rijkdom en welvaart te verwerken en zich voor dit doel met anderen te associëren. Deze economische vrijheid schiep een sfeer, waaraan ieder deel had en waar het besef van gelijke kansen een sterk gevoel van menselijke gelijkheid met zich bracht. Meer dan het algemene stemrecht, meer dan het openstaan van alle ambten voor iedereen, meer dan de scheiding van kerk en staat, die voorkeur verhinderde, overtuigden de gelijke mogelijkheden om rijkdom te verwerven een ieder van de fundamentele vrijheid en gelijkheid van den mens.

Dit feit had ten gevolge, dat gedurende langen tijd geen onderdrukte klassen ontstonden, geen proletariaat, dat in opstand kwam tegen het kapitalisme. Ieder burger voelde zich een kapitalist in den dop en wilde zich de mogelijke toekomstige rechten van den bezitter niet laten ontnemen. Daarom was er tot voor kort weinig reden voor een eigen politiek van arbeiderspartijen. De arbeider had deel aan de algemene welvaart en kleedde zich als andere burgers. Ook voor het ontstaan van andere speciale partijen bestond minder aanleiding dan in Europa. Kerk en staat waren gescheiden, de aanvankelijke overheersende Protestantse kerken waren de steunpilaren van de algemeen erkende moraal. Een anti-clericale houding ontstond later wel eens, waar in sommige grote steden de Katholieke emigranten een georganiseerde macht gingen vormen, maar deze houding bleef plaatselijk. Iedereen was liberaal en democraat en voorstander van de welvaart. Er bestond dus weinig grond voor de organisati van politieke tegenstellingen.

De twee oorspronkelijke politieke partijen, die als vanouds, evenals in Engeland, de meningsuiting in de volksvertegenwoordiging beheersen, bleven dus eenvoudig voortbestaan en men goot in deze oude zakken den nieuwen wijn van actuele belangen en gevoelsstromingen. De partijen vertegenwoordigen in Amerika veel minder gefixeerde geestelijke of maatschappelijke verhoudingen dan in Europa. Wel bestaan nog bepaalde historische banden vanaf den Vrijheidsoorlog tussen de democraten en het Zuiden en voelt deze partij zich vooral de woordvoerdster van staten, die zich om de één of andere reden als achtergesteld beschouwen, maar de meerderheid, die aldus bij een verkiezing tot stand kan komen, bestaat ten dele uit wisselende elementen, die geen bepaald politiek principe vertegenwoordigen. Naast het verarmde Zuiden, dat zich door nauwe politieke aaneensluiting weert tegen een dreigend overwicht der negerbevolking, behoort het Katholieke (vooral Ierse) element van de Oostelijke staten tot deze partij en verder voegen zich hierbij de ontevreden staten uit het Westen, wanneer ongunstige oogsten hen de overmacht van de spoorwegen en van het New-Yorkse kapitaal doen gevoelen. De Republikeinse partij vertegenwoordigt hiertegenover het conservatieve, Angelsaksische en noordelijke element. Haar aanhangers vragen van de politiek in de eerste plaats stabiliteit en welvaart. Zij wensen bescherming van de eigen belangen en staan afwijzend tegenover romantische avonturen. Als regel is de tegenstelling van deze partijen geen zaak, die de hartstochten of de verbeelding van het publiek in beweging kan zetten. De intellectuelen hebben zich dan ook reeds lang van de politiek afgewend en ook de zakenlieden laten deze aan beroepspolitici over, van wie zij bij tijd en wijle gebruik maken, als hun belangen dat vorderen.

Wanneer de belangstelling van een groot deel der burgers voor de politiek verdwijnt, terwijl deze toch een belangrijk instrument blijft om macht te oefenen, dan is de kans groot, dat dit instrument in verkeerde handen komt, waardoor het algemeen belang benadeeld wordt. Het is bekend, dat dit in de Verenigde Staten veelvuldig is geschied en dat corrupte overheidsorganen en de invloed van misdadige organisaties dikwijls veel ergernis hebben gegeven. Dit verschijnsel is het gevolg enerzijds van een zwak georganiseerd overheidsgezag, anderzijds van het ontbreken van een erkende aristocratische klasse, die door haar voorbeeld een maatschappelijken stijl en een politiek verantwoordelijkheidsgevoel kan scheppen. De enkele steden in het Oosten en het Zuiden, waar nog oude families den „kolonialen" geestelijken stijl handhaven, hebben weinig betekenis voor het geheel. Toch kan men ook weer niet zeggen, dat de Verenigde Staten geheel een eigen levensstijl, die een verband legt tussen verleden, heden en toekomst, missen. Het verleden doet zich gelden in bepaalde richtlijnen van de publieke opinie, die den invloed van den ouden puriteinsen geest levend houden en deze publieke opinie vormt een tegenwicht tegen het verval op maatschappelijk en politiek gebied, waar het overheidsgezag te kort schiet.

In een dergelijke gemeenschap van krachtige, onafhankelijke individuen kan gemakkelijk anarchie ontstaan, maar waar de goede orde bedreigd wordt, daar organiseert zich, spontaan of meer duurzaam, een groep om de goede morele opvattingen te doen zegevieren. Wie zich tegen dit gezag der gemeenschap verzet, wordt met krachtige middelen gedwongen zijn eigenmachtigheid te laten varen. Bekend is de invloed, die de lynchwet, de Ku Kux Klan en andere geheime verenigingen in het Amerikaanse leven hebben gehad, maar veel belangrijker zijn de grote volksbewegingen, die door propaganda van een groep worden veroorzaakt. Deze propaganda is een Amerikaanse uitvinding. „De eerzucht van Amerikaanse groepsbewegingen, vooral van de moraliserende groepsbewegingen, is onbegrensd," schrijft Siegfried [1]) „en hun autoriteit is des te groter, daar zij den steun van het volk vragen, omdat zij uit naam van de maatschappij spreken. Hier moet het individu niet zo zeer verdedigd worden tegen den staat – zoals Spencer heeft verkondigd – maar tegen de maatschappij zelf. En werkelijk, er bestaat nergens in de wereld een milieu, waar de stroom van de mening, gekanaliseerd door de hand van deskundigen, zich bij gelegenheid op een dergelijk meeslepende wijze kan uiten. In de oude landen met hun verfijnde beschaving stuiten dergelijke stromingen op traditionele instellingen, die door de eeuwen als sterke dammen zijn gevormd, die overstromingen tegenhouden of beperken; op deze wijze werken bepaalde universiteiten, die geestelijk autonoom zijn, grote lichamen met een eigen vorm als de magistratuur of het officierscorps, verder de kerken en groepen van intellectuelen, die zich weten te verdedigen tegen deze meeslepende krachten. In de Verenigde Staten bestaan deze dammen niet, of slechts daar, waar de assimilatie zich niet heeft doen gelden, zoals bij de Katholieke immigranten. Maar

[1]) André Siegfried, Les États-Unis d'Aujourd'hui, 1927.

overigens schijnen alle instellingen, – universiteiten, Protestantse kerken, productiemachten, sociale machten, mondaine invloeden – zich met vreugde ter beschikking te stellen voor de algehele overgave aan dit gemeenschappelijk doel: een grootse nationale discipline, die een geweldige latente macht ontketent, angstwekkend in haar overweldiging van alle andersdenkenden. Men dient er zich inderdaad rekenschap van te geven, dat de Amerikaanse gemeenschap, althans westelijk van de Alleghanies, geen, of bijna geen, intellectuele aristocratie meer bezit, die in staat is vrij te denken en zich moedig tegenover de massa te stellen, die haar ook zeker zou vernietigen. In dit land van overdrijvingen, waarvan misschien de voornaamste eigenaardigheid is, ideeën altijd tot het uiterste te willen drijven, is de publieke opinie heden ten dage tot een formidabele hefboom geworden: de middelen om haar in gang te zetten, haar te leiden, haar al het andere te doen overheersen, zijn zo bekend, deze techniek rendeert zo goed en de goede bedoelingen van het publiek zijn zo gemakkelijk te leiden, dat niemand kan zeggen, waartoe dit volk zich niet zou laten meeslepen. Het wezenlijke van deze groeperingen bestaat in hun vitaliteit: zij zijn in voortdurende beweging. Daar tegenover zijn de partijen slechts apparaten zonder initiatief en zonder leven, die alleen dienen om de politieke macht te veroveren. Met de politieke partijen van Europa hebben zij slechts den naam gemeen. In Amerika gebruikt men ze, zoals men een bank of een expeditiebureau gebruikt. Als men in deze partijen een politiek ideaal, een fundamenteel streven, of de strijdbaarheid van een gemeenschappelijk gevoel zoekt, dan jaagt men een hersenschim na."

De overheersende invloed van de massa, die Siegfried beschrijft, toont ons voor het eerst den massamens met een eigen uitingsvorm: de georganiseerde beweging. Een dergelijke massabeweging vonden wij reeds in de revoluties, maar daar was zij een voorbijgaand verschijnsel onder zeer bijzondere omstandigheden. De massa was daar nog grotendeels menigte en viel daarna weer uiteen. Ook in de partijenorganisatie, vooral van de sociaaldemocratische partijen, kan men een uiting van de massa zien, maar daar richt zich de organisatie op een bepaalde groep en tracht zij deze groep tot een werktuig voor bepaalde bedoelingen te smeden, waarbij de typische eigenaardigheden van de massa ook weer beperkt moeten worden. De massa wordt dan vervormd tot een leger. De massabewegingen in de Verenigde Staten wekken daarentegen, ook in een gedisciplineerden burger, de eigenschappen van den massamens. Het gevoel op te gaan in de massa en als massa het recht te hebben om eisen te stellen en de macht om ze ingewilligd te krijgen, het gevoel allen gelijk te zijn en daarom ook gelijk te hebben, kan men ook bij de arbeiderspartijen vinden, maar daar geeft het bewustzijn van den strijd een zekere persoonlijke verantwoordelijkheid en een zekere behoefte aan argumentatie. Deze laatste factoren vallen weg bij de massabewegingen, zoals die in de Verenigde Staten in gang werden gezet. De technische beïnvloeding van de massa door reclame, krant, bioscoop en radio concentreert zich geheel op het wekken van die ene voorstelling: wij zijn het allen eens en dus hebben wij gelijk. De ervaring leert, dat geen discipline meer nodig is, geen gezag van deskundigen of autoriteiten, indien het maar gelukt een bepaalde voorstelling als de mening van iedereen te doen zien. Bewegingen als de drooglegging, als Christian Science, de anti-Nazi- of de anti-communistische beweging zijn niet in de eerste plaats op redelijke argumentatie gegrond, maar op de propaganda: wij allen ervaren, dat dit het beste is, doe dus ook mee! De pers, de volksvertegenwoordigers en de autoriteiten kunnen niet tegen een dergelijke beweging ingaan, zij kunnen deze hoogstens met enige handigheid leiden.

Het type van den Amerikaansen burger, dat aldus ontstaat, is zeer verschillend van dat van de oorspronkelijk pioniers. Deze waren hard en stug, voorzichtig en achterdochtig, maar eindeloos volhardend in hun Godsvertrouwen. De blijmoedige naïeviteit van een Babbit, de volkomen onbewustheid van eigen beperktheden, het overweldigend zelfvertrouwen in de collectieve mogelijkheden van „Gods own country" scheppen het beeld van den jovialen, optimistischen, intelligenten maar oncritischen Amerikaan, dat sympathiek aandoet, maar toch ook een zekeren spot wekt. Mark Twain sprak reeds van zijn landgenoten als „the innocents", de onnozelen. Hoe komt het, dat een volk, dat oorspronkelijk zulk een individualistische kracht toonde, in zijn verdere ontwikkeling onder den invloed van massabewegingen is geraakt en aldus het eerst de psychologie van den massamens heeft verduidelijkt? Nog toont dit volk een bewonderenswaardige ondernemingsgeest, een onuitputtelijke kracht, een onverwoestbare jeugd en een frissen kijk op de dingen, waarom alle oudere volken het kunnen benijden, maar de geest heeft zich hier nog niet tot een innerlijk beeld geconcentreerd, waaraan deze vele mogelijkheden zich tot een eigen cultuur verdichten. Tot nu toe werden alle dingen nog te veel aangepakt als een avontuur of een speculatie, zij hadden hun plaats nog niet gevonden in het grote geheel. [1])

Deze toestand is psychologisch te vergelijken met den geestestoestand van een „self-made-man" die te weinig goede

[1]) Men leze bij voorbeeld in het aardige boekje over „Klimaat en Landverdroging" van Van Waterschoot v. d. Gracht, hoe de ontwikkeling van landbouw en veeteelt onder den invloed stond van „booms", waarop dan telkens inzinkingen volgden door uitputting van den bodem.

voorbeelden en richtlijnen heeft meegekregen om zijn energie in zijn gevoelens in culturele banen te leiden, of misschien beter nog met de adolescentie, waarin die vroegere voorbeelden ten dele zijn afgebroken om een eigen beeld te kunnen opbouwen, dat overeenstemt met den eigen aanleg. Voor de volken wordt dat innerlijk beeld gevonden in de grote leiders en verder vooral ook in de eigen elite, in een aristocratische klasse, die de deugden en mogelijkheden tot een voorbeeldigen stijl verdicht. Ook hier staan wij weer voor de vraag, of een echte democratische gemeenschapsvorm duurzaam mogelijk is zonder het tegenwicht van den één of anderen vorm van aristocratie (d.i. regering door de besten). Het ontbreken van dit tegenwicht in de Verenigde Staten heeft daar zonder twijfel den democratischen geest van vrijheid verzwakt en den burger onder de slavernij gesteld, hier niet van de politieke partijen, of van een centrale regering, maar van een anderen vorm van organisatie: de georganiseerde publieke opinie als uiting van den massamens.

Het Duitse keizerrijk.

Naast deze twee typen van gemeenschapsontwikkeling, die van de overheersing der georganiseerde politieke partijen en die van de overheersing der massabeweging, toont de ontwikkeling in Duitsland ons een derde beeld, namelijk de overheersing van het georganiseerde staatsgezag. Vanaf de consolidatie van den Pruisischen staat in de 18e eeuw stond daar de organisatie veel hoger aangeschreven dan de vrijheid. Het succes van deze organisatie kon in Duitsland en Oostenrijk des te gemakkelijker navolging wekken, omdat daar het feudale, militairistische stelsel sinds de Middeleeuwen het overwicht had behouden. De landadel had in deze agrarische landen nog een overwegende positie, die niet – zoals in West-Europa – door de welvarende burgerij van de grote steden was aangetast. Tot 1870 waren de industrieën en het grootkapitaal nog geen factoren van gewicht. Militairen en ambtenaren golden als de belangrijkste steunpilaren van den staat. Hier had de democratie geen kans, zoals in 1848 duidelijk was gebleken. Het patriarchale gezag van de monarchie vond zijn tegenhanger in de vaderlijke autoriteit in het gezin. Overal werd een strenge orde door tucht en dwang gehandhaafd. Na den val van Napoleon verloor het militairisme in Frankrijk aan invloed, maar in Pruisen was het door de Napoleontische oorlogen juist versterkt. De Pruisische vorm van maatschappelijke organisatie is in de 19e eeuw geheel Duitsland gaan overheersen door den invloed van Bismarck. De eenheid en de macht van Duitsland kwamen vooral tot stand door het werk van dezen bijzonderen staatsman.

Vanaf 1848 was het duidelijk, dat de strijd om de hegemonie in

Duitsland tussen Pruisen en Oostenrijk op de een of andere manier zou moeten worden uitgevochten. Deze beide machten dwarsboomden elkaars plannen om tot eenheid te komen, maar een openlijke strijd tussen de broedervolken vond in geen van beide landen sympathie. Zodra Bismarck de macht in handen had, zette hij de systematische versterking van het leger door tegen het votum in van het parlement, dat de daarvoor benodigde gelden weigerde en hij wist in 1866 den oorlog met Oostenrijk te forceren en in een korten veldtocht glansrijk te winnen. Daarna stichtte hij den Noord-Duitsen Bond, die een constitutie kreeg, welke zeer typerend voor de Duitse verhoudingen is. De Rijksdag als vertegenwoordiging van de deelnemende volken (vanaf 1871 van geheel Duitsland) werd door algemeen geheim kiesrecht gekozen (wat in Frankrijk en Engeland pas later is ingevoerd), maar deze maakte niet zelf de regering, had geen uiteindelijken invloed op de financiën en geen contrôle op militaire zaken of buitenlandse politiek. Wel waren de besprekingen openbaar. De eigenlijke regeringsmacht berustte bij den Bondsraad, waar vertegenwoordigers van de regeringen der afzonderlijke staten in geheime zitting bijeen kwamen onder voorzitterschap van een Rijkskanselier, die tevens minister-president van Pruisen was en waarin Pruisen steeds van een meerderheid verzekerd kon zijn. De Rijkskanselier was alleen aan zijn koning (later aan den Duitsen keizer) verantwoording verschuldigd. In tegenstelling met Italië, dat bij zijn intrede in de rij der zelfstandige staten (1861) een parlementaire regering naar het Engelse voorbeeld vormde, kreeg Duitsland dus een regeringsvorm, die de essentiële kenmerken van de militairistische monarchie behield, al werd daarnaast zowel aan de bondsstaten als aan het volk het recht gelaten om mee te spreken en invloed te oefenen op de leiding. Het ideaal van Bismarck was, dat een sterk centraal monarchaal gezag gecontroleerd zou worden door de vrije meningsuiting in een vertegenwoordiging uit standen of beroepsorganisaties en in een vrije pers. Voor belangrijke veranderingen zou dan eensgezindheid tussen de staatsleiding en de volksvertegenwoordiging nodig zijn.

Na den Frans-Duitsen oorlog in 1870 en de stichting van het Duitse keizerrijk (1871) werd deze staatsinrichting geldig voor geheel Duitsland en Bismarck bleef hiervan de uitgesproken leider tot een conflict met den jeugdigen Wilhelm II in 1890 tot zijn ontslag voerde. Het dualisme in zijn regeringsapparaat werd oorzaak van veel wrijving. Bismarck maakte de politiek, maar hij was genoodzaakt daarvoor telkens een meerderheid uit de partijen te groeperen, terwijl de tegenstanders dan op autocratische wijze werden behandeld. Aanvankelijk regeerde hij met de liberalen tegen de conservatieven en werden de Katholieken onderdrukt. Hij trachtte van de geestelijken een soort staatsambtenaren te maken, stelde het onderwijs geheel onder toezicht van den staat (1872), maakte het burgerlijk huwelijk verplichtend en hief de geestelijke orden op. Hevig verzet van de Katholieken was het gevolg. Wat later, toen een crisis, na een tijd van overmatige economische expansie na de overwinning op Frankrijk, de industrieëlen om beschermende rechten deed roepen, liet Bismarck de liberalen los en verzoende zich met de Katholieken.

Als Pruisische jonker was hij van huis uit achterdochtig tegenover vrijzinnige ideeën en de nieuwe sociaal-democratische partij, die openlijk naar een andere maatschappelijke orde streefde, was hem een gruwel. Tegen de beslissing van den Rijksdag in wist hij zijn zin door te zetten en onder voorwendsel van een paar aanslagen op het leven van den keizer, waarmee de socialisten niets te maken hadden, werd in 1878 een wet ingevoerd, waarbij verenigingen, die de bestaande staatkundige en maatschappelijke orde willen omwerpen, ontbonden werden. Vele arbeidersverenigingen en partijbladen werden verboden, talrijke leiders gevangen genomen, of gedeporteerd. Deze druk veroorzaakte een sterke innerlijke aaneensluiting van de partij, een meer autoritaire leiding en een stramme discipline van de aanhangers. Het aantal stemmen van de socialisten bleef stijgen. Bismarck's binnenlandse politiek bewoog zich daarna in steeds meer conservatieve richting. De vrijhandel werd afgeschaft. Jonkers en corps-studenten beheersten de machtige bureaucratie. Toen het moeilijk werd in den Rijksdag een meerderheid voor zijn politiek te vinden, dreigde hij er mede de constitutie te veranderen door wijzigingen in het kiesrecht of verandering van de volksvertegenwoordiging.

Deze verhouding tussen gemeenschap en politiek bleef in Duitsland ook onder Wilhelm II bestaan, tot het eind van den eersten wereldoorlog hieraan in 1918 een eind maakte. Alle democratische toevoegingen konden het feit niet verbloemen, dat Duitsland in wezen een militairistische staat was. De gemeenschap kreeg, noch in den vorm van politieke partijen, noch in den vorm van volksbewegingen, ook maar enigszins de macht, die zij in West-Europa of in Amerika had ontwikkeld. De burger voelde zich, ook bij vrijheid van meningsuiting en bij algemeen kiesrecht, toch in de eerste plaats onderdaan. Hij nam minder initiatief bij de organisatie van het gemeenschapsleven en liet de verantwoordelijkheid gaarne aan den staat en aan haar trouwe dienaren, de ambtenaren. Te veel zelfstandigheid stuitte ook al spoedig op het wantrouwen en het misnoegen der overheid. Als hoogsten vorm van staats-organisatie gold het leger met zijn patriarchale hiërarchie. De verplichte dienst in het leger betekende voor iederen man het wezenlijke bewustworden van den band met zijn volk. De staatsorganisatie schiep de eenheid, die in de volksgemeenschap nog maar weinig bestond. De staat gebruikte hier de burgers en wees ieder zijn plaats aan. Volgens Bismarck dient de leider van den staat ook aan de politieke partijen hun plaats aan te wijzen in de samenwerking en hij werd boos, als zij zich dit niet lieten welgevallen. Ook Wilhelm II concentreerde in zichzelf de verantwoordelijkheid voor de leiding van het rijk.

Een dergelijke, sterk georganiseerde staat biedt vele voordelen, vooral onder twee voorwaarden: 1e. bij een toenemende welvaart en 2e. bij oorlogsgevaar. Beide condities waren in Duitsland vervuld. Met de geweldig toenemende industrialisatie, met de uitbreiding van zeevaart en handel zag een ieder zich in staat gesteld betere levensvoorwaarden te veroveren en ook de sociaaldemocraten raakten meer verzoend met een staatsgezag, dat zijn vaderlijken invloed weldadig organiserend in hun leven liet gelden, dat hun geordende verhoudingen, hogere lonen, uitstekend onderwijs, betere woningen en overvloedig voedsel bracht. De wens naar meer democratische macht leek onder deze omstandigheden voor den gemiddelden Duitser een eigengereide gril, die gemakkelijk werd afgewezen met een verwijzing naar de slechtere organisatie van het democratische Frankrijk. Bovendien overtuigde de voortdurende oorlogsdreiging door de toenemende bewaping een ieder van de noodzakelijkheid van een goedmilitairistisch georganiseerden staat. Men was zich daarbij niet bewust, dat de algemene oorlogsdreiging in hoofdzaak door dat eigen militairisme en imperialisme ontstond.

Het Duitsland vóór 1918 geeft ons dus het beeld van een welvarende, maar weinig krachtige gemeenschap, weinig krachtig, omdat geen eenheid gegroeid was tussen de verschillende landen en de verschillende lagen van de maatschappij en ook omdat er geen zelfbewuste individualistische burgerij bestond. Een ieder zocht onwillekeurig steun bij een krachtige overheid en ook de intellectuelen verheerlijkten het gezag van den staat. De partijen waren zwakker dan in West-Europa, omdat zij den staat minder beheersten, maar zij waren toch sterk genoeg om de volksgemeenschap te verzwakken door het organiseren van politieke tegenstellingen (vooral in de sociaaldemocratische- en de centrumpartij). Boven alles treft hier echter de overweldigende macht van den staat, die door zijn organisaties van militairen en ambtenaren den stijl aangeeft in deze gemeenschap.

Waar vinden wij in dit keizerlijk Duitsland den massamens? Zeker kunnen wij zijn bestaan verwachten in een land, waar de bevolking tussen 1890 en 1910 van ruim 49 millioen tot bijna 65 millioen toeneemt en waar het aantal steden boven de 100.000 inwoners in dienzelfden tijd van 24 tot 46 stijgt. Wij zien ook zijn uiting in den groei der sociaaldemocratische partij, die na het verdwijnen der socialistenwetten (1890) in 1903 bijna $^1/_3$ van de uitgebrachte stemmen weet te verenigen, maar ook in de groeiende macht van de R.K. centrumpartij, waarin de arbeiders een belangrijken factor gaan vormen. De tegenstelling tussen deze massale partijen maakte het ook in Duitsland – evenals in West-Europa – voor de regeringen moeilijk stabiele parlementaire meerderheden te vormen en de politieke ontwikkeling te leiden. Hierin bestaat dus ook veel overeenstemming met den toestand in de democratische landen. Maar, waar daar de democratische geest reeds verzwakt werd door het georganiseerde staatsgezag en de partijenorganisatie, daar hadden deze invloeden in Duitsland nog veel meer ten gevolge, dat een democratische gemeenschap van zelfstandige burgers zich niet kon ontwikkelen. De latere ontwikkeling van het nationaal-socialisme, steunende op de massabeweging, is niet te begrijpen, wanneer men niet inziet, dat zowel de militaire organisatie als de partijorganisatie, evenals ook de industrialisatie de eigenschappen van den massamens hebben helpen ontwikkelen. Het merendeel der mensen wordt in deze verbanden onderling gelijk gesteld en volkomen ondergeschikt gemaakt aan een gezag, dat bijna alle verantwoordelijkheid overneemt, dat aan een ieder met enkele slagwoorden zijn taak aanwijst en dat verplicht is voor zijn materiële welzijn te zorgen. De geesteshouding, die aldus ontstaat, leidt gemakkelijk tot massabewegingen, wanneer de leiding de autoriteit verliest, de dwang niet meer bestaat en de verzorging tekort schiet.

Imperialistische spanningen.

De Westerse wereld vóór 1941 toont dus overal – ten dele door de industrialisatie en ten dele door maatschappelijke en politieke invloeden – een vermindering van democratische structuur en een geleidelijke versterking van de macht van den massamens. Deze invloeden werden nog versterkt door de internationale spanningen op economisch en politiek gebied, veroorzaakt door den strijd om afzetgebieden en grondstoffen. Engeland en Frankrijk, en ook kleinere landen als Nederland en België, bezaten belangrijke koloniën, terwijl jongere landen als Duitsland en Italië zich daarin achtergesteld voelden. Bismarck had een voorzichtige buitenlandse politiek gevoerd. Hij vreesde de macht van Rusland en sloot in 1879 met Oostenrijk een geheime alliantie, waarbij drie jaar later zich ook Italië voegde. Hij werd tegen zijn zin door de partijen gedwongen mee te doen in den wedstrijd om het verkrijgen van koloniën. Hij wilde Engeland te vriend houden. Maar een stemming van grootheidswaan, die zich na 1870 van een belangrijk deel van het Duitse volk had meester gemaakt, zag in Engeland den volgenden tegenstander, die voor de Duitse macht zou moeten buigen en vergeleek Duitsland als stichter van een toekomstig wereldrijk met Rome en Engeland met Carthago. Deze stemming vond later vooral steun in de romantische zucht naar roem van Wilhelm II, die het bezit van een grote vloot en van meer en betere koloniën als een levenseis van het Duitse volk beschouwde. In Europa waren het vooral Nederland, Zwitserland en de delen van Polen, die Rusland in zijn macht had, welke door het Duitse imperialisme werden begeerd.

Tegenover den driebond van Duitsland, Oostenrijk en Italië zochten Frankrijk en Rusland toenadering (1891). Engeland bleef eerst afzijdig, maar aldus was toch een zeker Europees machtsevenwicht ontstaan, dat telkens bij kleinere of grotere aanleidingen verstoord dreigde te worden als Wilhelm II „met den sabel rammelde".[1]) Intussen groeiden de internationale spanningen door den economischen wedstrijd, die tot een voortdurenden tarievenoorlog leidde en door een steeds toenemenden wedstrijd in bewapening. Beide factoren dwongen de Europese landen tot grotere nationale organisatie. Het liberale Engeland bleef – evenals Nederland – trouw aan den vrijhandel, maar het werd door den vlootbouw van Duitsland tot geweldige maritieme krachtsinspanning gedwongen. Ook daar groeide de drang tot imperialistische organisatie.

Dit imperialisme werd ook eigenlijk steeds meer een organisatorische noodzakelijkheid. In de 18e eeuw waren de afzonderlijke landen nog grotendeels nationaal georganiseerd. Zij verbouwden en fabriceerden zelf bijna alles wat het volk nodig had, al raakten ook toen al landen als Engeland en Nederland voor sommige grondstoffen (katoen, hout, sommige metalen) op het buitenland aangewezen. Aan het eind der 19e eeuw vertoonde de Westerse wereld een geheel ander beeld: zij was tot één groot samenhangend geheel gegroeid. Engeland was het eerste voorbeeld van een land, dat voor zijn voeding afhankelijk was van den overzeesen handel en dat omgekeerd andere landen van zich afhankelijk maakte op industriëel gebied (textielgoederen en machines). Deze economische wisselwerking had zich steeds algemener uitgebreid. Duitsland was specialist geworden op chemisch en electrotechnisch gebied, andere landen verbouwden en fabriceerden eveneens dikwijls meer voor den wereldhandel dan voor de eigen behoeften. Daardoor werden al die verschillende grenzen van taal en munt en tarieven steeds meer als hinderpalen gevoeld. De internationale organisatie van handel en industrie, waarbij ieder zich toelegde op datgene, wat hij het best en het goedkoopste kon leveren, kwam in conflict met de nationale organisatie, die een volk economisch sterk wilde maken voor den tarievenoorlog

[1]) Het Russische imperialisme heeft ook telkens den evenwichtstoestand in gevaar gebracht, maar in deze eeuw vertoonde Duitsland toch de gevaarlijkste agressiviteit.

en tevens economisch onafhankelijk voor het geval van een gewapend conflict. Deze laatste vorm van onafhankelijkheid bleek steeds moeilijker te bereiken, naarmate ieder volk grondstoffen uit de gehele wereld betrok. De enig mogelijke oplossing leek dan hierin te vinden, het eigen land, tezamen met koloniale gebieden tot een imperium te maken, dat zoveel mogelijk de nodige grondstoffen (en ook afzetgebieden voor de industrie) kon leveren. Een federatie van staten, die een deel van hun eigenmachtigheid zouden opgeven om gezamenlijk welvaart en veiligheid te organiseren, leek bij het overheersende nationalisme een onmogelijke utopie. De „realiteitspolitiek" van het imperialisme en van de machtsgroeperingen dreef de wereld intussen naar steeds toenemende spanningen van nationalistische tegenstrijdigheid. De menselijke vrijheid en de rechten van den enkeling raakten daarbij op ieder gebied op den achtergrond.

In 1914 brak de eerste wereldoorlog uit, die op overtuigende wijze aan de mensheid de vernietigende macht van goede organisatie toonde. De organisatorische meerderheid van Duitsland, die den bewapeningswedloop had veroorzaakt, dwong nu alle tegenstanders tot een uiterste krachtsinspanning. In die dagen leek het idealistische doel van den strijd de macht van willekeur en geweld te vernietigen en „de wereld veilig te maken voor de democratie". De maatschappelijke en de politieke vrijheid leefden weer op als idealen. Belangen stonden voor een ogenblik achter bij geestdriftige plannen voor een betere wereld. De millioenen levens, die verloren gingen, de onmetelijke culturele en economische waarden, die vernietigd waren, zouden niet tevergeefs zijn geofferd. Een nieuwe, betere gemeenschap der volken moest en zou worden opgebouwd. Het leek inderdaad aan het eind van dezen wereldoorlog, dat de vrijheid weer een kans had gekregen tegenover de machten der organisatie.

Conclusie.

Het tijdvak tussen 1870 en 1914 is gekenmerkt door een geweldig toenemende industrialisatie en door organisatie op vrijwel ieder gebied. De ontwikkeling van de maatschappelijke en van de politieke vrijheid is onder dezen invloed minder persoonlijk en liberaal, meer massaal en socialistisch geworden. De staat, die de meerderheid der burgers achter zich wist en die zijn invloed door een leger van ambtenaren en door de beheersing van de economie, het onderwijs en de publiciteit overal kon doen gelden, bezat een concentratie van macht over de gemeenschap, die nooit tevoren in die mate mogelijk is geweest. Dit leidde tot verschillende vormen van evenwicht tussen staatsmacht en gemeenschap, waarvan wij er drie hebben gekenschetst: die in de West-Europese democratische landen, die in de Verenigde Staten en die in Duitsland. In het eerste geval vormen de vast georganiseerde politieke partijen een soort tussenschakel tussen de staatsmacht en de gemeenschap. Zij handhaven de fictie, dat aldus het democratisch principe van kracht blijft, omdat immers een ieder zijn persoonlijke mening door het stemrecht kan doen gelden. Bij het evenredig kiesrecht heeft de partijleiding ook den nog resterenden persoonlijken band van kiezer en vertegenwoordiger opgeheven. De partij wordt een onpersoonlijke organisatie voor de behartiging van bepaalde belangen, de verwezenlijking van bepaalde idealen, de handhaving van bepaalde vooroordelen, die alle tezamen dikwijls enigszins toevallig in dit machtsapparaat zijn gegroepeerd. De partijen zijn meestal tegen het referendum, omdat dit een preciesere voorlichting en een zelfstandiger oordeel van het publiek vereist. Vooral door de grote centralisatie der staatsmacht en door de verstarring van het partijwezen is bij de enkelingen in West-Europa het democratische verantwoordelijkheidsgevoel voor maatschappij en regering verminderd.

Het argument, dat het nu eenmaal niet anders kan en dat men met deze nadelen het onschatbare voordeel van een volksvertegenwoordiging koopt, wordt verzwakt door de vergelijking met het Amerikaanse stelsel. De Verenigde Staten hebben het oude Engelse tweepartijen-stelsel gehandhaafd, waarbij een partij op een lossere en spontanere wijze bepaalde belangen en richtingen verenigt en waarbij de publieke opinie veel meer als een levende factor wordt ingeschakeld. De democratische angst voor verstarde machtsconcentraties heeft er daar bovendien toe geleid, dat geen vast ambtenarencorps is ontstaan, daar alle ambtenaren bij partijwisseling aftreden. De persoonlijkheid speelt, zowel in de politiek als in de maatschappij in de Verenigde Staten dikwijls een grotere rol dan in Europa. De maatschappij is daar in verhouding sterker dan de staatsmacht, niettegenstaande al haar moderne organisatiemiddelen, ten eerste door het wisselende ambtenarenapparaat en ten tweede door een krachtige en levendige publieke opinie. Deze uit zich onder anderen als georganiseerde volksbeweging, wat in dezen vorm als een nieuw maatschappelijk verschijnsel mag worden beschouwd. Oorspronkelijk op democratischen grondslag ontstaan, als mobilisatie der publieke opinie, is de volksbeweging daarna een der grote gevaren geworden voor de democratie, nadat de massamens een belangrijk element werd in de maatschappelijke structuur. De psychologie van de menigte wordt dan in de politiek belangrijker dan het gefundeerde persoonlijk oordeel. Bij de democratische gemeenschapsstructuur van de Verenigde Staten moet dit verschijnsel reeds bedenkelijk worden geacht, maar in een sterk gecentraliseerden staat kan het tot funeste gevolgen leiden.

De meest gecentraliseerde staatsmacht in het Europa van vóór

1914 werd gevormd door het Duitse keizerrijk. De Pruisische militairistische staatsorganisatie had na 1870 door Bismarck geheel Duitsland gemodelleerd. Wat in Duitsland democratie heette was de schuchtere uiting van politieke partijen, die de overheid naar de ogen keken en die slechts een deel van het gezag bezaten, dat deze partijen in andere landen vertegenwoordigden. Tegenover een welvarende, maar weinig krachtige gemeenschap stond een oppermachtige, centraal georganiseerde staat.

In deze drie vormen ziet men de democratie door drie gevaren bedreigd, door het verstarde partijenstelsel, door de massabeweging en door den oppermachtigen staat. Hierbij kwam nog als een derde factor de gecentraliseerde machtspolitiek, die onder invloed van oorlogsdreiging door imperialistische tendenzen de betekenis der afzonderlijke meningen achter deed stellen tegenover de veiligheid van den staat.

HOOFDSTUK VI

DE TOTALITAIRE STATEN

De Volkenbond.

De overwinning van de democratische landen bracht den vrede van Versailles en den Volkenbond. Als grondslag voor beiden golden oorspronkelijk de democratische idealen van Woodrow Wilson, president der Verenigde Staten. Deze had in Januari 1918 in een vredesboodschap aan het Amerikaanse Congres de doelstellingen van de Geallieërden in veertien punten samen gevat, naar aanleiding van een door de Russen geuiten wens tijdens hun vredesonderhandelingen met Duitsland (December 1917). Hij stelde daarbij voorop, dat hier naar een openbare rechtvaardige oplossing zou worden gestreefd, die alle volken in staat zou stellen hun eigen leven in vrede te leven en hun eigen regeringsvorm te bepalen. Daartoe achtte hij openbaarheid der vredesverdragen noodzakelijk, waarbij als algemene principes vrije scheepvaart, opruiming van belemmeringen voor den handel, vermindering van bewapening en een onpartijdige regeling met behartiging der belangen der betrokken bevolking zouden moeten gelden. Als bijzondere eisen werden genoemd: evacuatie van Rusland en vrijheid van dit land om zelf zijn regering te bepalen, herstel van België, bevrijding van Frankrijk en teruggave van Elzas Lotharingen, rectificatie der Italiaanse grenzen volgens nationaliteiten, autonome ontwikkeling der volken van Oostenrijk, regeling van het gebied der Balkanstaten en van Turkije, zó dat de nationaliteiten tot hun recht komen, en verder de stichting van een onafhankelijken Poolsen staat met een uitgang naar zee. Als punt 14 was hieraan toegevoegd, dat een algemene vereniging van naties zou worden gevormd onder condities, die wederzijdse zekerheid verschaffen voor de politieke onafhankelijkheid en de territoriale onschendbaarheid van kleine, zowel als van grote staten. Later heeft Wilson zijn bedoeling samen gevat in den zin: „Wat wij zoeken, is het gezag van de wet, dat gegrond is op de instemming van de geregeerden en dat hoog wordt gehouden door de georganiseerde opinie van de mensheid."

Op den liberalen grondslag van deze veertien punten heeft Duitsland in November 1918 den wapenstilstand gesloten, die een eind maakte aan den vorigen wereldoorlog. Bij de daarop volgende onderhandelingen over den vrede bleek reeds dadelijk, hoe moeilijk het was de principiële gezichtspunten in overeenstemming te brengen met de verschillende belangen. Engeland vreesde het herstel van Duitsland's zeemacht en van zijn koloniale positie, Frankrijk wilde zijn militaire meerderheid behouden en Lloyd George en Clémenceau wisten hun wil door te zetten, ook in territoriale kwesties, die niet altijd volgens het zelfbeschikkingsrecht der bevolking werden geregeld. Wilson en het Amerikaanse volk waren teleurgesteld. Bovendien hadden de verkiezingen in de Verenigde Staten een verandering van regering gebracht. De Republikeinse partij hernam de leiding, die zij als regel uitoefende; het solide blok van grote economische belangen, dat een conservatieve welvaartspolitiek voorstond, kwam in Washington weer aan het roer. Deze partij was afkerig van verdere inmenging in de Europese zaken, wat ten gevolge had, dat Amerika een afzonderlijken vrede met Duitsland sloot en niet deel nam aan de nieuwe stichting van haar president, den Volkenbond. Daarmee werd aan de zaak van de democratie een groot deel van de zo nodige kracht onttrokken. Door het wegvallen van Rusland, dat door revolutie verscheurd en verzwakt was, bleef Frankrijk als enige grote militaire macht over, daar Engeland den dienstplicht na den oorlog weer had afgeschaft. Tegenover de mogelijkheid van een herstel der Duitse macht was Frankrijk genoodzaakt zich met de kleinere landen, die dat gevaar eveneens te duchten hadden, te verenigen.

Het evenwicht in de wereld na 1918 viel anders uit dan de idealisten het zich hadden gedroomd. Door den haat en den angst, die nog uit den oorlogstoestand voortvloeiden, waren aan Duitsland strenger voorwaarden opgelegd dan in de 14 punten vervat waren. De eenzijdige ontwapening trof des te zwaarder, omdat van de voorgestelde ontwapening bij de omliggende landen niets terecht kwam. Bij de nieuwe Oostelijke staten geschiedde dit ten dele ook door de dreiging van het bolsjewistisch Rusland. Een andere voorwaarde, die Duitsland zwaar trof, was de eis, dat het herstel van de geleden schade door Duitsland moest worden vergoed, terwijl het bedrag hiervan aanvankelijk zwevend werd gelaten. Duitsland zag zich voor langen tijd onder zwaren financiëlen druk geplaatst, terwijl men het bovendien de koloniën had afgenomen, ofschoon hierover in de veertien punten niets was gezegd. Het bedrag der herstelbetalingen, dat later vastgesteld werd, is daarna telkens verlaagd en bovendien heeft Duitsland zich op verschillende wijzen aan dezen last onttrokken, bij voorbeeld door na de crisis den financiëlen chaos der devaluatie aan te wakkeren en door overal leningen te sluiten, die het niet terug kon betalen. Intussen was in Duitsland de voorstelling van ondragelijke lasten gewekt en waren de economische verhoudingen op internationaal gebied nog meer gedesorganiseerd dan door den oorlog reeds was geschied. Van de door Wilson voorgestelde bevrijding van den handel kwam evenmin als van de ontwapening iets terecht. Integendeel, ook Engeland liet den vrijhandel varen en streefde met zijn koloniën naar een beschermd economisch gebied (Ottowa 1932) en overal werden de tariefmuren verhoogd. De nieuw gevormde staten trachtten op deze wijze eigen industrieën op te bouwen, mede om onafhankelijk te zijn in geval van een nieuwen oorlog. Aldus was Duitsland verhinderd de herstelbetalingen in goederen te verrichten en zijn bedriegelijke financiële politiek na de crisis wordt hierdoor ten dele verontschuldigd.

Op het eerste gezicht hadden de regelingen van en na den vrede de zaak van vrijheid en democratie in Europa zeer bevorderd. Ettelijke volken, Polen, Tsejcho-Slowakije, de Baltische staten, Finland kregen een onafhankelijk bestaan, terwijl in den Balkan grensregelingen tot stand kwamen, die de bevolking voor een belangrijk deel bevredigden. Wel kwamen de Hongaren er slecht af en bleven de Italianen meer expansie verlangen, maar het zelfbeschikkingsrecht der volkeren had hier in het algemeen gezegevierd. De Engelse Dominions kregen eveneens grotere zelfstandigheid, maar voor de koloniën bleek dit principe niet gemakkelijk toe te passen. Wat den regeringsvorm betreft, huldigden de nieuwe staten het parlementaire stelsel en overal werd het kiesrecht uitgebreid. Meestentijds werd dit beschouwd als een erkenning van de offers, die alle leden der bevolking in de betrokken landen hadden gebracht. Vandaar, dat ook in de meeste landen de vrouwen hierin deelden. Vóór den oorlog kenden alleen Finland en IJsland het vrouwenkiesrecht en Denemarken kreeg het in 1915. In Engeland eerst sterk bestreden, werd het in 1918 ingevoerd; in de Verenigde Staten in 1920. In de nieuw gevormde landen Polen, Tsjecho-Slowakije, Oostenrijk, Hongarije, Litauen en Letland kwam dadelijk in 1918 de vrouw tot haar politieke rechten en vele oudere landen volgden dit voorbeeld (Nederland in 1919). In Frankrijk kwam het eerst niet tot stand, in Zwitserland werd het voorstel verworpen. Ook Duitsland, dat in 1918 de republiek had uitgeroepen, liet de vrouwen in het algemeen kiesrecht delen.

Als hoogste bekroning van de democratie gold de nieuwe Volkenbond. Hier werd voor het eerst een internationaal parlement geschapen, waarin de meningen van alle landen tot uitdrukking konden komen. Hier zouden openbaarheid en redelijke argumenten een tegenwicht vormen tegen geheime machtsstrevingen en politieke intrigues. Wel had men afgezien van de vorming van een gemeenschappelijk machtsapparaat, of van middelen om een weerbarstigen staat door de meerderheid te laten dwingen en had men algemene eenstemmigheid als voorwaarde gesteld voor belangrijke besluiten en daarmee de kracht van de organisatie verzwakt. Maar toch werd van iederen staat, die lid was van den bond, de verplichting geëist om een geschil aan het oordeel van den Volkenbond te onderwerpen, eer men naar de wapens greep. Een Volkenbondsraad van negen leden (waarvan vijf van de grotere staten) en een Hof van Internationale Justitie in Den Haag vormden de organen, die over deze geschillen hadden te oordelen en de beledigde partij moest zich gedurende de periode van het onderzoek verbinden, af te zien van geweldmaatregelen. De bedoeling was, dat onder invloed van deze regelingen de bewapening overal aanzienlijk zou kunnen worden verminderd. Deze bedoeling werd niet verwezenlijkt, ten dele, omdat landen als Rusland en Amerika buiten den Bond bleven, maar vooral omdat de oorlogszuchtige spanningen niet waren weggenomen door den vrede van Versailles. Duitsland werd in 1926 tot den Volkenbond toegelaten en het probeerde aanvankelijk onder zijn socialistische regering door onderhandelen herziening te krijgen van de verdragsbepalingen, die het onrechtvaardig achtte. De Volkenbond bleek niet in staat internationale oplossingen in groten stijl tot stand te brengen, al heeft zij soms spanningen doen verminderen en veel nuttige organisatie op internationaal gebied in gang gezet.

Het is niet de bedoeling hier uitvoerig in te gaan op de internationale geschiedenis na 1918, maar wel moeten wij ons afvragen, waarom de geestdrift voor vrijheid en democratie, die toen in een groot deel van de wereld bestond, zo weinig resultaat opgeleverd heeft. De opvattingen van professor Woodrow Wilson, historicus en nationaal-econoom, kwamen voort uit een even hoog gestemde idealistische visie als indertijd „de rechten van den mens". Zij hebben evenveel enthousiasme gewekt en zij zijn evenzeer al spoedig door teleurstelling gevolgd. Zij behoren ook tot de sfeer der cerebrale democratie, die idealen te veel via het verstandelijk inzicht wil verwezenlijken, zonder daarbij in te zien, dat de drijfkracht van belangen en gevoelens daarbij niet gemist kon worden. Door een volk algemeen kiesrecht, vrijheid van drukpers en van vereniging en een constitutie te schenken, bereikt men nog niet met één slag den goeden geest van samenwerking en van gemeenschappelijke verantwoordelijkheid. Evenmin schept de vrije meningsuiting in een volkenbondsvergadering en het stemmen over internationale kwesties zonder meer het besef van grote gemeenschappelijke belangen en de gezindheid om offers te brengen voor de gemene zaak. Volken, die eeuwen lang alleen het gezag van macht en geweld hebben erkend, zullen zich niet dadelijk voegen naar redelijke argumenten, die het algemeen belang verdedigen en regeringen, die in de buitenlandse betrekkingen het belang van het eigen land als enigen maatstaf zagen, achtten zich voor hun volk niet verantwoord als zij dezen maatstaf zouden achterstellen voor een internationaal doel.

In de oude en in de nieuwe democratische landen bleven dus dezelfde moeilijkheden de democratische ontwikkeling storen, die wij tevoren reeds hebben beschouwd. De organisatie van het centrale gezag en van de partij won het overal van de vrijheid van het individu. De partijstrijd om de regeringsmacht bracht overal de beroepspolitici op den voorgrond en voor hen waren de partijbelangen gewichtiger dan het algemeen belang. Een politiek van grote lijnen en grote idealen is dan moeilijk door te voeren en het grote publiek verloor geleidelijk weer zijn enthousiasme voor de democratie en voor den Volkenbond. De macht om met geweld te dwingen wekte overal meer vertrouwen dan de rede; de openbare mening, op wier goeden invloed men zo hoge toekomstverwachtingen had gebouwd, bleek geen erg vasten grondslag te leveren. Overal ging men weer de bewapening versterken en de politiemacht vergroten. Overal heersten spanningen en onzekerheid op maatschappelijk, op economisch en op internationaal gebied. De nationale organisatie werd belemmerd door twistende partijen, die niet tot een gemeenschappelijke opvatting konden komen over het algemeen belang. De internationale organisatie door den Volkenbond bleek weinig tastbaars op te leveren. Op den algemenen geestdrift voor de plannen om de organisatie in dienst te stellen van de vrijheid volgde een diepe teleurstelling.

Het bolsjewisme.

De eerste radicale reactie tegen deze vormen van politieke organisatie en eigenlijk tegen de gehele Westerse samenleving, kwam van de zijde van Rusland. Wij hebben in het eerste hoofdstuk reeds in het kort nagegaan hoe in Rusland de massamens het alles overheersende verschijnsel werd na de ineenstorting van het oude regeringsstelsel in 1917. Wij moeten thans de maatschappelijke grondslagen van deze omwenteling wat nader beschouwen. Deze grondslagen waren geheel anders dan die in Midden- en West-Europa. „De Russische geschiedenis," schrijft Berdjajew [1]), „kent vijf rijken: de Kiewse „Russj", Rusland tijdens de overheersing der Mongolen, de Moskouse „Russj", het keizerrijk van Peter den Grote en tenslotte Sowjet-Rusland. De bewering, dat Rusland een half barbaars land, het gebied van een jonge cultuur zou zijn, is dan ook fout. In zekeren zin is Rusland een land van oude beschaving. In het grootvorstendom Kiew (10e en 11e eeuw) ontwikkelde zich een centrum

[1]) Berdjajew, Betekenis en Oorsprong van het Russische Communisme, blz. 9.

van beschaving, waar het Westen van dien tijd niets tegenover kon stellen. Reeds in de 14e eeuw bezat Rusland een klassieke, werkelijk volmaakte Ikonen-schilderkunst en een grootse bouwkunst. De Moskouse „Russj" blonk uit door een zeer hoogstaande plastische kunst, een organische gave stijl en ontwikkelde levensvormen. Het was een Oosterse cultuur, die van het gekerstende Tartarenrijk, in voortdurende tegenstelling met het „Latijnse "Westen en zijn zeden gevormd. – Het zieleleven van het Russische volk werd door de Russische kerk ontwikkeld en kreeg een religieuse structuur, die tot in dezen tijd behouden bleef. In de Russische volksziel heerst echter even sterk een naar de natuur gericht element, dat met de oneindigheid van de Russische aarde verbonden is. De natuur als elementaire oerkracht verkreeg in de Russische ziel een macht, waarvan de West-Europeanen, speciaal de mensen van de naar den vorm volmaakte Latijnse cultuur, zich geen voorstelling kunnen vormen. Dit heidense natuurelement is ook het Russische Christendom binnen gedrongen. Het type van den Russischen mens wordt daarom door de tegenstelling tussen deze beide oerkrachten bepaald: enerzijds door het oorspronkelijke, natuurlijke heidendom, door de elementaire kracht van de Russische aarde en anderzijds door het streven naar het hiernamaals en het met dit streven verbonden, van Byzantium overgenomen en typisch Russisch gekleurde ascetisme.

„De Russische mens staat voor een oneindig zware taak: die van het vorm geven aan zijn onmetelijk rijk. Het beeld van de Russische ziel stemt overeen met het beeld van de Russische aarde. Hier, zowel als daar, dezelfde onbegrensdheid, dezelfde ruimte en dezelfde drang naar de oneindigheid. Daarentegen is in het Westen alles begrensd, gevormd, in klassen ingedeeld; de structuur van het landschap, evenals die van de ziel, begunstigen er de vorming en de ontplooiïng van de beschaving. Slechts met grote moeite gelukte het proces van vorming en vormgeving en daardoor lijkt het, alsof de scheppingskracht van den Russischen geest gering is."

De regering van Peter den Groten (1689–1725) heeft deze moeizame ontwikkeling verhaast en gecompliceerd door de invoering van den Westersen geest en de Westerse organisatie. De administratie, het leger en de vloot werden volgens Westerse opvattingen ingericht en hij eiste, dat de adel den staat zou dienen. Daartegenover versterkte hij de positie van den adel, waardoor de boerenstand practisch overal tot lijfeigenen werd. De houding van Peter tegenover de kerk en de oude Russische vroomheid stemt in hoge mate overeen met de houding, die de bolsjewistische leiders tegen kerk en godsdienst aannamen. Met grote hardheid vervolgde hij de orthodoxen en schismatici en hij bespotte de religieuse gevoelens van het oude Rusland. Hij voerde een synodale organisatie van de kerk in, die veel overeenkomst vertoonde met de organisatie van de Protestantse kerken en die de kerk zonder meer aan de staatsmacht onderwierp. De nieuwe ideeën werden op dictatoriale wijze aan het volk opgedrongen, zonder rekening te houden met de organische ontwikkeling en met behulp van een bevoorrechte bureaucratische klasse. Het volksbewustzijn zag in Peter den Groten den antichrist. Op geestelijk gebied had de aanraking met het Westen een opbloei ten gevolge, vooral in literatuur en wijsbegeerte, die zonder deze wisselwerking onmogelijk zou zijn geweest.

Bij een volkstelling in het eind der 18e eeuw bleek 56 % der bevolking uit lijfeigenen te bestaan. Sommige vorsten bezaten een half millioen lijfeigenen, die als slaven werden verhandeld, of verhuurd om in de fabrieken te werken. De grote massa van de burgerij onderscheidde zich in dien tijd maar weinig van de boeren. De burger stond vijandig tegenover Westerse nieuwigheden en hield zich in huisinrichting en kleding en ook in levensbeschouwing aan de oude overgeleverde opvattingen. Hier had zich geen zelfstandige burgerij ontwikkeld en handel en nijverheid kregen geen grote betekenis. De betrekkelijk kleine klasse van den adel, nog voor een deel van buitenlandse afkomst, vertegenwoordigde met enthousiasme de Westerse cultuur, maar een middenstand, die deze geleidelijk aan het volk zou kunnen overdragen, wat niet aanwezig. De grondslag voor intellectuele groepen was oorspronkelijk gelegd door import van buitenlandse geleerden.

De Napoleontische oorlogen veranderden weinig aan dit beeld van de Russische gemeenschap. Zij brachten ook hier een reactie op het verlichte despotisme, die de noodzakelijke hervormingen tegenhield. In de eerste helft der 19e eeuw was het vooral een deel van den adel, dat naar verbeteringen streefde. Het volk bestond uit analphabetische lijfeigenen met een zekere religieus gefundeerde volkscultuur, de grote massa van den adel en van de ambtenaren leefde zonder hogere verlangens, was onontwikkeld en ongeletterd, zodat de weinige beschaafde mensen in hun eenzaamheid bij elkaar aansluiting zochten, daarbij steun vindend aan Westerse ideeën. In de tweede helft der 19e eeuw veranderde deze toestand, ten dele door hervormingen van bovenaf, ten dele ook door het ontstaan van een nieuwe groep mensen, de intelligentia, die de leiding van de hervormingsbewegingen van den adel overnam. Deze mensen waren niet in hoofdzaak gerecruteerd uit de intellectuelen, maar uit de geestelijkheid, de studenten, de lagere beambten, de kleine burgers en de vrij geworden boeren. Zij waren geestelijk en sociaal ontwortelden, die hun houvast zochten in het leven voor een absolute wereldbeschouwing, in een ascetische levenshouding, een onverdraagzame moraal en in het omverwerpen van alle overgeleverde waarden. Zij hadden aanvankelijk geen politieken invloed, maar door hun besprekingen en literaire uitingen werden de sociale en de geestelijke problemen van Rusland veel bewuster. Ten dele vonden ook zij steun bij de Westerse philosofieën en sociale theorieën, ten dele zochten zij eigen Russische oplossingen, maar altijd streefden zij naar het absolute en waren zij in verzet tegen de tegenwoordige wereld, vooral tegen de burgerlijke maatschappij en haar normen. Aldus ontstond het „nihilisme" als een negatieve uiting van den vroegeren Christelijk-ascetischen geest. De intelligentia keerde zich daarbij niet alleen tegen rijkdom en overvloed, tegen kunst, metaphysica en geestelijke cultuur, maar ook tegen den godsdienst en zocht de bevrijding uitsluitend in de natuurwetenschappen en de economie. Ook deze houding werd tot absoluut geloof en tot drijfkracht voor het verlangen naar een betere toekomst, die alleen te bereiken scheen door de revolutie; pogingen daartoe werden bloedig onderdrukt, maar daden van terreur moesten den geest der mensen rijp maken.

Intussen kwamen in het begin der zestiger jaren in Rusland verschillende belangrijke liberale hervormingen tot stand: opheffing der lijfeigenschap, invoering van zelfbestuur in de steden en op het land, verbetering van het onderwijs en reorganisatie der rechtspraak. De boeren kregen (te weinig) land, maar zij bleven onder zware lasten gebukt en voelden zich bedrogen. De organisatie van het land bewoog zich geleidelijk in de moderne richting, spoorwegen werden aangelegd, banken gevestigd en Alexander II wilde het land een constitutie geven, toen hij in 1881 door een bomaanslag werd gedood.

Het anarchisme der Russische revolutionairen verloor hierna aan kracht en de Russische emigranten, die zich eerst onder leiding van Bakoenin tegenover de staatsmacht hadden gesteld en een soort federatieven staat, bestaande uit productiecoöperaties, voorstonden, kwamen thans meer onder invloed van Marx. Zij vestigden nu hun hoop op de industriële ontwikkeling van Rusland, waarbij de arbeiders dan het staatsgezag in handen zouden kunnen nemen. Het marxisme heeft twee zijden, een nuchtere en zakelijke, die den mens bepaald ziet door de economische omstandigheden en een messianistische, die aan het proletariaat de bevrijding der mensheid van kapitalisme en mechanisering wil opdragen. Vooral de laatste geesteshouding sloot aan bij de diepere verwachtingen van de Russische mensheid, maar hoe kon men de bevrijding bereiken, zonder eerst door industrialisatie en kapitalisme te worden overheerst? Lenin opende dezen weg door niet alleen het industriële proletariaat, maar het gehele Russische volk voor te stellen als de verdrukte klasse, die door haar eigen bevrijding tegelijk de wereld zou verbeteren.

Daarmee vond hij tevens een aansluiting aan de oude religieuse voorstelling van de verlossing door de komst van het Heilige Rijk. Intussen had zich geleidelijk een krachtige groep van revolutionairen gevormd, geharder en gedisciplineerder dan de vroegere sentimentele idealisten en in 1903 werd Lenin de leider van de bolsjewiki (groep der meerderheid), toen het partijcongres in Londen tot een splitsing voerde. De mensjewiki vormden de democratische groep der minderheid. Lenin en zijn aanhangers achtten de democratie ongeschikt voor het Russische volk en zij wilden de verovering van de macht uitsluitend baseren op de partijactie van een minderheid, die onder straffe discipline stond. Lenin achtte den despotischen weg absoluut noodzakelijk om het Russische volk te bevrijden.

In 1905 werd Nicolaas II door een groten opstand tot een meer parlementairen regeringsvorm gedwongen en in 1906 opende hij de eerste volksvertegenwoordiging, de Doema, die door indirect kiesrecht was gekozen, doch aan wie de ministers geen verantwoording schuldig waren. Tegelijk hiermee werden maatregelen getroffen om het gemeenschappelijk bezit der boeren over te leiden naar particulieren eigendom. De Doema werd wegens haar revolutionaire houding weer spoedig ontbonden, maar na een wijziging van het kiesrecht kwam toch een soort parlementaire regering tot stand. Begin 1918 kregen Lenin en zijn aanhangers hun kans, toen de liberaal-democratische regering van Kerenski na de revolutie onmachtig bleek het volk te leiden. Het volk wilde vrede, maar Kerenski aarzelde om de banden met de democratische bondgenoten te verbreken, terwijl dit toch de eerste wens van het volk was. De bolsjewiki kondigden den vrede af en schonken aan de boeren allen grond, waardoor zij hen aan zich verbonden door de vervulling van hun lang gekoesterde wensen. Verder stelden zij een dictatuur in, die een opvallende overeenkomst vertoonde met het vertrouwde czaristische regime. Zij lieten aan den revolutionairen vernietigingsdrang den vrijen loop, maar pakten de dogmatische, idealistische zijde van het Russische volk door de belofte van een rijk van rechtvaardigheid. „Zij loochenden de vrijheid van den mens, die het volk trouwens ook vóór dien tijd – daar deze een privilege was van de heersende klasse – niet gekend had en verkondigden een alles omvattende, integrale en verplichte wereldbeschouwing, die beantwoordde aan de gewoonten en behoeften van het Russische volk. Rusland keerde aan de oude Middeleeuwen den rug toe en trad de nieuwe Middeleeuwen binnen; het oude heilige rijk was gestorven, een nieuw heilig rijk werd geboren, een despotische en bureaucratische staat die de heerschappij verwierf over lichaam en ziel van het volk." [1])

[1]) Berdjajew o.c. blz. 151.

Rusland stond door het verlies van dên oorlog en de ontbinding van een millioenenleger voor den chaos, maar ook het nieuwe mensentype, dat Lenin voor zijn ordening nodig had, was door den oorlog gevormd; het paste de militaire methodes toe op de organisatie en den opbouw van het leven, het maakte van het geweld een systematisch gebruik en het was gewend alleen de macht te aanbidden. De motieven van kracht en macht verdrongen het medelijden en het streven naar rechtvaardigheid uit het zieleleven van deze nieuwe mensen, die hard waren tot op het wrede af. Zij stamden uit arbeiders- en boerenmilieux en waren getraind in de discipline van het leger en de partij. Van cultuur hadden zij een afkeer. De techniek was hun nieuwe geloof. Lenin heeft in 1918, toen Rusland in chaos en anarchie leek onder te gaan, bovenmenselijk werk verricht om het Russische volk en de Russische communisten discipline bij te brengen. Steeds weer moest hij opwekken tot arbeid, discipline en verantwoordelijkheidsgevoel, tot kennis vergaren en leren, tot positieven opbouw. Hij wilde het staatsgezag gebruiken om de oude kwalen van de Russische traagheid en de praatzieke vaagheid te overwinnen en practische mensen te vormen naar Amerikaans model: technici en goed organiserende bureaucraten. Lenin zelf was een man van orde en discipline met een practische levenshouding en een morelen grondslag. Hij leidde een gelukkig familieleven en placht zijn tijd bij voorkeur thuis werkend door te brengen. Op economisch gebied was hij goed georiënteerd, maar hij was een vijand van alle geestelijke beschouwing, die zijn revolutionaire houding zou kunnen storen. Ook eiste hij van zijn aanhangers, dat zij blindelings zijn systeem aanvaardden.

Dit systeem was niet eens voor al vastgelegd, maar het onderging verschillende wijzigingen. De bolsjewiki hadden altijd vijandig gestaan tegenover utopieën en zij hadden geen al te duidelijke voorstelling van de soort maatschappij, die zij wilden opbouwen, behalve dan de vernietiging van het kapitalistische stelsel en het opheffen van het particulier bezit. Vandaar, dat niet één constructieve poging ontstond, maar een opeenvolging van drie verschillende methodes, die alle drie door dezelfde groep van revolutionairen werden uitgevoerd. In de eerste phase, tussen 1917 en 1921, overheerste de idee van de gelijkheid en werd de maatschappij gebaseerd op onderlingen dienst. De handel was verboden, maar de staat bleek onmachtig het maatschappelijk leven geheel te organiseren. Daarop proclameerde Lenin in 1921 een nieuwe economische politiek, waarbij individuele handel werd toegestaan, vreemd kapitaal op redelijke voorwaarden werd toegelaten en de bekwameren de voordelen van hun betere opleiding en uitrusting mochten genieten. Dit staatssocialisme verhoogde den welstand en Rusland scheen zich in kapitalistische richting te gaan bewegen. Daaraan werd in 1927 plotseling een einde gemaakt door een nieuwe methode, neergelegd in een 5-jaren plan, waarbij de staat weer veel meer de leiding van de organisatie aan zichzelf trok. Het land en de mensen werden thans in een groot gerationaliseerd systeem samengevoegd met als voornaamste doel verbetering en ordening van de productie. Dit leek in vele opzichten op de wijze, waarop het kapitalisme den mens gebruikt, zodat men hier van staatskapitalisme kan spreken.

Lenin en Stalin eisten van het volk grote opofferingen en ontberingen om dit plan te verwerkelijken, maar de propaganda, die deze offers verduidelijkte als noodzakelijk voor het ontstaan van den nieuwen heilsstaat, wekte vooral bij de jongeren vertrouwen en volharding. De modernisering van het boerenbedrijf, het gebruiken van machines in den landbouw, het bouwen van enorme nieuwe fabrieken om in de eigen behoeften te voorzien, dit alles werd met geestdrift beschreven als het werken aan één groot ideaal van vernieuwing. Aanvankelijk had men daarbij met enorme moeilijkheden te kampen door een gemis aan goede technici. Het bleek toen, dat de bolsjewiki bij de onderdrukking der bourgeoisie de intellectuelen eveneens hadden gedecimeerd en uitgeschakeld, waardoor het hun ten enen male aan goede technici en organisators ontbrak. Dit inzicht bracht een grote verandering in de waardering van het intellect en een systematische verbetering van het onderwijs. Voor het overige bleef ook de intellectueel toch geheel ingeschakeld in de sociale en geestelijke ordening, die overal door staatstoezicht en staatspolitie werd gehandhaafd. De beruchte Gepeoe en haar dwangmiddelen werkten tyrannieker en drukten zwaarder dan de geheime politie van het oude regime. Ook berustte het nieuwe Russische rijk nog veel meer op een verplichte wereldbeschouwing. De derde internationale is voor haar aanhangers, evenzeer als het derde Rome, een heilig rijk, dat op een dogmatisch geloof is gegrond. Bij het verbreiden en uitbouwen van dit nieuwe geloof maakte Lenin gebruik van de allermodernste middelen. Hij stond voor de geweldige taak dit ten dele analphabetische en volkomen gedesorganiseerde volk op te voeden tot een gemeenschap van industriële en agrarische deskundigen. Daartoe moest de waarde van onderwijs, discipline, organisatie en techniek aan een ieder worden bijgebracht. Dit geschiedde met de middelen van de georganiseerde massabeweging, die wij bij de beschouwing van Amerika hebben leren kennen. Alle middelen van populaire voorlichting, propaganda, reclame, schilderkunst, theater en alle mogelijke suggestie werden hier toegepast op een schaal als nooit tevoren was vertoond. Wat de bolsjewiki hier in korten tijd tot stand brachten, grenst aan het ongelooflijke. Met de middelen van dwang en terreur alleen hadden zij de massa van het volk nooit achter zich kunnen krijgen. De oude waarden werden vernietigd, de nieuwe werden bijgebracht door een stelselmatige organisatie van een alles meeslepende massabeweging.

„De navolging van de machine werd al spoedig op soortgelijke wijze tot een religieuse eis verheven als eens de Navolging van Christus: de gehele menselijke gemeenschap moest van nu af aan volgens technische principes worden georganiseerd en vervormd. Zoals eens vrome mystici er naar hadden gestreefd tot een evenbeeld van God te worden om zich tenslotte in Hem te verliezen, zo spanden zich thans, in vervoering voor het rationalisme, de modernen in, aan de machine gelijk te worden om tenslotte in de zaligheid van een samenstel van drijfriemen, koppelstangen, ventielen en vliegwielen op te gaan. Men begon nu ook ijverig te zoeken naar de machinale elementen in den mens zelf, naar den technischen aanleg van zijn organisme, die van nu af aan in een soort eredienst ontwikkeld moesten worden, men spande zich in om alle organische bewegingen te schematiseren tot mechanische functies om tenslotte iedere vitale uiting op te vatten als een deel, als den polsslag van een regelmatig bewegende wereld van automaten. Terwijl de oude goden in de spotprocessies van de georganiseerde godslasteraars openlijk belachelijk werden gemaakt, ontstond tegelijk met deze vernietiging van het oude geloof de nieuwe cultus van de machine, die alle verschijnselen, ceremoniën en symbolen, hetzelfde fanatisme en dezelfde onverdraagzaamheid met zich brachten, die kenmerkend waren geweest voor den vroegeren godsdienst.” [1])

Om de nieuwe materialistische geesteshouding ingang te doen vinden was het nodig, niet alleen alle uitingen van den vroegeren godsdienst, maar alle geestelijke belangstelling en idealistische philosofie radicaal uit te roeien. Men mag in Sovjet-Rusland alleen van den geest spreken om hem te bestrijden. Dit geschiedde niet alleen in talrijke brochures, maar ook vooral door verdrijving van andersdenkenden van de universiteiten en uit de scholen, door verwijdering van talrijke beroemde schrijvers (b.v. Kant, Plato, Herbert Spencer, Nietzsche) uit de bibliotheken, door bespotting van alles wat niet overeen kwam met de geestelijke dictatuur van het materialisme. Al het geestelijke werd beschouwd als niet anders dan mechanisch en materialistisch en volkomen afhankelijk van de economische verhoudingen. Het denken is slechts een middel om den revolutionairen wil bij de daad te leiden. De afzondering van het theoretisch denken binnen een zelfstandige sfeer, het vormen van een kaste van geleerden en academici is volgens de levensopvatting van de Sovjetmaatschappij een ziekte; Lenin schold op de democratische philisters, die met ideologieën geïnfecteerd waren,

[1]) Fülöp-Miller, Geist und Gesicht des Bolschewismus, 1926, blz. 33.

even hard als op de weifelende spiesburgers en stompzinnige gelovigen. Lenin en Stalin, mensen zonder enige philosophische cultuur, dringen ook op geestelijk gebied hun meningen aan een ieder op, zoals ook Hitler dat later heeft nagevolgd. [1])

Doordat Rusland zich hermetisch van het buitenland afsloot, valt het moeilijk een duidelijk beeld te vormen van den Russischen staat. Het is te verwachten, dat bij een dergelijk gemis aan geestelijke vrijheid en een zo strenge dresssuur van denken en handelen het gehele volk slaafs is overgeleverd aan de leiders. Berdjajew merkt op, dat de voorspellende geest van Lenin de nieuwe vormen van klassenonderdrukking niet heeft voorzien, die hier al spoedig ontstonden. „Terwijl de dictatuur van het proletariaat de macht van den staat zeer vergroot, leidt zij tevens tot het vormen van een enorm bureaucratisch apparaat, dat het gehele land als een spinneweb omvat en waaraan alles en iedereen ondergeschikt is. De nieuwe Sovjetbureaucratie, die veel sterker is dan de bureaucratie van het keizerrijk, werd een nieuwe geprivilegieerde klasse, die in staat is om de volksmassa's op een gruwelijke wijze uit te buiten. „Heden ten dage," schrijft Berdjajew, [2]) „ontvangen in het Sovjet-Rusland vele eenvoudige arbeiders niet meer dan 75 roebel in de maand, vele Sovjetambtenaren daarentegen tot 1500 roebel – een ongelooflijke ongelijkheid, die in een communistischen staat in het 20ste jaar van de communistische heerschappij bestaat. Sovjet-Rusland is wat dit betreft tot een kapitalistisch geordend rijk geworden, waarin de uitbuiting in een zelfde mate bedreven wordt als in landen met een kapitalistischen staatsvorm. – De Sovjetstaat is in den loop van zijn ontwikkeling een militaire politiestaat geworden, die met de oude middelen van leugen en geweld strijdt voor de handhaving en verdediging van zijn posities. Zijn politiek op internationaal gebied vertoont een frappante overeenkomst met de diplomatie van de burgerlijke staten." Onder Stalin is het communisme steeds meer tot militairisme, tot een soort Russisch fascisme, geworden: totalitaire staat, staatskapitalisme, leidersprincipe, nationalisme en militair gedrilde jeugd.

[1]) De grote verandering van het eerste idealistische communisme in Rusland tot het staatskapitalisme van Stalin wordt duidelijk beschreven in „De Yogi en de Volkscommissaris" van Arthur Koestler, vooral in het hoofdstuk „Mythe en werkelijkheid van de Sovjets", waarin hij aantoont, dat het oude idealisme thans alleen nog maar dient voor buitenlands gebruik om de communistische arbeiders te misleiden, terwijl in werkelijkheid een goed georganiseerde groep van ambtenaren en militairen, die zich erfelijke voorrechten, grote salarissen en het monopolie van de wetenschappelijke opvoeding heeft verzekerd, de grote massa van het volk uitbuit en onderdrukt op een wijze, die in de Westerse democratieën volkomen onmogelijk is en die door den dwang van een totalitaire terreur den mens inschakelt in een mechanischen slavenstaat. [2]) O.c. blz. 138.

Aan den Westerling moet het toeschijnen, dat de maatschappelijke en de politieke vrijheid in Rusland beiden tot het nulpunt zijn gedaald. Alles geschiedt in naam van het volk en voor het toekomstige heil van het volk, maar het volk zelf kan zijn stem en zijn wil daarbij niet uiten. De Russische communisten worden volgens Berdjajew echter erg boos, wanneer men hun zegt, dat in Sovjet-Rusland geen vrijheid bestaat. Een jonge Rus, die na een verblijf van enige maanden in Frankrijk naar zijn land terugkeerde, verklaarde, dat het Frankrijk aan vrijheid ontbreekt en dat een Sovjet-mens in deze atmospheer verstikt, want er is hier geen mogelijkheid om het leven te veranderen en te vernieuwen. Alles blijft bij het oude, men kan weliswaar ministers ten val brengen, maar daarna begint de comedie van vorenafaan. In Sovjet-Rusland daarentegen bestaat echte vrijheid, want men kan daar de levensvormen vernieuwen, iederen dag brengt een nieuwen tijd. – De vrijheid wordt daar dus niet als een vrijheid van keuze opgevat, maar als de vrijheid voor wereldhervormende activiteit van den socialen mens, nadat de keuze in een bepaalde richting is getroffen. Het innerlijke proces, dat aan die keuze vooraf gaat, wordt dan uit het oog verloren en de vrijheid van geweten en van gedachte als onbelangrijk opzij geschoven. Het persoonlijke geweten en het persoonlijke denken worden in Rusland ook met alle middelen onderdrukt. De menselijke persoonlijkheid heeft hier even weinig betekenis als in de collectieve Japanse gemeenschap. De gedachte, dat het leven van den individuelen mens uitdrukking zou zijn van zijn eigen wezen, wordt in principe afgewezen. Deze communistische religie, niet de communistische vorm van productie, strijdt met het Christendom en met iederen anderen vorm van wereldgodsdienst.

Bij de studie van de gemeenschapsstructuur dient de nadruk gelegd op het feit, dat het vrijheidsbeleven in Sovjet-Rusland zeer veel overeenkomst vertoont met de vrijheid als verbondenheid, die wij als kenmerkend voor den Oostersen totalitairen staat hebben beschouwd. Ook hier berust de vrijheid op een religieus gevoel, op den zin van het leven, die gevonden wordt in den samenhang en de ontwikkeling van het gehele volk; het bevrijdende bestaat dan in die collectieve zingeving, die aan iederen enkeling zijn plaats aanwijst en hem verder ontheft van de verantwoordelijkheid van persoonlijke beslissingen. Het is ook zeker psychologisch begrijpelijk, dat een overweldigend groot aantal mensen – vooral in een weinig individualistisch land als Rusland – een grote bevrediging vindt in het werken aan het gemeenschappelijke doel van den socialistischen heilsstaat. Persoonlijke idealen zijn toch ook in het algemeen alleen geschikt voor een betrekkelijk kleine minderheid. Als een dergelijke maatschappij een voldoende welvaart geniet om de zorg voor het bestaan weg te nemen en als het religieuse gevoel levend wordt gehouden, dan kan een grote mate van dwang en gebondenheid aanvaard worden, zonder dat het gevoel van maatschappelijke vrijheid wordt bedreigd. Politieke rechten en politieke vrijheid worden dan in het geheel niet verlangd en zouden in een land als Rusland ook een nieuwigheid betekenen, waarvan men de waarde niet begrijpt. Rusland was voor zijn tegenwoordigen staatsvorm voorbereid, zowel door zijn verbondenheid met Azië en zijn meer collectivistisch verleden, dat niet door het Westerse individualisme was te niet gedaan, als door de erfenis van de Oost-Romeinse cultuur, waarin Christendom en staat meer tot eenheid waren gegroeid dan dat in de Westerse wereld geschiedde.

Bij deze vergelijking dient echter niet over het hoofd gezien, dat hier ook een belangrijk verschil bestaat met den Oostersen totalitairen staat. Daar berust de gemeenschapsvorm op eeuwenoude tradities, waaraan een ieder zich gebonden voelt en waarvoor niet alleen het gezinshoofd, het dorpshoofd en de provinciale gouverneur, maar de gehele gemeenschap en vooral de adellijke families verantwoordelijk zijn. Hier stond Lenin met zijn kleine groep van aanhangers voor de overweldigende taak in korten tijd de mensen te scheppen, die dragers van zijn nieuwe traditie konden zijn en die op het gehele volk zouden weten voort te planten. Het is eigenlijk een wonder, dat dit gelukt is en dat wonder wordt alleen begrijpelijk door de macht van de organisatie, die de communistische partij tot een instrument heeft gevormd, dat in staat was de massabeweging te leiden en in gang te houden. De dictatuur wordt gedragen door de communistische partij. In haar handen komen alle draden samen van de organisatie van het Sovjet-rijk. Een commissie van ongeveer tien mannen, het Politieke Bureau, regeert de partij; Stalin is daarvan de algemene secretaris, of practisch gesproken de dictator. Leden der partij houden alle strategische posities in het rijk bezet: in de Sovjets, die volgens een getrapt kiesstelsel worden gekozen, in de vakorganisaties, in het Rode Leger, in de regering, de regeringsbureaux, de fabrieken, de landbouwbedrijven. In laatste instantie bepaalt het Politieke Bureau de regeringspolitiek.

„In de communistische partij heerst een ijzeren discipline, die wel vergeleken is met die in de orde der Jezuïeten, ook wat betreft haar propagandistisch militant karakter. De leden der partij worden gedreven door een fantastische, maar hoge opvatting van hun doel en hun taak. Een zware proeftijd gaat aan de toelating vooraf en wie eenmaal lid is moet zich duurzaam offers getroosten aan diensten en beperking van persoonlijke vrijheid. Hij moet de hem aangewezen taak zonder commentaar uitvoeren, hoe zwaar en weerzinwekkend die ook moge zijn. Omstreeks 1930 bedroeg het aantal partijleden ongeveer $2^1/_2$ millioen. De toelating is geleidelijk verzwaard om de partij zuiver te houden, maar ook met het oog op de centralisatie. Ascetische soberheid is één der eerste eisen; als regel rookt en drinkt de communist niet en wie zich bij herhaling schuldig maakt aan dronkenschap of aan ontucht wordt berispt, gedegradeerd, of uit de partij gezet. Op corruptie staat de doodstraf. Wie zich onttrekt aan het partijwerk, of ernstig zondigt tegen de leerstellingen, wordt van het lidmaatschap vervallen verklaard. Carrière maken is een begrip, dat men in de communistische partij niet kent. Wel woedt de strijd om de macht in de commissariaten en in de staatstrusts. Onregelmatigheden in de partij worden aan het daglicht gebracht door een geperfectioneerd, maar perfide stelsel van onderlinge contrôle, collectieve massacontrôle." [1])

De beschrijving van deze klasse van een paar millioen mensen, die het gehele volk in een bepaalden stijl dwingt en zelf aan een uiterst strenge discipline onderworpen is, doet zeer denken aan den toestand in Japan in de Tokoegawa-periode, dien wij vroeger hebben beschouwd. Ook hierin komt het totalitaire Rusland overeen met den Oostersen totalitairen staat. Een duidelijk verschil bestaat echter in het ontstaan van de heersende klasse. De Japanse Samoerai waren door de eeuwen heen in en uit het volk tot hun bijzondere machtspositie gegroeid, terwijl in Rusland de communistische partij uit het volk werd gerecruteerd. Hierin toont zij overeenkomst met de Jezuïetenorde, waarbij ook in de eerste plaats bij de recrutering op bepaalde karaktereigenschappen en bepaalde geesteshouding wordt gelet.

De communistische partij heeft zich grote moeite gegeven om het wijd verbreide analphabetendom te doen verdwijnen. Zij heeft de jeugd tot het communisme opgeleid in speciale jeugdverenigingen, gevormd naar het schema der padvindersbeweging. Uit deze groepen van jonge en oudere leerlingen werden dan met zorg diegenen uitgekozen, die aan de communistische universiteiten en aan de arbeidersfaculteiten in betrekkelijk korte cursussen verder werden opgeleid om het communisme te propageren en leidende posities in te nemen. Een eerste vereiste was daarbij volkomen onderwerping aan de partij en haar idealen. Overal wordt zorgvuldig toegezien, dat alle meningen en gedachten geheel overeenkomen met de geijkte collectivistische geestesgesteldheid. „De vrijheid is een burgerlijk vooroordeel," heeft Lenin gezegd en hij zag den enigen weg naar het geluk van de mensheid in de dictatuur, die alle economisch en geestelijk leven van staatswege organiseert.

Het ontstaan van dezen nieuwen gemeenschapsvorm heeft overal in de wereld een geweldigen indruk gemaakt, die nog versterkt werd

[1]) Russische Reisschetsen, Mechanicus, 1932, blz. 62.

door de openlijke of bedekte propaganda, die de Russische communisten in de meest verschillende landen voerden. Het spook van de revolutie wekte overal onrust. Men hoopte, dat deze ongewone regeringsvorm spoedig in elkaar zou zakken door gemis aan levensvatbaarheid. Dit bleek echter niet te geschieden. Niettegenstaande vele moeilijkheden wist de Unie der Sovjet-republieken zich te handhaven en zich vaster te organiseren. Hier toonden zich voor het eerst de onbegrensde mogelijkheden tot machtsontplooiïng van den staat, wanneer deze de oude middelen van geheime politie, spionage, gevangenissen en concentratiekampen en onderdrukking van de vrije meningsuiting verbindt met een moderne militaire en economische organisatie en vooral met een moderne propagandistische beheersing van de massabeweging en met de algehele leiding van de opvoeding. In Rusland bestond geen sterke georganiseerde gemeenschap, bestonden geen krachtige politieke partijen, geen onafhankelijke, intellectueel ontwikkelde burgerij, geen traditie van geestelijke onafhankelijkheid, die een tegenwicht konden vormen tegen staat en massa. Wat hiervan aanwezig was werd uit den weg geruimd of vernietigd, zodat alleen de staat en de massamens overbleven en de staat was er op uit overal de eigenschappen van den massamens te ontwikkelen om ze te gebruiken door vormen van beinvloeding, die geheel op deze mensensoort waren afgestemd. Op deze wijze wordt de macht van een regering tot een griezelige hoogte opgevoerd. Geen democratische regering kan met mogelijkheid een dergelijke machtsconcentratie bereiken.

Het fascisme.

Het behoeft niet te verwonderen, dat dit voorbeeld navolging vond. In 1922, vijf jaar na de Russische revolutie, greep Mussolini in Italië naar de macht. Mussolini was veel minder dan Hitler een imitator van de Russische methode. De fascistische partij moge op vele punten overeenkomst vertonen met de communistische partij in Rusland, de beweging zelf vindt haar oorsprong lang voor den vorigen wereldoorlog. Grote kringen van de Italiaanse bevolking betreurden het toen reeds, dat de grote nationale beweging, die tot de stichting van het koninkrijk Italië had geleid, geleidelijk was verflauwd, zonder een regeneratie van het Italiaanse volk te hebben bereikt. Zij gaven de schuld aan de verdeeldheid der politieke partijen en aan het gemis aan idealistische geestkracht van de burgerij. Italië werd in het eind der vorige en in het begin van deze eeuw voornamelijk door liberale kabinetten geregeerd, ten dele, doordat de clericalen zich aanvankelijk van de politiek afzijdig hielden, ten dele, doordat Italië een vrij sterk beperkt kiesrecht bezat. Deze regering moest telkens weer met moeite het evenwicht bewaren tussen de clericalen en de socialisten. Het volk viel door zijn verschillende historische lotgevallen in verschillende groepen uiteen, die niet tot één gemeenschapsstructuur waren samengegroeid. Opstanden onder de boeren van Sicilië of van de arbeiders van Milaan toonden de spanning der politieke tegenstellingen. Het land was arm en het kostte moeite een financiëel evenwicht te vinden. In 1912 werd een hervorming doorgevoerd, die het kiesrecht vrijwel algemeen maakte. Daarna vermeerderde de spanning tussen socialistische arbeiders en nationalistische groepen nog meer.

In dezen tijd speelde Mussolini reeds een rol als socialist met revolutionaire denkbeelden. Hij was een vurige bestrijder van de laksheid en het gemarchandeer van de burgerlijke liberalen. Gedurende den vorigen wereldoorlog werd hij een uitgesproken voorstander van de deelname van Italië aan den strijd, wat hij daarna ook als soldaat waar maakte. Hij keerde zich al spoedig meer van het socialisme af en wilde de vernieuwing van Italië door concentratie van de nationale krachten tot stand brengen; na den oorlog vormde hij uit zijn medestrijders een nieuwe, vast aaneengesloten organisatie, die als symbool het oude ambtsteken van de Romeinse consuls, de fascio, den bundel roeden met den bijl, voerde en zich daarnaar fascisten noemde. Hij stelde hiermee de idee van de nationale verbondenheid tegenover de verdeeldheid van den klassenstrijd en zijn organisatie verbreidde zich in korten tijd over het gehele land. Deze beweging was militair georganiseerd en bond den strijd aan met de socialistische en communistische organisaties, die tot nu toe een monopolie hadden van openbare betogingen.

De liberale regering was machteloos tegenover de botsingen, die nu telkens ontstonden. De stakingen werden steeds dreigender, de communisten werden steeds brutaler, de arbeiders gingen de fabrieken bezetten en zij kozen bedrijfsraden, die de leiding wilden nemen. De regering greep niet in en de fabrikanten moesten toegeven. Italië leek een bolsjewistische toekomst tegemoet te gaan. De fascisten waren intussen steeds krachtiger geworden en toen zij in Bologna hun zin wisten door te zetten tegen de socialisten in, kondigden deze de algemene staking af voor geheel Italië. Mussolini verlangde van de regering, dat zij deze staking zou onderdrukken, wat met behulp der fascisten geschiedde, waarna vele arbeiders in de fascistische partij overgingen. Daarop greep Mussolini in October 1922 naar de macht door de mars der fascisten naar Rome. Hij verklaarde samen met de monarchie en het leger te zullen regeren. Victor Emanuel stemde hierin toe. Daarop bezetten overal de fascisten de socialistische partijbureaux. In het parlement verklaarde Mussolini, dat hij eventueel ook zonder meerderheid zou regeren om een nieuwe orde te scheppen met als leidende gezichtspunten:

spaarzaamheid, arbeid en discipline, waarop de Kamer met grote meerderheid haar vertrouwen in hem uitsprak. De clericalen wist Mussolini gunstig te stemmen door de bijzondere plaats van de Katholieke Kerk in het nationale Italië te erkennen. Hij liet de fascistische militie in het leger opnemen en wist bij nieuwe verkiezingen een meerderheid in het parlement te verkrijgen. Toen het bleek, dat zijn staatsgreep allerlei politieke uitspattingen ten gevolge had, trad hij hiertegen soms wel op, maar hij beperkte de persvrijheid en liet zich volmacht geven om alle beambten te ontslaan, die tegen de politiek der regering waren. Waar deze maatregelen onvoldoende waren, zette de partij met geweld haar wil door. De pers der tegenstanders werd vernietigd, stakingen verboden en de vakverenigingen onder fascistische leiding gesteld. Al spoedig liet Mussolini een wet aannemen, dat hij uitsluitend als eerste minister verantwoordelijk was tegenover den koning voor de gehele politiek en dat zonder zijn toestemming geen onderwerp in de Kamers ter sprake gebracht mocht worden. In plaats van de democratische vertegenwoordiging stelde hij in 1928 de corporatieve vertegenwoordiging, waarbij corporaties van arbeiders en van ondernemers en ook van culturele organisaties candidaten voorstellen voor een lijst van afgevaardigden, waaruit dan de Grote Raad zijn keuze doet. Het volk stemt alleen met ja of neen over de gehele lijst en als een meerderheid neen stemt, moet een nieuwe lijst worden voorgelegd. De democratische regeringsvorm was hiermee afgeschaft.

Wij hebben in het eerste hoofdstuk reeds in het kort nagegaan, hoe de fascistische staat zich snel in totalitaire richting ontwikkelde en hoe hij alle economische, maatschappelijke en geestelijke organisaties zoveel mogelijk liet bestaan, maar ze invoegde in een nationaal geheel. Natuurlijk ging ook deze revolutie met dwang en met gewelddaden gepaard, maar het feit, dat de moord op Matteotti, den secretaris der socialistische partij, algemene verontwaardiging wekte en door Mussolini openlijk werd afgekeurd, toont reeds het grote verschil met de Russische revolutie. In het algemeen voltrok deze omwenteling zich geleidelijk, maar zij was daarom niet minder grondig. De politieke structuur van Italië ging al spoedig veel overeenkomst vertonen met die van Sovjet-Rusland, maar de maatschappelijke structuur was anders en de doelstellingen werden ook anders geformuleerd. Ook hier was het gezag geconcentreerd in een dictator, die zijn macht uitoefende door een goed georganiseerde partij, die haar vertegenwoordigers had in alle belangrijke directies en besturen en die door deze vertegenwoordigers en door haar spionnen op de hoogte was van alles wat in het land gebeurde. Ook hier werd de economie en de publieke opinie geheel van bovenaf geleid. Maar terwijl in Rusland de toch reeds zwakke burgerij was uitgeroeid of verpauperiseerd, de Kerk was opgeheven en de Christenen werden vervolgd en geridiculiseerd, de intellectuelen voor de keuze werden gesteld tussen vernietiging en slaafse dienstbaarheid, streefde Mussolini naar een staat, die al deze verschillende krachten tot een eenheid zou weten samen te vatten.

Italië was nu eenmaal een land met een oude cultuur en al was de staat er lang onmachtig geweest, toch vormde de Kerk er het grote centrale gezag, de burgers der steden waren nog dragers van een oude culturele zelfstandigheid en de intellectuelen hadden onder het liberale bewind een groten invloed gekregen. In 1929 kwam een verdrag met den Paus tot stand, waarbij deze weer volle souvereiniteit verkreeg in zijn kleine kerkelijke gebied, waarbij godsdienstonderricht volgens kerkelijk voorschrift weer in alle scholen werd ingevoerd en waarbij de bisschoppen in overleg met de regering zouden worden benoemd en den eed van trouw aan den staat zouden zweren. De middenstanders en de intellectuelen werden gemakkelijk voor het fascisme gewonnen, omdat dit culturele idealen verdedigde tegenover de socialistische en communistische nivellering. Bovendien werden zij overal ingeschakeld bij den opbouw van den nieuwen staat. Ook de arbeiders hadden het niet slecht en zij kregen corporatieve vertegenwoordiging in plaats van hun partijorganisatie. Overal greep de ordenende hand van de regering in om het land tot één welvarend geheel te organiseren. Het ideaal was hier niet de heerschappij en de ontwikkeling van de arbeidersklasse alleen, maar de maatschappelijke, economische en culturele ontwikkeling van het gehele land.

Aanvankelijk leek dit nieuwe stelsel, niettegenstaande de onderdrukking van de persoonlijke vrijheid, zovele voordelen op te leveren, dat vele critici van de democratie zich gingen afvragen, of dit krachtige centrale gezag, voorgelicht door corporatieve vertegenwoordigingen, niet een bruikbaarder regeringsapparaat zou blijken dan de parlementen met hun verlammenden partijstrijd. In Italië zelf kon de fascistische regering zeker gemakkelijker nuttig werk doen en grote plannen verwezenlijken dan dat tevoren mogelijk was geweest. Toch bleken op den duur ook de bezwaren, aan dezen regeringsvorm verbonden.

Een dictator staat persoonlijk in het centrum van de aandacht; men verwacht van hem leiding en bezieling voor het werken aan een nieuwe toekomst. De verhouding tussen leider en menigte beheerst dan de maatschappij. Op den duur valt het echter niet gemakkelijk steeds het enthousiasme van een volk gaande te houden, zó dat het geneigd is de nodige offers te brengen, vooral als geleidelijk verschillende wensen worden vervuld. Om zijn invloed op het volk te behouden belandt een dictator dan in tweeërlei gevaar:

dat hij meer voorspiegelt dan hij kan houden en dat hij oorlogszuchtige gevoelens wekt door een imperialistische zucht tot verovering en door angst voor de bedreiging door andere staten. Dreiging met oorlog maakt het volk nog het eerst geneigd offers te brengen en zich te onderwerpen aan strenge tucht. Een dergelijk nieuw gefabriceerde totalitaire staat, die niet als vertegenwoordiger van heilige tradities kan optreden, gaat dan ook al spoedig het oude bekende beeld van de militaire hiërarchie vertonen, waarbij het gezag niet op inspiratie, maar op dwang berust. In plaats van culturele komen dan steeds meer militaire idealen op den voorgrond. Mussolini wilde de opvoeding van het volk geheel in militairistischen geest leiden en hiertoe ook het geestelijk leven ondergeschikt maken aan zijn idealen van staatkundige grootheid. Daarbij kwam hij in botsing met den Paus, die aanvankelijk had gehoopt, dat Mussolini alleen de politieke en economische vraagstukken zou regelen, zodat het geestelijk leven weer onder het gezag van de Katholieke Kerk zou komen te staan. Al spoedig bleek Mussolini geen Theodosius te zijn (die het Christendom tot staatsgodsdienst maakte), maar eerder een Aurelianus, die de orde van het rijk trachtte te redden door de heiliging van het totalitaire staatsgezag. Toch durfde hij geen openlijken strijd met den Paus aan en liet hij de Katholieke jeugdverenigingen bestaan, maar hij nam daarnaast de militaire opvoeding van de jeugd al op zeer vroegen leeftijd ter hand. Het is bekend, hoe de agressieve imperialistische politiek van Mussolini, die door geen parlementaire critiek kon worden getemperd, Italië bij de verovering van Abessinië en bij de inmenging in den Spaansen burgeroorlog met een internationaal conflict bedreigde, totdat het, toen het kans meende te zien zijn wensen te bevredigen, geheel vrijwillig aan den tweeden wereldoorlog ging deelnemen en zo zijn ondergang tegemoet ging.

Het nationaal-socialisme.

Terwijl de totalitaire regeringen in Rusland en Italië aanvankelijk in de eerste plaats maatschappelijke en culturele doelstellingen nastreefden en pas later steeds meer militairistisch werden, valt bij de nationaalsocialistische partij in Duitsland het accent al dadelijk op de militaire organisatie en de militaire doelstellingen. Dit is ten dele het gevolg van Duitsland's vroegere ontwikkeling, ten dele ook van de omstandigheden na den vorigen wereldoorlog. Duitsland had dien oorlog verloren, maar het was niet bezet geweest en daardoor konden vele Duitsers zich wijs maken, dat het geen militaire nederlaag had geleden, maar alleen door binnenlandse politieke factoren en door een te zwakke houding van de nieuwe regering, die het vredesverdrag tekende, in het onheil was gestort. De binnenlandse toestand was volkomen chaotisch en de onzekerheid werd verhoogd door de harde vredesvoorwaarden, vooral ook door de verplichting tot herstelbetalingen, waarvan het bedrag eerst was open gelaten en daarna boven de draagkracht van het economisch uitgeputte land was gesteld. De keizer was uit Duitsland gevlucht, de republiek werd uitgeroepen, de socialistische leiders hadden de macht in handen en zij stonden voor de taak de ontbonden legers weer in te voegen in een maatschappij, die in sterke mate gedesorganiseerd was. Men kondigde vrijheid van vergadering en van drukpers af en voerde den 8-urigen werkdag in en besloot een volksvergadering over een nieuwe constitutie te laten beslissen. De linkervleugel van de sociaaldemocraten wilde nationalisering van de productiemiddelen en een dictatuur van het proletariaat en organiseerde overal opstanden, die slechts met moeite konden worden onderdrukt. Door samenwerking van grootindustriëlen en arbeidersverenigingen werd de communistische stroming tegengehouden. In 1919 kwam het nieuwe parlement te Weimar bijeen en bracht een constitutie tot stand voor het Duitse Rijk als republiek. Aan het hoofd van het Rijk zou een president staan, door het volk voor zeven jaren gekozen, met een rijksministerie naast zich, dat thans – in tegenstelling met vroeger – verplicht was af te treden, wanneer het niet meer het vertrouwen van de volksvertegenwoordiging zou blijken te bezitten. Deze laatste bestond uit één Kamer, den Rijksdag, die door algemeen geheim kiesrecht, ook voor vrouwen, werd gekozen. Het Rijk zou niet alleen de buitenlandse politiek, leger en marine, de economische- en de verkeerspolitiek behartigen, maar ook de belastingen en de richtlijnen voor school en kerk vast stellen. De Rijksraad van de afzonderlijke staten kreeg thans meer een raadgevende functie. Zowel voor het Rijk als voor de staten werd de evenredige vertegenwoordiging ingevoerd.

Duitsland had in zijn nieuwe constitutie alle mogelijke democratische nieuwigheden opgenomen, het vrouwenkiesrecht, de evenredige vertegenwoordiging, het plebesciet (aan Zwitserland ontleend), maar de partijverhoudingen bleven dezelfde georganiseerde gespletenheid van de gemeenschap opleveren als tevoren; alleen was het aantal partijen groter geworden en waren de kiezers nog iets meer aan de partijbesturen gebonden. Het volk was door deze veranderingen ook allerminst democratisch geworden: men wilde evenals vroeger gecommandeerd worden en zelf commanderen en zodoende kwam het slechts zeer moeizaam tot wat meer samenwerking en onderling begrip. Een gevolg van het verminderde centrale gezag en van de vermeerderde macht der partijen was, dat deze laatste thans veel meer ambtenaren van hun eigen partij trachtten te benoemen. De constitutie was tot stand gekomen door de samenwerking van sociaaldemocraten, democraten en centrum en iedere regering moest telkens weer op een coalitie steunen, wat dan weer zeer veel gehandel achter de coulissen nodig maakte en geen enkele regering was lang van zijn leven zeker. Daarbij bleef de binnenlandse toestand zeer onrustig; behalve de communisten waren ook de reactionaire militairisten tot opstand geneigd. De Spartakistenopstand, de Kappputsch, het stichten van een nationaalsocialistische regering in München door Hitler (1923) werden alle onderdrukt, maar de stemming bleef gespannen. Het volk was uitgeput door de hongerblokkade. Het voelde zich ontwapend en vernederd en niet in staat zich behoorlijke levensomstandigheden te verwerven, zolang zware herstelbetalingen werden geëist en met den dwang van sancties werd gedreigd. De macht, die het tegenover zich voelde, was vooral Frankrijk, dat onder leiding van Poincaré bleef staan op zijn recht op herstelbetalingen en op veiligheid en dat niet in de zwakheid en armoede van Duitsland wilde geloven, maar in alle pogingen om de betalingen te verminderen chicanes zag van een oneerlijken schuldenaar. Engeland en Amerika waren tot matiging geneigd, maar wilden toch ook de Franse schulden aan henzelf niet schrappen.

De spanning kwam tot een climax door de bezetting van de Ruhr door de Fransen in 1923. Reeds in 1921 waren de Duitsers, om aan het hoge bedrag van de herstelbetalingen te ontkomen, begonnen met het depreciëren van den mark. „Maar de inflatie," schrijft Fisher, [1]) „is een grillige geest, die neiging heeft uit den band te springen, als hij eens is opgeroepen. In Januari 1923, toen de Fransen het Ruhrgebied binnenvielen, had men Mk. 80.000.— nodig om een Engelse souvereign te kopen; in October was deze som gestegen tot het astronomische cijfer van 112.000 millioenen. Grote fortuinen krompen in tot een aalmoes. De hoogste klassen en de middenstand en alle dagloners, die van een vast bedrag moesten leven, werden in de grootste armoede gedompeld. Door deze financiële tragedie, die de aandacht trok van de gehele wereld, werd de economische situatie, zowel van Frankrijk als van Duitsland, uiterst moeilijk. Enerzijds wurgde het Franse leger in den Ruhr de Duitse industrie, anderzijds verhinderde de passieve weerstand van de Duitse mijnwerkers en mijneigenaren, die van Berlijn uit werd gefinancierd, het verkrijgen van productieve panden, die de Fransen met hun invasie hadden willen bemachtigen. Deze bittere worsteling kon niet eindeloos duren. In den herfst gaven de Duitsers hun passieven weerstand op en in den zomer van 1924 gingen zij plotseling hun muntstelsel hervormen. De Fransen, die ontnuchterd waren door de daling van den franc tot 50 %, lieten Poincaré schieten en riepen Herriot, den radicalen leider, aan het roer. Het toneel was toen voorbereid voor de drie volgende actes, die tezamen een tijdlang de politieke atmospheer verbeterden: het Dawesplan van 1924, de

[1]) Fisher, A History of Europe, blz. 1198.

overeenkomst van Locarno in 1925 en de opname van Duitsland in den Volkenbond in 1926."

De Dawescommissie, die op initiatief van de Amerikaanse regering werd ingesteld, zou eindelijk eens rustig gaan uitzoeken, wat Duitsland redelijkerwijze kon betalen. Toen Frankrijk het plan goedkeurde, ontruimde het het Ruhrgebied. In het verdrag van Locarno kwamen Stresemann, Briand en Chamberlain overeen, gezamenlijk met Italië en België de grenzen van Frankrijk en Duitsland te garanderen. Duitsland zag daarbij van Elzas Lotharingen af, Frankrijk gaf zijn agressieve houding tegen Duitsland gedeeltelijk op en Engeland zou hulp bieden aan den aangevallene. Hierna was de mogelijkheid gegeven, dat Duitsland op voet van gelijkheid opgenomen kon worden in den Volkenbond. In Duitsland bestond een geweldige aandrang om deze gelegenheid te gebruiken om zijn eenzijdige ontwapening op te heffen, hetzij door verminderde bewapening van de anderen, hetzij door toestemming te krijgen voor uitbreiding van de eigen militaire macht. De Volkenbond gaf hier echter geen oplossing. Stresemann, die zich zoveel moeite had gegeven om een verzoening met de democratische staten tot stand te brengen, stierf in 1929, zonder dat hij erin geslaagd was te voldoen aan dezen innigen wens van velen zijner landgenoten. In ditzelfde jaar kwam de economische vooruitgang, die na de inflatie in Duitsland was ontstaan, gestimuleerd door een geweldig bedrag aan buitenlandse leningen, tot staan door het begin van de grote crisis in New York. De economische inzinking, die hiervan het gevolg was, trof Duitsland bijzonder zwaar. De staat stond voor de moeilijke vraag, wat te doen voor zes millioen werkelozen.

Bij deze sterke economische crisis in een land, dat nog gedesorganiseerd was door een uitputtenden oorlog en waar het centrale gezag verzwakt was door een nieuwen, weinig indrukwekkenden regeringsvorm en door het weinig verheffende beeld van strijdende en konkelende politieke partijen, kreeg de nog jonge beweging van het nationaal-socialisme haar kans. De Duitsers waren niet opgevoed voor de democratie, zij hadden vooral eerbied voor den straffen dwang van militaire orde en voor den commandotoon; het democratisch geparlementeer in den Rijksdag en in den Volkenbond imponeerde hen maar matig. De democraten verwachtten overal wonderen van de publieke opinie, die door redelijk inzicht zou worden geleid, indien maar alle problemen in het openbaar zouden worden behandeld. Zij vergaten daarbij twee dingen, namelijk, dat een goed werkende publieke opinie alleen tot stand komt in een gemeenschap, die tot een grote mate van eenheid is gegroeid en verder, dat ook daar de werking van sterke emoties de publieke opinie door onredelijkheid kan vertroebelen. In Duitsland bestond deze eenheid niet en de krenkingen van den nederlaag en van de armoede maakten een volk, dat niet opgevoed was tot zelfstandig oordelen, dubbel ontvankelijk voor emotionele leuzen.

Hitler gaf hun, als leider van de nationaalsocialistische beweging, in dit opzicht alles wat zij maar konden wensen. Zijn partij was intussen ook dermate in aanzien en macht gestegen, dat hij in staat was het gehele Duitse volk te bereiken. Deze partij was, evenals de fascistische, oorspronkelijk uit frontsoldaten gerecruteerd. Het kostte Hitler meer tijd dan Mussolini om invloed op het volk te krijgen. De laatste had ook al een politieke carrière achter den rug, terwijl Hitler een eenvoudig frontsoldaat was met weinig ontwikkeling, een soort wereldvreemde profetische dromer, een eenzame, maatschappelijk mislukte bohémien, die zijn gemis aan een eigen tehuis, aan een eigen levenslijn en aan vrienden bedekte door te dromen van een toekomstig machtig groot-Duitsland. In het leger had hij alleen gestaan, zijn kameraden vonden hem niet goed wijs; maar hij bleef in 1919 in het leger, omdat hij geen beroep had en werd daar al spoedig woordvoerder voor de soldaten en politiek propagandist. Hij was toen dertig jaar. Door onvermoeide actie wist de kleine partij zich in München al spoedig uit te breiden en Hitler kwam daarbij steeds meer op den voorgrond.

In het sociaaldemocratische tweede Duitse rijk bestonden overal militaire bonden, die zich ook met politiek bezig hielden en die, tezamen met de nationalistische partijen, streefden naar het herstel van een machtigen militairistischen staat. Men richtte zich tegen het „corrupte" partijgedoe, tegen den Volkenbond, tegen de Joden en de makers van crisis- en oorlogswinsten, tegen alle internationale bewegingen (socialisme, communisme, vrijmetselarij), tegen de klassentegenstellingen en tegen clericale invloeden. Men wenste vóór alles een krachtige Duitse eenheid en men zocht deze, als vanouds, in den militairen geest, die aan de massa discipline en orde zou bijbrengen. De druk der herstelbetalingen, de bezetting van het Ruhrgebied, de verarming door de inflatie en de losbandigheid der zeden deden de behoefte aan sterke centrale leiding nog toenemen. Het is dan ook zeer begrijpelijk, dat deze stromingen, vooral na 1930, toen de crisis en de werkeloosheid de onzekerheid nog vergrootten, en de kans op communisme deden toenemen, de overhand kregen in het Duitse rijk. Alleen de bijzondere persoonlijkheid van Hitler kan echter verklaren, waarom het nationaalsocialisme al deze verschillende stromingen wist te verenigen en het volk tot een religieusen geestdrift voor een nieuw, heilig Duitsland wist te wekken.

Lenin had voor een volk met een religieusen grondslag het marxisme tot een heilige zaak gemaakt, Mussolini zag in het Katholieke Italië geen kans om een politiek ideaal religieus te funderen, maar hij vond een machtig middel in het klassieke Romeinse voorbeeld, Hitler echter was in staat een op zichzelf niet zeer godsdienstig volk op te zwepen tot een volksgodsdienst, die in eigen volk en eigen land de hoogst denkbare waarden belichaamd zag. Hitler heeft zowel van Mussolini als van Lenin geleerd, hij heeft ook lang geschommeld tussen het socialistisch accent, dat de gelijkheid en de belangen der arbeiders voorop stelde en de burgerlijke houding, die in het marxisme den vijand zag. Maar op één punt waren de nationaalsocialisten vanaf den beginne origineel: zij verheerlijkten het eigen, Noordelijke ras als uitverkoren volk en zagen in het andere „uitverkoren volk" een doodsvijand van alle cultuur. Vanaf het begin waren zij anti-semitisch en „volks". Zij verheerlijkten niet in de eerste plaats de eigen cultuur, maar den eigen biologischen grondslag, het eigen bloed, waaraan later nog de eigen bodem als tweeden fetisch werd toegevoegd. Dit was een grondslag, waarop gemeenschappelijke zelfverheerlijking mogelijk is, want cultuur is een vrij moeilijk te verwerven bezit, terwijl bloed het voorrecht is van velen. Verder is een belangrijk verschil, dat de Russische geesteshouding nuchter natuurwetenschappelijk is gefundeerd, terwijl de Nazi's daarnaast allerlei magische en primitieve voorstellingen propageerden, die tot de verbeelding van het volk moesten spreken.

Met de deugden, die aan het Duitse volk werden toegeschreven ging het al even zo: dit waren in de eerste plaats de deugden van den soldaat, gehoorzaamheid, moed, volharding en trouw, die in het Duitse volk in hoge mate worden gevonden. Dit betekent niet, dat Hitler zelf hierin het ene nodige zag, of dat hij de massa vereerde. Integendeel, hij begon reeds vroeg in de S.A. een elite van studenten en gestudeerden om zich te verzamelen om met hen de massa te beheersen. Tegenover de menigte verheerlijkte hij echter altijd weer het Duitse volk in den eenvoud en kracht van zijn wezen en gaf hij zichzelf ook als een eenvoudig man, wars van alle ingewikkelde geleerdheid en mooipraterij. Hij zocht geen „parlementaire" uitdrukkingsvormen, maar schold en raasde er lustig op los, zodat het volk in hem een woordvoerder vond naar zijn hart. Ook Lenin en Mussolini namen geen blad voor den mond en ook zij wisten de massa te bezielen, maar Hitler overtrof hen in profetische zelfverzekerdheid, in propagandistische handigheid en in brutale, nationale zelfverheerlijking. Hitler heeft getoond, dat het mogelijk is in een volk met een zwakke nationale gemeenschap en een zwakke en verdeelde godsdienstigheid met de moderne middelen van goed geleide propaganda een massabeweging te ontketenen, die de verschijnselen van een ouden volksgodsdienst weer levend doet worden. Men moet aan het ontstaan van het Mohammedanisme denken, al was dit vanaf het begin geen volksgodsdienst maar een wereldgodsdienst en stond het in zoverre veel hoger. Maar ook daar werden de felle en tegenstrijdige gevoelens van een in zich verdeeld volk tot eenheid van daad geleid onder den invloed van een leider, die een hoger gemeenschappelijk doel wist te wekken. Bij de nationaalsocialisten werd deze volksbeweging tevens op geraffineerde wijze geleid door alle vormen van politieke overreding af te wisselen met gewelddadigen dwang. Hitler was daarbij echter volkomen onmisbaar, omdat vooral hij de vervoering kon scheppen, die de menigte meesleepte. Hitler werd voor talrijke aanhangers de nieuwe Messias, die door middel van het „Herrenvolk" der Duitsers het heil aan de wereld zou brengen. „Der Sieg der Deutschheit über die Erde", noemt een aanhanger dit doel.

Hitler heeft aan de liberale ideologie van vrijheid en gelijkheid en aan de socialistische ideologie van den klassenstrijd en het verheerlijkte proletariaat een derde ideologie toegevoegd, die van den „leider" en van het „Herrenvolk". Zonder twijfel wordt hiermee een belangrijk punt aangeroerd, dat door de beide vorige ideologieën verwaarloosd was. De gelijkheid is een begrip, dat in vrij sterke mate voor de menigte geldt en ook voor de massa, maar niet voor de elite en niet voor den leider, die juist weer de meerdere vrijheid bezitten, die aan de massa ontbreekt. De sociaaldemocratie zag alleen de massa; het is haar noodlottig geworden, dat zij de bijzondere betekenis van de leiders en van de elite over het hoofd heeft gezien. De nationaalsocialistische begrippen vullen dus op dit punt een leemte aan, maar dit geschiedt met de bekende Duitse overdrijving en eenzijdigheid. De mensen zijn niet gelijk en de volken zijn niet gelijk, maar dit geeft een mens of een volk daarom nog niet het recht zich als maatstaf te stellen voor alle anderen. Deze nieuwe ideologie werkte door haar eenzijdigheid dan ook nog noodlottiger dan de vorige.

Het kenmerk van deze houding van zelfverheerlijking van leider en volk is uiterste hoogmoedige onverdraagzaamheid en principiële agressie. Aan een volk, dat weinig gewend was naar elkaars en anderer mening te luisteren en dat hardheid en gewelddadigheid in dienst van het vaderland als een onafwijsbaren eis van manlijkheid beschouwt, kan een dergelijke houding gemakkelijk worden bijgebracht. De nationaalsocialistische partij en haar kernen, de S.A. en de S.S., vertegenwoordigden, evenals de communistische en de fascistische partijen, een ascetische manlijke levenshouding, die lichamelijke geoefendheid, zelftucht en trouw aan bepaalde principes op straffe wijze handhaaft. Deze houding, die wij als regel in de puberteit van iederen man vinden, brengt overal een wat opgeschroefde zelfverzekerdheid en provocatie van conflicten mee, maar voor het individu werkt de maatschappelijke invloed dan meestal temperend en kalmerend. Een militairistische gemeenschap accentueert deze overdreven manlijke houding en wanneer daarbij nog een volksbeweging komt als de nationaalsocialistische, dan ontstaat hieruit gemakkelijk een karikatuur. Men heeft dan ook in andere landen langen tijd met deze beweging gespot, veel meer dan met het fascisme of het communisme. De behoefte aan uniformen, aan marcheren in massaverband, aan parades en massabetogingen, aan commando's en strijdliederen, aan militaire rangen en militaire stramheid is nu eenmaal een typische Duitse eigenaardigheid, die andere volken weinig imponeert. Men ergerde zich wel aan de politieke moorden, aan de gewelddaden tegen de communisten en tegen de Joden, aan de vervolging van beroemde geleerden om hun ras of hun overtuiging en aan het verbranden of het doen verdwijnen van boeken van Joodse- of andere tegenstanders, maar men beschouwde dit langen tijd als gevolgen van na-oorlogse verwildering, als Duitse verschijnselen, die de rest van de wereld maar weinig aangingen. Deze houding werd gesteund door Hitler's bewering, dat het nationaalsocialisme geen exportartikel was. Deze afzijdige houding is de wereld duur te staan gekomen, vooral, omdat zij ook werd toegepast tegenover de agressieve verwatenheid naar buiten. Men geloofde niet aan de nieuwe kracht van Duitsland, ook niet toen Hitler in zijn partij grote, goed gedisciplineerde legers vormde, ook niet toen het bleek, dat de geheime bewapening onder leiding van Göring en van vroegere generaals geweldige vormen had aangenomen, men praatte het goed, dat de herstelbetalingen werden gestaakt, dat Hitler de verplichting tot bewapeningsbeperking opzegde en het gedemilitairiseerde Rijnland ging bezetten. Men hoopte, dat Duitsland wel spoedig weer tot rust zou komen en Hitler zou afdanken.

Intussen deden deze successen Hitler's populariteit en zijn zelfvertrouwen geweldig stijgen. Hij raakte steeds meer overtuigd, dat Frankrijk, dat door politieke geschillen en door slechte economische organisatie was verzwakt en Engeland, dat bovenal geen tweede wereldoorlog wilde en dat zich in imperialistische zelfgenoegzaamheid meer voor zijn koloniën interesseerde dan voor Europa, niet bij machte zouden zijn de Duitse expansie tegen te houden. Amerika was ver af en werd bezig gehouden door eigen crisisproblemen, Rusland was een kolos met lemen voeten, het zou uit elkaar vallen bij den eersten krachtigen stoot en Duitsland was bereid daartoe bij te dragen om zich de gewenste levensruimte te verschaffen.

> Wir wollen weiter marschieren,
> Bis alles zusammenfällt,
> Denn heute gehört uns Deutschland
> Und morgen die ganze Welt,

aldus zong de nationaalsocialistische jeugd in het nieuwe Derde Rijk. Dit leek op het eerste gezicht een uiting van jeugdigen overmoed, maar het is gebleken bittere ernst te zijn. Hitler streefde niet meer of minder na, dan de verovering van de wereldmacht. Hij had deze oorspronkelijk met Engeland willen delen, maar toen hij bemerkte, dat hij zich door zijn gedragingen volkomen onmogelijk had gemaakt, zag hij hiervan met leedwezen af en verbond hij zich met twee agressieve totalitaire staten, met Italië en Japan. Zij noemden zich de „bezitlozen", wat voor Japan, dat net Mandsjoerije had opgeslokt en voor Italië na de verovering van Abessinië een niet zeer bescheiden indruk maakte. Dit drietal broedde tezamen een gigantisch plan uit voor de verdeling van de wereldmacht en het bereidde zich stelselmatig voor op de uitvoering ervan, terwijl de democratische landen nog droomden van vrede door overleg onder leiding van den Volkenbond.

Toen Hitler in 1933 aan het bewind kwam, keerde Duitsland naar het voorbeeld van Japan den rug toe aan den Volkenbond, toen bleek, dat men aan de eenzijdige ontwapening van Duitsland vasthield en het ging alleen en eigenmachtig verder zijn eigen weg. Over de gehele wereld vormden de Duitsers, meest in samenwerking met maatschappelijk weinig geslaagde mensen, die zich tekort gedaan voelden, kernen van nationaalsocialisme, die propaganda maakten voor het nieuwe Duitsland en die de sympathie en ook daadwerkelijken steun moesten voorbereiden bij den toekomstigen wereldoorlog. Zuid-Amerika werd op deze wijze intensief bewerkt door Duitsers en Italianen, maar ook in de Verenigde Staten maakten zij propaganda en in Zuid-Afrika en in Indië hitsten zij op tegen Engeland. In Oostenrijk werd de kanselier Dolfuss vermoord (1934), omdat hij zich tegen dezen invloed verzette. Hier was de werking het intensiefste, maar in de meeste landen van Europa was de invloed van nationaalsocialistische propaganda merkbaar en werden actieve kernen gevormd. De spanning groeide door den burgeroorlog in Spanje (1936–1939), waarbij zowel Italië en Duitsland als Rusland militaire hulp verleenden en waar zij hun oorlogsmateriaal konden toetsen en hun piloten de nodige oefening konden bezorgen. Engeland en Frankrijk waren niet in staat hieraan een einde te maken, omdat in hun land de sympathieën verdeeld waren, maar bovenal, omdat dan de algemene strijd zou zijn losgebarsten, wat zij ten koste van alles wilden voorkomen. Ook in 1938 moesten zij werkeloos toezien, hoe Oostenrijk door Hitler werd bezet en geannexeerd, wat trouwens zonder bloedvergieten geschiedde. Deze krachtsuitingen versterkten het toch reeds bovenmatige zelfvertrouwen van Hitler en Mussolini en hun vriendschap bleek de proef van een gemeenschappelijke, tevoren betwiste grens te kunnen doorstaan.

Het is bekend, hoe hierop in 1938 de eisen aan Tsjecho-Slowakije en de verzoeningspoging van Chamberlain en in 1939 de inlijving van den Tsjechischen staat, de verovering van Albanië door Italië, de eisen aan Polen inzake Danzig en den Corridor en het uitbreken van den tweeden wereldoorlog volgden. Het militairisme had gezegevierd.

Conclusie.

Door de vernietiging der totalitaire machten in Duitsland, Italië en Japan heeft het vraagstuk van den totalitairen staat zijn belangrijkheid niet verloren, want het Russische regeringsstelsel, dat in de gehele wereld door communistische groepen wordt gepropageerd, heeft tot gevolg, dat in de Westerse wereld de verdediging en de uitwerking van de eigen maatschappelijke en politieke vormen een zaak van het grootste belang blijft. Ook zijn de moeilijkheden van het democratische stelsel in een sterk geïndustrialiseerde, centraal georganiseerde wereld nog allerminst opgelost, zodat de strijd tussen beide stelsels voorlopig verderen voortgang vindt. De invloeden van het nationaal-socialisme en van het fascisme kunnen in Duitsland en in Italië ook allerminst als verdwenen worden beschouwd, al zijn zij voor het ogenblik machteloos. De voorstanders der democratie zullen dus geestelijk gemobiliseerd moeten blijven om de Westerse grondslagen van de maatschappij tegen verdere aanslagen te kunnen verdedigen. Die mobilisatie vraagt inzicht in de geschiedenis en in de problemen van de maatschappelijke structuur, een inzicht, waartoe deze studie tracht bij te dragen.

De totalitaire stelsels blijken bij nadere beschouwing moderniseringen te zijn van zeer oude totalitaire staatsvormen, die met behulp van militairistische organisaties in de moderne wereld tot stand worden gebracht. In Rusland groeide deze organisatie waarschijnlijk nog het meest natuurlijk in een gemeenschap, die nooit anders dan oppervlakkig Westers is geweest. Tegenover de Oosterse totalitaire staten vertonen de moderne totalitaire stelsels een belangrijk verschil: de oude stelsels zijn bij uitstek statisch van structuur, de vormen van de gemeenschap blijven door eeuwen heen vrijwel ongewijzigd; de moderne totalitaire staten wisten het volk te bezielen, omdat zij iets nieuws wilden scheppen, zij gebruiken den dwang van bovenaf voor het stichten van een nieuwen heilsstaat. Daartoe ontstaat een tegenstelling tussen vorm en bedoelingen, die ons voor de vraag stelt, of een dergelijke staat wel practisch houdbaar zal blijken in een tijd van vrede. Tot nu toe zijn de grote materiële prestaties, vooral op economisch gebied, in de eerste plaats bereikt door oorlogsdreiging of in oorlogstijd, waardoor de nationalistische geest en de militairistische maatschappelijke organisatie als machtige drijfkrachten dienden om het volk in een stemming te houden, die grote offers deed brengen. Vanuit dit gezichtspunt is het ook begrijpelijk, dat de militaire organisatie van de opvoeding en van de gemeenschap in Rusland na de overwinning nog eerder is versterkt en dat de oorlogsdreiging en de voorbereiding tot oorlog daar ook thans nog bij de voorlichting der publieke opinie op den voorgrond worden geschoven. In wezen behoort bij de totalitaire gemeenschapsstructuur niet noodzakelijk militaire agressie, maar om in deze structuur het dynamisch element levend te houden, lijkt het militairisme een noodzakelijke toevoeging.

Naast deze innerlijke tegenstelling van statische structuur en dynamische doelstelling vertoont vooral Rusland nog een tweede contradictie in zijn structuur. De bolsjewisten zijn uitgegaan van het Marxistische socialisme, dat de opheffing van het kapitalisme en den klassenlozen staat als doel stelt; zij hebben de klassen vernietigd en de productiemiddelen geheel aan den staat getrokken, maar om deze Marxistische idealen te kunnen verwezenlijken, hadden zij de Communistische partij nodig, die zich binnen korten tijd tot een heersende klasse heeft ontwikkeld. Terwijl de socialisten altijd hebben gemeend, de regeringsmacht aan het volk te kunnen brengen zonder bemiddeling van een aristocratie, heeft Lenin vanaf het begin de noodzakelijkheid gezien van een georganiseerde elite, waarin zowel Mussolini als Hitler hem zijn gevolgd. Het verschil met alle vroegere maatschappelijke elites bestaat hierin, dat zij ditmaal in korten tijd werden gerecruteerd, waarbij aanvankelijk oud-militairen het leeuwenaandeel leverden. Op dit merkwaardige ontstaan van een heersende klasse zullen wij in het derde deel nog nader terug moeten komen.

Niet alleen de klassenloze maatschappij, maar ook de afschaffing van het kapitalisme werd in Rusland slechts in schijn bereikt, want het kapitalistische systeem, waarbij de arbeider wordt uitgebuit ten einde nieuwe kapitaalvorming en machtsconcentratie mogelijk te maken, werd nu verder in dienst van den staat gehandhaafd op een veel rigoureuser wijze dan dat in kapitalistische landen mogelijk is. Men spreekt dan ook terecht van het Russische staatskapitalisme, waarbij de arbeiders in werkelijkheid veel minder rechten hebben dan in democratische landen.

Hoe komt het, dat deze tegenstellingen tussen ideologie en werkelijkheid in Rusland en bij de communisten daarbuiten gehandhaafd kunnen worden? In Rusland hangt dit in de eerste plaats samen met de structuur van den totalitairen staat. Van oudsher is de totalitaire staat een gesloten organisme, dat de aanraking naar buiten tot een minimum tracht te beperken. Wie de geschiedenis van Japan, of van Egypte, of van de Inca's kent, zal zich niet verwonderen, dat Rusland zich met een „ijzeren gordijn" tracht af te sluiten. Ook behoort steeds bij dezen gemeenschapsvorm, dat de geestelijke ontwikkeling ondergeschikt gemaakt wordt aan de eenheid van de maatschappij. Het denken wordt zorgvuldig behoed en ieder dient te beantwoorden aan het algemene type. Deze eenvormigheid op geestelijk en politiek gebied wordt dan steeds met de strengste middelen gehandhaafd. Streng toezicht door een machtige, ten dele geheime politie, spionage, agents provocateurs, martelingen bij verhoren, gevangenissen, concentratiekampen met dwangarbeid, honger, ontnemen van werk, uitstoten uit de gemeenschap, lijfstraffen en veelvuldige doodstraffen behoren van oudsher bij dezen gemeenschapsvorm. Alle verzet wordt onder die omstandigheden uiterst moeilijk, vooral als opstanden met de moderne militaire machtsmiddelen bestreden kunnen worden.

Daarnaast beschikt de moderne totalitaire staat echter nog over nieuwe middelen om zijn gezag te handhaven en het volk gunstig voor zich te stemmen. Dit zijn de propagandamiddelen van de georganiseerde volksbeweging, waarbij pers, radio, bioscoop, affiches, theater, kunst, massa-optochten, demonstraties en vertoningen op systematische wijze worden gebruikt om bepaalde gevoelens te wekken en bepaalde voorstellingen ingang te doen vinden. De kunstmatig gekweekte onkunde over andere volken maakt het mogelijk, het eigen systeem mateloos te verheerlijken en de anderen als ontaarde knechten van uitbuitende kapitalisten voor te stellen, terwijl het eigen slaven en zwoegen in behoeftige omstandigheden als vrijheid wordt geprezen. Ook als men volmondig erkent, dat de Communistische partij in Rusland bewonderenswaardig veel voor het volk heeft gedaan, dan blijft daarnaast echter het feit bestaan, dat ditzelfde in andere landen tevoren reeds grotendeels langs andere wegen was bereikt en dat Rusland van die andere landen nog meer zou kunnen leren.

De zelfverheerlijking gaat gepaard met een georganiseerde vijandige critiek op andere landen, waarbij ophitsende leugens even weinig worden geschuwd als dat bij Hitler of Goebbels het geval was. De totalitaire staat verdraagt geen objectieve voorlichting. Dezelfde verschijnselen, die wij uit het nationaalsocialistische Duitsland kennen, worden in het maatschappelijk systeem der Sovjets teruggevonden. Daarnaast dient echter duidelijk onderstreept te worden, dat de idealen, die men met deze middelen tracht te verwezenlijken in beide gevallen duidelijke verschillen vertonen. In Rusland bestaan geen rassenvooroordelen en heerst volkomen gelijkheid tussen man en vrouw. Rusland is in principe voor een internationale wereldbroederschap, al is het practisch thans bezig meer en meer nationalistisch te worden, evenals Duitsland dat van den beginne was. Het stelde de belangen der arbeiders voorop (waarbij de boeren ook als arbeiders werden aangeschakeld) en stelde als doel van den staat den welstand van een volk van arbeiders en technici. Het Duitse ideaal had minder echte belangstelling voor den arbeider, richtte zich meer uitsluitend op den welstand en de macht der partij.

Dat het volk in beide gevallen dit absolute gezag van een partij heeft aanvaard, komt niet alleen voort uit slaafsheid en angst voor de terreur. Het hangt ook samen met twee feiten, die van grote betekenis zijn in de verhouding tussen staat en gemeenschap. In de eerste plaats nam de heersende partij, ook wel in Duitsland, maar vooral in Rusland, het gehele gewicht van de maatschappelijke en economische organisatie op haar schouders. Vooral de hogere partijmensen werkten onder den zwaarsten druk van verantwoordelijkheid, straffen, ongenade en concurrentie, die het uiterste van hun vermogen vergde. Daarbij werden zij tegenover het volk als helden voorgesteld, die het uiterste voor de goede zaak geven en de bijbebehorende corruptie werd ten dele bemanteld, ten dele onderdrukt. Zodra het volk overtuigd is, dat een dergelijke groep alle onaangename werk voor hen opknapt, wordt deze als een aristocratie, een elite geaccepteerd, waarbij hun wel enkele voordelen worden gegund.

Een tweede belangrijke feit hangt hiermee samen. De democratische theorieën hebben meestal de bereidwilligheid van den gemiddelden mens om lasten en verantwoordelijkheid voor de gemeenschap op zich te nemen sterk overschat. In een steeds gecompliceerdere maatschappij wordt ook het vermogen tot oordelen in vele gemeenschapsvragen al voor een normaal burger praktisch onmogelijk. Of deze vragen nu beslist worden door een gemeenteraad of een parlement, dan wel door organen van de totalitaire partij, maakt voor een groot deel der burgers geen verschil. Natuurlijk is dat deel der burgers, dat zich voor de publieke discussies interesseert in een democratische gemeenschap uiterst belangrijk, maar in Rusland is dat deel altijd minimaal geweest. Het volk stond daar volkomen buiten alle maatschappelijke en politieke zaken; het was slaafs en zeer weinig ontwikkeld. Thans is hun gevoel van eigenwaarde gedekt; dagelijks wordt aan hen bijgebracht, dat het op hen aankomt de wereld te vernieuwen en in de toekomst de ideale maatschappij te vestigen. Dit waardegevoel ontleende de mens vroeger aan het Christendom, thans steunt het op politieke doelstellingen.

In de democratische landen heeft men te weinig betekenis gehecht aan deze diep wortelende behoefte van den mens om tot zijn recht te komen. De godsdienst voorzag voor een belangrijk deel in deze behoefte, maar bij het verval daarvan kwamen vooral de eenvoudigen van geest in het onzekere te staan. De socialistische en de communistische partijen streden niet alleen voor meerderen welstand en voor ontwikkelingsmogelijkheden, maar zij verlosten het volk van zijn minderwaardigheidsgevoel. Vandaar ook hun sympathie voor de onderdrukte gekleurde rassen, waar, vooral bij de intellectuelen, dit minderwaardigheidsgevoel eveneens een grote rol speelt. Wanneer het minderwaardigheidsgevoel bewust wordt en de compensatie ervan een overheersend streven wordt, ontstaat gemakkelijk een toestand van zelfoverschatting. De geschoolde arbeider is geleidelijk individualistischer en critischer geworden, maar de weinig of niet geschoolden versterken hun zelfgevoel via de massa en via de leuzen, dat de maatschappij er voor hen is en dat zij hun rechten moeten laten gelden, waarna zij de wereld dan wel zullen verbeteren.

Deze werking van de minst ontwikkelde volksklasse zou in de democratische landen geen gevaar van enige betekenis vormen, ware het niet, dat zij voortdurend onrust en sociale verwarring stichtten, dat zij als vijfde colonne bij een Russische expansie kunnen fungeren en verder vooral, dat een deel der intellectuelen zich aan hun zijde heeft geschaard. Deze intellectuelen oefenen een sterkeren invloed uit dan de Nazi's ooit op dit gebied hebben vermocht, omdat de verheerlijking van volk en ras de intelligente mensen buiten Duitsland nooit erg heeft gepakt, terwijl wij in de communistische leer met een consequent doorgevoerde ideologie te maken hebben, die door de eenvoudigheid van haar structuur vele verwarde geesten en zoekende zielen een houvast belooft. Deze leer werkt, evenals de Duitse propaganda-theorieën de begripsverwarring in de hand. [1]) Niet alleen in Rusland, maar overal in de Westerse wereld heeft een groot deel der intellectuelen zich met overtuiging afgewend van de geestelijke wereld van godsdienst en philosofie om alleen steun te zoeken aan de harde feiten van natuurwetenschap en economie. Deze anti-geestelijke houding is nergens zo consequent doorgevoerd als in Rusland, waar godsdienst en geesteswetenschappen alleen geduld worden, voor zover zij tot propaganda kunnen dienen voor het communistisch gemeenschapsideaal. Hier geldt als enige richtlijn de technische beheersing van natuur en maatschappij, voorgelicht door een natuurwetenschappelijk gefundeerde ideologie. Geloofshoudingen en geestelijke idealen worden als subjectieve „wensvervullingen" beschouwd, sprookjes waarmee men de dommen zoet kan houden en waaraan het gevoel zich kan bedrinken, maar die de harde, moderne realist als illusies opzij schuift. In de nieuwe wereld, die aldus gebouwd wordt, is geen plaats voor den geest en voor geestelijke vrijheid.

[1]) Men hoort, bijvoorbeeld, thans in deze intellectuele kringen spreken van „totalitaire democratie", een begrip, Goebbels waardig.

Rusland propageert niet alleen een nieuwen maatschappijvorm, maar tevens een nieuwe levens- en wereldbeschouwing, die in de Westerse wereld reeds overal aanhangers had, maar die nergens in die mate zo consequent theoretisch en practisch is doorgevoerd. Ieder, die dit inziet, zal de mening moeten laten varen, dat het bij de tegenstelling tussen Rusland en het Westen enkel gaat om verschillen in maatschappelijke structuur. Het voortbestaan van de Westerse waarden van Christendom en Humanisme staat op het spel. Leefden onze voorouders in een illusie, toen zij in deze waarden den hoogsten zin van het leven vonden? Om de crisis van de Westerse cultuur in haar wezen en haar oorzaken te kunnen overzien, is het nodig uitvoerig op deze geestelijke ontwikkeling in te gaan. Hiervoor moet ik verwijzen naar het tweede deel van dit boek.

KORTE SAMENVATTING
VAN DE SOCIALE PROBLEMATIEK

Aan het eind van dit eerste deel lijkt het gewenst nog eens de problemen op te sommen, die in den loop der eeuwen in de gemeenschappen van het Westen zijn ontstaan en die onze tijd, zo goed als dat gaat, zal moeten trachten op te lossen.

Het eerste belangrijke probleem is de tegenstelling tussen individu en gemeenschap. Vanaf zeer vroege tijden is de Westerse gemeenschap op samenwerking van individuele mensen gebouwd en zij onderscheidt zich daarbij van de totalitaire gemeenschapsvormen, die wij bij de primitieve volken en in de Oosterse totalitaire staten vinden en die in een groot deel van de wereld hun invloed tot op heden hebben behouden. Reeds de geschiedenis van Griekenland en Rome kan ons leren, dat in de individualistische Westerse wereld de terugkeer tot de totalitaire gemeenschap ontaarding en verval heeft gebracht.

Oorspronkelijk is de typische toepassing van dit individualisme in de Westerse gemeenschap de aristocratische democratie, die als één structuurvorm moet worden beschouwd, echter met een wisselwerking tussen twee polen, die ieder tot een speciaal soort van ontaarding kunnen leiden. De aristocratische eenzijdigheid voert tot oligarchie en plutocratie, waarbij het volk door een kleine groep wordt onderdrukt en dan in opstand komt; de democratische eenzijdigheid veroorzaakt een te grote uitbreiding van de regerende groep, waardoor de macht in handen komt van volksmenners en van onverantwoordelijke personen en groepen, die niet in staat zijn de organisatie van de gemeenschap te handhaven en te leiden, zodat dan een machtig militair apparaat de eenheid via den monarchalen gemeenschapsvorm moet herstellen. Het succes van de aristocratische democratie berust op een subtiel samenspel van krachten, waarbij de heersende klasse bereid is tot zelftucht en offers, zodat zij een voorbeeld kan geven en waarbij het volk de leiding en den stijl van de elite aanvaardt. Deze gemeenschapsvorm heeft grotere mogelijkheden in zich voor culturele en geestelijke ontwikkeling dan enige andere gemeenschap, maar zij is labieler en kan daardoor eerder in verval geraken.

De ontwikkeling van dezen gemeenschapsvorm in de steden aan het eind der Middeleeuwen werd doorbroken door het ontstaan der nationale staten, die een sterk centraal gezag nastreefden. Zij schreed eerst alleen verder in kleine republieken als Nederland en Zwitserland, waar het centrale gezag vervangen werd door een zelfde soort samenwerking als in de onafhankelijke stadsbesturen was ontstaan en bovendien in Engeland, dat in zijn Parlement een nieuw soort orgaan schiep voor de aristocratisch-democratische regering van een geheel land.

De Franse Revolutie bevorderde enerzijds de uitbreiding van dezen regeringsvorm, doordat daarna overal het Engelse parlementaire stelsel tot voorbeeld werd gesteld, maar anderzijds bemoeilijkte het de schepping van een dergelijk subtiel evenwicht, omdat het de aristocratieën in discrediet bracht en de rol van het volk en de menigte bovenmatig overschatte. Daarmee was een afglijden van de aristocratische democratie naar de democratische pool voorbereid. Als reactie tegen dit gevaar werd eerst in Frankrijk en in de Duitse landen de autoritaire aristocratische houding versterkt, maar in Frankrijk wist zich in den loop der vorige eeuw de democratische pool toch door te zetten. Het vinden van een aristocratisch-democratisch evenwicht werd bemoeilijkt door twee factoren: ten eerste door de werking van liberale, cerebraal-democratische en sociaal-democratische ideologieën en ten tweede door het ontstaan van de industrialisatie en van den massamens.

De sociale ideologieën hebben het nadeel, dat zij wetenschappelijk gefundeerd lijken, maar in wezen berusten op vooroordelen en eenzijdigheden. Zij sluiten ons inzicht te vroeg af en trekken vérstrekkende practische conclusies, die dan moeilijk door een verbeterd inzicht kunnen worden achterhaald. De idee van de gelijkheid van de mensen was in de achttiende eeuw vanuit het ideaal van gelijkgerechtigdheid ontstaan door foute philosofische, psychologische en biologische opvattingen. De mens werd bij zijn geboorte als een onbeschreven blad papier beschouwd, waaruit de buitenwereld alles of niets kon maken. Hieruit ontstond het liberale optimisme over den vooruitgang door kennis en welvaart. De cerebrale democratie voegde hierbij de illusie, dat de juiste regeringsvorm van zelf zou worden bereikt, als het volk maar in staat gesteld werd zijn mening door algemeen kiesrecht kenbaar te maken. Hierbij voegde zich als derde vergissing de voorstelling van Marx, dat de klassenstrijd van zelf tot een klassenloze maatschappij zou voeren, waarbij de ideale gemeenschap verwezenlijkt zou zijn.

De foute ideeën gaven de richtlijnen aan den vierden stand, toen deze zich gereed maakte bewust zijn plaats in het maatschappelijk geheel te gaan innemen. De maatschappelijke crisis, waarin wij leven, is te vergelijken met die in den tijd van de Renaissance. Toen ging het er om of de derde stand maatschappelijk en cultureel op harmonische wijze in de gemeenschap zou worden opgenomen en het heeft toen ook langen tijd geduurd, vóór van weerskanten de aanpassing was gevonden. Thans gaat het om de vraag, of de geschoolde arbeiders in een vernieuwde sociale en culturele eenheid hun plaats kunnen vinden, dan wel, dat zij onder den druk van de ongeschoolden en mede door buitenlandse invloeden, zich vijandig zullen blijven stellen tegenover de oude maatschappij en de oude cultuur, zodat zij zullen trachten deze eerst af te breken om dan van den grond af een nieuwe maatschappij naar Russisch model op te bouwen. In deze vraag ligt het kritieke punt voor het al of niet bereiken van een nieuwe stabiliteit en het lijkt niet onmogelijk, dat deze strijd tussen den democratischen en den totalitairen gemeenschapsvorm nog geruimen tijd zal duren, voor hij zijn beslissing vindt.

Naast de ideologieën, die door hun eenzijdige voorstellingen het begrip van de intelligente arbeiders en van de socialistische leiders bemoeilijken, ontstaat hier een nog groter gevaar voor het slagen van een verbeterde maatschappelijke eenheid door de geweldige toename van de massa in alle geïndustrialiseerde landen. Het menselijk wezen ontplooit zich door verantwoordelijkheid op zich te nemen en de massamens neemt juist minder verantwoordelijkheid. Het is zeker allerminst de bedoeling geweest van de arbeidersverenigingen en van de socialistische partijen de arbeiders tot onverantwoordelijke massamensen te maken. De leiders zelf ontplooiden ook hun persoonlijkheid en waren genoodzaakt als vertegenwoordigers in gemeenteraden, provinciale staten en parlement begrip te krijgen voor de opvattingen van andersdenkenden. Een sociale en culturele assimilatie, waarbij zij in een soort nieuwen regentenstand werden opgenomen en een nieuwe stijl van de elite kon ontstaan, werd aldus ingeleid, vooral daar, waar de socialisten het regeringsgezag mee aanvaardden. Dit proces werd echter weer geremd, doordat de beïnvloeding der massa speciale eisen stelde, die moeilijk in overeenstemming te brengen waren met die assimilatie. Het idee der gelijkheid, de verovering van het staatsgezag door het grotere stemmenaantal, de klassenstrijd en de vernietiging van de bezittende klasse waren koren op den molen van den massamens, die aldus alles in zijn fantasie ten zijnen voordele zag verlopen, zonder dat hij daarvoor de verantwoordelijkheid behoefde te nemen of zware offers zou moeten brengen. Nu de socialistische partijen in vele landen van West-Europa tot het staatsgezag zijn gekomen, ervaren zij de moeilijke kanten van deze optimistische theorieën en beloften, die dan met meer succes door de communistische oppositie worden gehanteerd. Het socialisme is thans op een keerpunt gekomen: het zal moeten trachten, in samenwerking met oudere partijen, die geleidelijk veel van het socialisme in zich hebben opgenomen, de opvoeding van den massamens tot verantwoordelijk burger ter hand te nemen, of wel het zal afglijden in de richting van het communistische stelsel, waarbij partij en ambtenaren één goed georganiseerd machtsapparaat vormen, die met massapsychologie, propaganda en machtsmiddelen de massa weet te leiden en te beheersen, zonder dat deze daar iets van begrijpt.

Van deze uiteindelijke beslissing hangt het toekomstig lot van Europa af. Het gaat enerzijds om een democratie, die niet alleen regeringssysteem is, maar die met den democratischen geest van eerbied voor de persoonlijkheid ook het gezin, de werkplaats, het kantoor, het verenigingsleven weet te doordringen en het onderlinge vertrouwen kan funderen, anderzijds om een totalitairen staat, die door dwang van de organisatie en propaganda den mens inschakelt in een machtig geheel, dat niet zonder grootheid is, maar dat geen plaats laat voor de persoonlijkheid en voor den geest. Willen de socialisten den eersten weg gaan, dan dienen zij in te zien, dat het een lange weg is, die belangrijke veranderingen in hun geesteshouding zal vereisen. Wanneer zij erkenning vragen voor de rechten van den arbeider en zorg voor het massaprobleem, dan staan zij volkomen in hun recht, maar zij kunnen onmogelijk denzelfden eerbied eisen voor hun ideologieën en zij zullen meer begrip en eerbied dienen te ontwikkelen voor de geestelijke en culturele grondslagen, waarop onze maatschappij tot nu toe werd gebouwd. Daarvoor is het nodig ook de problematiek van het geestelijk leven in onzen tijd beter te begrijpen.

INHOUD - DEEL I

INDEX VAN AANGEHAALDE AUTEURS [1]

[1]) Een index der onderwerpen zal aan het eind van het derde deel worden gegeven.